最新 臨床工学講座

医用治療機器学

|監修| 一般社団法人
日本臨床工学技士教育施設協議会

|編集| 篠原 一彦

医歯薬出版株式会社

【編　者】

篠原一彦（しのはらかずひこ）　東京工科大学医療保健学部臨床工学科

【執筆者および執筆分担】

佐々木敏彦（さきとしひこ）　首都医校臨床工学学科
　第1章，第5章

堀　秀生（ほりひでお）　藤田医科大学医療科学部医療検査学科
　第2章-1，2，5

田仲浩平（たなかこうへい）　東京工科大学医療保健学部臨床工学科
　第2章-3

奥村高広（おくむらたかひろ）　埼玉医科大学保健医療学部臨床工学科
　第2章-4

篠原一彦（しのはらかずひこ）　東京工科大学医療保健学部臨床工学科
　第3章-1，3，第6章

中島章夫（なかじまあきお）　杏林大学保健学部臨床工学科
　第3章-2，第4章，第7章-1

荻野　稔（おぎのみのる）　東京工科大学医療保健学部臨床工学科
　第3章-4

渡部祐司（わたなべゆうじ）　西条中央病院外科
　第7章-2

This book is originally published in Japanese
under the title of :

SAISHIN-RINSHOKOGAKUKOZA　IYOCHIRYOKIKIGAKU
(The Newest Clinical Engineering Series　Study of Medical Apparatus)

Editor :
SHINOHARA, Kazuhiko
　Professor, Tokyo University of Technology

© 2024　1st ed.

ISHIYAKU PUBLISHERS, INC.
　7-10, Honkomagome 1 chome, Bunkyo-ku,
　Tokyo 113-8612, Japan

『最新臨床工学講座』の刊行にあたって

　日本臨床工学技士教育施設協議会の「教科書検討委員会」では，全国の臨床工学技士教育養成施設（以下，CE 養成施設）で学ぶ学生達が共通して使用できる標準教科書として，2008 年から『臨床工学講座』シリーズの刊行を開始しました．シリーズ発足にあたっては，他医療系教育課程で用いられている教科書を参考にしながら，今後の臨床工学技士育成に必要，かつ教育レベルの向上を目的とした教科書作成を目指して検討を重ねました．刊行から 15 年が経過した現在，本シリーズは多くの CE 養成施設で教科書として採用いただき，また国家試験出題の基本図書としても利用されています．

　しかしながらこの間，医学・医療の発展とそれに伴う教育内容の変更により，教科書に求められる内容も変化してきました．そこでこのたび，臨床工学技士国家試験出題基準の改定〔令和 3 年版および令和 7 年版（予定）〕，臨床工学技士養成施設カリキュラム等の関係法令改正，タスク・シフト／シェアの推進に伴う業務拡大等に対応するため，『最新臨床工学講座』としてシリーズ全体をリニューアルし，さらなる質の向上・充実を図る運びとなりました．

　新シリーズではその骨子として以下の 3 点を心がけ，臨床工学技士を目指す学生がモチベーション高く学習でき，教育者が有機的に教育できる内容を目指しました．

　　①前シリーズ『臨床工学講座』の骨格をベースとして受け継ぐ．
　　②臨床現場とのつながりをイメージできる記述を増やす．
　　③紙面イメージを刷新し，図表の使用によるビジュアル化，わかりやすい表現を心がけ，学生の知識定着を助ける．

　医療現場において臨床工学技士に求められる必須な資質を育むための本教科書シリーズの意義を十分にお汲み取りいただき，本講座によって教育された臨床工学技士が社会に大きく羽ばたき，医療の発展の一助として活躍されることを願ってやみません．

　本講座のさらなる充実のために，多くの方々からのご意見，ご叱正を賜れば幸甚です．

2024 年春

日本臨床工学技士教育施設協議会　教科書検討委員会
最新臨床工学講座　編集顧問

序

　本書，最新臨床工学講座「医用治療機器学」は15年にわたり学生諸君に活用された「臨床工学講座」の理念を受け継ぎ，近年の医学の進歩と臨床工学技士の業務拡大，養成カリキュラム改訂などに対応すべく新規に企画したものである．

　1987年の臨床工学技士法制定時に規定された臨床工学技士の業務は，「循環・呼吸・代謝機能を代替・補助する生命維持管理装置の操作保守点検」であった．しかし内視鏡外科手術やInterventional Radiologyなどの低侵襲治療の進歩もあって，臨床工学技士の活動の場は手術・透析・ICU部門とともに，内視鏡・放射線部門，医療機器安全管理，在宅医療から災害時の病院機能維持などにも拡大した．

　さらに2021年の臨床工学技士法改正では，医師業務のタスクシフト・タスクシェアという社会的要請もあり，麻酔・内視鏡外科手術・カテーテルアブレーション治療等において，これまで以上の直接的な操作が臨床工学技士業務として認められた．

　医学の進歩や社会情勢の変化とともに，今後も臨床工学技士への期待と業務はますます増大するものと思われるが，手術支援ロボットやナビゲーション装置に代表される先進医療機器は，コンピュータ支援下の計測と治療を同時に行う統合的システムへと進化した．このため臨床工学技士は，医師とのタスクシェア・タスクシフトに留まることなく，臨床工学技士の側から他の医療職や技術者とのワークシェアを主導する責務も期待される．そのためには臨床工学技士を目指す学生諸君にもさらなる学修と研鑽が必要となる．

　本書が新世代の臨床工学技士として巣立つ学生諸君とその教育担当者とともに，第一線で活躍中の臨床工学技士，さらに医用工学者や企業人にとっても医用治療機器学の知識の整理やアップデートに寄与するものと信じている．

2023年12月

執筆者を代表して　　篠　原　一　彦

最新臨床工学講座　医用治療機器学
CONTENTS

『最新臨床工学講座』の刊行にあたって ……………………………………… iii
序 ……………………………………………………………………………………… v

第1章　治療の基礎　1

1　作用と副作用 …………………………………………………………………… 1
2　治療に用いる物理エネルギーの種類と特性 ……………………………… 4

第2章　電磁気治療機器　5

1　電気メス ………………………………………………………………………… 5
　1. 電気メスの歴史 ……………………………………………………………… 5
　2. 電気メスの基礎 ……………………………………………………………… 5
　3. 電気メスの事故と対策 …………………………………………………… 16
　4. 安全対策 …………………………………………………………………… 24
　5. 保守管理 …………………………………………………………………… 25
　6. その他の電気メス ………………………………………………………… 27

2　マイクロ波手術装置 ………………………………………………………… 29
　1. マイクロ波手術装置とは ………………………………………………… 29
　2. 歴史 ………………………………………………………………………… 29
　3. 加熱原理 …………………………………………………………………… 29
　4. 構成 ………………………………………………………………………… 31
　5. 安全回路 …………………………………………………………………… 32
　6. 保守管理 …………………………………………………………………… 32
　7. 取り扱い上の注意事項 …………………………………………………… 33
　8. 他の機器と併用する場合の注意点 ……………………………………… 33

3　除細動器 ……………………………………………………………………… 34
　1. 除細動器の目的と適応症 ………………………………………………… 34
　2. 除細動器の種類 …………………………………………………………… 39
　3. 手動式除細動器の内部回路 ……………………………………………… 55
　4. 安全機構 …………………………………………………………………… 60
　5. 保守と点検 ………………………………………………………………… 61
　6. 事故と対策 ………………………………………………………………… 65

4 心臓ペースメーカ ……… 66
1. 心臓ペースメーカとは ……… 66
2. 心臓ペーシング治療の発展 ……… 66
3. ペースメーカ治療を理解するための基礎 ……… 67
4. 体外式ペースメーカ ……… 73
5. 植込み型ペースメーカ ……… 74
6. ペースメーカの機能と生理的ペーシング ……… 78
7. ペーシングモード ……… 80
8. ペーシング治療に用いる関連機器 ……… 83
9. ペースメーカのトラブル ……… 86
10. 体外式ペースメーカの保守管理 ……… 87
11. 機能的電気刺激治療 ……… 89

5 カテーテルアブレーション装置 ……… 89
1. 目的 ……… 89
2. 原理 ……… 90
3. 構成 ……… 90
4. 取り扱い上の注意事項 ……… 91
5. 保守管理 ……… 91

第3章 機械的治療機器　93

1 吸引器 ……… 93
1. 吸引器の種類と目的 ……… 93
2. 一般用吸引器 ……… 93
3. 低圧持続吸引器 ……… 94
4. 携帯型吸引器 ……… 96

2 結石破砕装置 ……… 97
1. 結石破砕装置 ……… 97

3 心血管系インターベンション装置 ……… 110
1. 心血管インターベンション ……… 110
2. 冠動脈インターベンション ……… 110
3. 大動脈と末梢血管に対するIVR ……… 113
4. 心臓内腔からのIVR ……… 115
5. 経皮的血管塞栓術 ……… 116
6. カテーテルアブレーション ……… 117

4 輸液ポンプ ……… 118
1. 輸液ポンプの構成と分類 ……… 118
2. 輸液ポンプの流量の制御方式 ……… 123

3. 滴下センサ ……………………………………………………………… 123
　　　4. 輸液セット ……………………………………………………………… 123
　　　5. 輸液ポンプの使用手順 ………………………………………………… 123
　　　6. トラブルと対応 ………………………………………………………… 124
　　　7. 輸液ポンプの補助機能 ………………………………………………… 128
　　　8. 保守・管理 ……………………………………………………………… 130

第4章　光治療機器　　　　　　　　　　　　　　　　　　　　　133

1　レーザ手術装置 ……………………………………………………………… 133
　　　1. レーザの発明と治療への応用 ………………………………………… 133
　　　2. レーザ治療を理解するための基礎 …………………………………… 133
　　　3. レーザ光の生体に対する物理的作用と治療形態例 ………………… 138
　　　4. レーザ装置の原理・構造 ……………………………………………… 143
　　　5. レーザ治療装置（臨床応用例と光伝送路） ………………………… 145
　　　6. レーザ装置の安全管理 ………………………………………………… 159

第5章　超音波治療機器　　　　　　　　　　　　　　　　　　　169

1　超音波吸引手術装置 ………………………………………………………… 169
　　　1. 超音波の性質 …………………………………………………………… 169
　　　2. 超音波の発生法 ………………………………………………………… 171
　　　3. 超音波の医療への応用 ………………………………………………… 172
　　　4. 超音波吸引手術装置の構造と原理 …………………………………… 173
　　　5. 適応と対象疾患 ………………………………………………………… 177

2　超音波凝固切開装置 ………………………………………………………… 178
　　　1. 超音波凝固切開装置の構造と原理 …………………………………… 178
　　　2. 適応と対象疾患 ………………………………………………………… 181

第6章　内視鏡　　　　　　　　　　　　　　　　　　　　　　　183

1　内視鏡 ………………………………………………………………………… 183
　　　1. 内視鏡の歴史と概要 …………………………………………………… 183
　　　2. 内視鏡の原理と構造 …………………………………………………… 184
　　　3. カプセル内視鏡 ………………………………………………………… 187
　　　4. 内視鏡による診断と治療 ……………………………………………… 188
　　　5. 内視鏡の保守管理 ……………………………………………………… 191

2 内視鏡外科手術機器 …………………………… 192
1. 内視鏡外科手術の概要 …………………………… 192
2. 内視鏡外科手術に使用する機器 ………………… 193
3. 内視鏡外科手術の留意点 ………………………… 196
4. 内視鏡外科手術における保守管理 ……………… 196

3 手術支援ロボット ……………………………… 196
1. 概要 ………………………………………………… 196
2. 原理と構造 ………………………………………… 197
3. 手術支援ロボットの使用上の留意点と課題 …… 198

第7章 熱治療機器　　199

1 冷凍手術器 ……………………………………… 200
1. 冷凍手術とは ……………………………………… 200
2. 冷凍手術の作用機序と治療の特徴 ……………… 200
3. 冷凍手術器の原理・構造 ………………………… 200
4. 操作・運用 ………………………………………… 204
5. 保守・点検 ………………………………………… 204

2 ハイパーサーミア（癌温熱療法）装置 ……… 205
1. 温熱と医療の関係 ………………………………… 205
2. ハイパーサーミアの理工学的基礎 ……………… 205
3. ハイパーサーミアの生物学的基礎 ……………… 209

付録　臨床工学技士国家試験出題基準（医用治療機器学） ………… 211
索引 …………………………………………………………………… 213

【最新臨床工学講座　編集顧問】

菊地　眞（医療機器センター）
篠原一彦（東京工科大学）
守本祐司（防衛医科大学校）
中島章夫（杏林大学）
福田　誠（近畿大学）
堀　純也（岡山理科大学）
浅井孝夫（順天堂大学）

第1章 治療の基礎

1 作用と副作用

　人間はさまざまな病気と戦いながら生活を営んでいるが，ときに薬を必要とすることもある．その薬を摂取することで治療効果が現れるならば症状は軽減するが，その反面，薬にはかならずある程度の副作用が存在する．この副作用が身体に重大な影響を及ぼさなければ作用（治療効果）を優先するが，重篤な副作用が現れるのであれば治療薬として使用できない．

　治療機器においても，薬と同様な概念がある．治療機器は生体に何らかの物理エネルギーを作用させてその治療効果（**主作用**）を期待するが，ある程度以上のエネルギー量を生体に加えなければ，目的とする治療効果をあげることはできない．しかし，生体に外部からエネルギーを加えることは，治療目的以外の変化が生ずる危険性（**副作用**）がある．この副作用が強ければ生体組織には不可逆的な変化が生じ，治療を行う意味をもたなくなる．副作用がまったくなければ理想的な治療となるが，治療そのものが生体に侵襲を加える行為なので，主作用のみの治療は存在しない．したがって，すべての治療においてこの点を十分に考慮・検討しながら，機器の開発，および臨床使用に臨まなければならない．

　図 1-1-1 は，物理エネルギーを用いた治療における主作用（治療効果）と副作用（危険性）の関係を示したものである．図の横軸は印加エネルギー密度を表し，右方に移行するほど大きなエネルギーを加えることを意味する．また，図の縦軸の原点から上方は主作用（治療効果）を表し，茶色の直線はその治療効果の程度を示すが，この傾きは印加エネルギー（治療法の種類）により異なる．

　生体にエネルギーを加えていくと，はじめのうちは治療効果が得られないが，あるレベルに達するとはじめて治療効果が現れる（図 1-1-1 のX点）．このレベルが「**治療閾値**」である．この治療閾値以上にさらにエネルギー密度を上げていくと，それに比例して治療効果は増していく．

　しかし，治療効果が得られる一方で，生体には副作用が現れ始める．

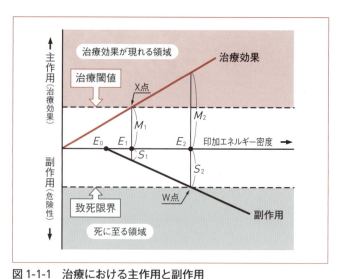

図1-1-1　治療における主作用と副作用
(日本生体医工学会ME技術教育委員会監修：MEの基礎知識と安全管理改訂第7版. 222, 南江堂, 2020より引用)

図1-1-1の縦軸の原点から下方は副作用（危険性）を表し，エネルギー密度が増大するほど副作用が強くなる．一般的には皮膚を介して生体にエネルギーを加え，その物理エネルギー密度が $100\,mW/cm^2$ 以上になると不可逆的な障害が生ずる（エネルギーを取り去っても障害が残る）とされている．この点が図1-1-1の E_0 である．印加エネルギー密度を上げるにしたがって副作用はさらに強くなり，あるレベルに達すると致死限界をむかえる（図1-1-1のW点）．この致死限界をこえると生体は死に至る．

したがって，治療法を検討する場合は，生体の致死限界に達するエネルギー密度 E_2 と，治療効果が現れるエネルギー密度 E_1 の差がより大きな方法を選択すべきである．この E_2-E_1 を**治療余裕度**とよぶ．さらに，あるエネルギー密度における主作用 M と副作用 S の比（M/S）を大きくする（主作用を大きく，副作用を小さくする）ことが重要であり，この M/S を**治療効果度**とよぶ．

「理想的な治療法」は，治療余裕度と治療効果度が大きい．すなわち，治療閾値は小さく逆に致死限界が大きいこと，また主作用（治療効果）の直線の傾きが副作用の直線の傾きよりも大きいことである．図1-1-2はこの「理想的な治療法」を示したものであり，治療効果 E_1 は不可逆的な障害が生ずる E_0 より早く現れる．また，致死限界に達する E_2 はかなり大きな印加エネルギーを加えなければ現れない．したがって，治療余裕度 E_2-E_1 は非常に大きい．さらに治療効果の直線の傾きが大きいため，治療効果度 M/S も非常に大きい．

図1-1-3は「理想的な治療法」の逆（「成立しない治療法」）を示したものである．治療閾値が大きいため，なかなか治療効果が現れない．

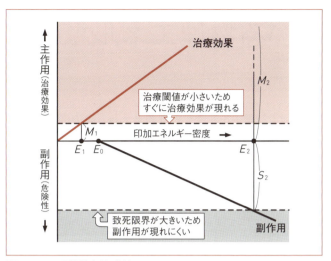

図 1-1-2　理想的な治療法

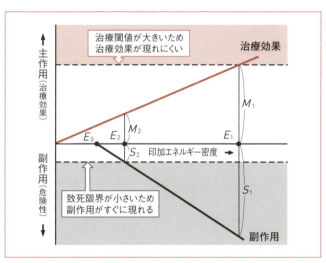

図 1-1-3　成立しない治療法

逆に，少しの印加エネルギーを加えただけで致死限界に達する（治療余裕度 $E_2 - E_1$ は逆転している）．さらに治療効果の直線の傾きが副作用の直線の傾きよりも小さいため，治療効果度 M/S は小さい．つまり，治療余裕度，治療効果度がともに小さい危険な治療となる．

2 治療に用いる物理エネルギーの種類と特性

治療に用いる物理エネルギーの種類と，おもな治療機器の分類を表1-2-1に示す．

表 1-2-1　物理エネルギーの種類と治療機器の分類

エネルギーの種類	形態	おもな治療機器
電磁波	低周波	除細動器，低周波治療機器，心臓ペースメーカ，静電治療器，電気麻酔器，神経・筋刺激装置，直流電気浴
	高周波	電気メス，超短波治療器，マイクロ波治療器
	磁界	磁気刺激装置
	光	レーザメス，光凝固装置，光線治療器
熱	低温	冷凍手術器
	常温	パラフィン浴装置，電熱式ホットパック，輸液用ヒータ，保育器
	高温	電気焼灼器，ツボ治療器
音波	超音波	超音波吸引手術装置，超音波凝固切開装置，超音波ネブライザ，超音波温熱治療器，(集束)超音波治療機器
放射線	電子線	サイクロトロン，ベータトロン，X線装置，定位放射線治療装置
	粒子線	リニアック（またはライナック）治療装置，陽子線治療装置
機械力	静圧	高圧酸素室，加圧水マッサージ装置，吸引器，牽引器，脊椎矯正器
	動圧	心マッサージ器，バルーンパンピング装置，気泡浴装置，人工呼吸器，輸液ポンプ，バイブレータ，結石破砕器

参考文献

1) 日本生体医工学会ME技術教育委員会監修：MEの基礎知識と安全管理改訂第7版. 221，南江堂，2020.

第2章 電磁気治療機器

1 電気メス

1. 電気メスの歴史

電気メスは，外科手術においてもっとも汎用されている手術装置の一つである．正式には**電気手術器**（electro-surgical unit：**ESU**）とよばれるが，先端の形状が従来のメスに似ていることから，わが国では**電気メス**とよばれてきた．

その歴史は20世紀初頭にまで遡る．当初の目的は電気を用いて止血効果を得ることであったが，熱傷や創傷の治癒を著しく障害することから，一般的には普及しなかった．1926年には，脳外科医の**ハーヴェイ・クッシング**と電気工学者の**ウィリアム・ボビー**が共同開発した電気止血器が，はじめて脳外科手術に導入された．脳腫瘍の摘出手術において出血を抑えて手術をすることが可能となる機器で，これが電気メスの実用化の始まりといわれている．これを皮切りに，電気メスは世界中で使用されるようになった．

当初は**スパークギャップ方式**で切開に適した正弦波を得ることができなかったため，凝固機能のみであった．1940年頃には**真空管方式**が開発され，高周波の周波数を一定に保つことができるようになり，切開も可能となった．しかし，真空管方式では凝固に適した断続波を得ることがむずかしいため，スパークギャップ方式と併用されていた．1969年には半導体素子を使用した**ソリッドステート方式**の電気メスが開発され，トランジスタを用いることで切開，もしくは凝固に適した波形に変調することが可能となった．また，ソリッドステート方式は小型でフローティング化が可能となったため，現在の主流となっている．

2. 電気メスの基礎
1) 切開と凝固の原理
（1）放電

気体中に2つの電極を置き，電圧を少しずつ増していくと，気体の絶縁が失われて電流がごくわずかに流れ，"ジージー"という音とともに電極付近に小さな光が発生する．これをコロナ放電という．電圧をさら

> **keyword**
> **スパークギャップ方式**
> 狭い間隔で置いた2枚の電極間に高電圧をかけて火花放電を起こさせる方式．

に増すと,電極の間が一面に光り,大電流が流れるようになる.これが放電の始まりである.その後,グロー放電が発生する.

グロー放電はネオンや蛍光灯のグローランプなどに使用されており,電極間を満たす気体の種類によって特有の光を発する放電現象である.グロー放電では電圧が高く,電流は小さい.グロー放電が発生してからさらに電流が増加すると,雷が落ちるのと同様の放電形式であるアーク放電に移る.**アーク放電**とは,気体中を大電流が流れる時に発生する電気火花で,電弧ともよばれている.アーク放電は放電の最終形態で,電流密度がきわめて大きく,高熱を発して強い光を放ち,低電圧で持続性がある.アーク放電は電気溶接などにも用いられているが,電気メスではこのアーク放電を利用している.

(2) 切開

抵抗体に電流を流すと発熱するが,その発熱量を H(J),抵抗体に流す電流を I(A),抵抗体の抵抗を R(Ω)および電流を流す時間を t(s)とすると,$H=I^2Rt$ と表すことができ,この発熱量を**ジュール熱**という.

単位面積あたりの電流を**電流密度** J(A/cm^2)というが,単位面積あたりの発熱量 h(J)は,抵抗体の固有抵抗を ρ(Ω・m)とすると $h=J^2\rho t$ と表され,電流密度が大きいところでは発熱量が大きくなる.

電気メスのメス先からは,アーク放電により火花が飛ぶ.この火花は非常に細い(0.1 mm 程度)ので,生体との接触面では高周波電流が1点に集中的に流れ込んでいる.この接触部での接触抵抗は 200～1,000 Ω 程度であるので,1 A 程度の電流が流れると大きなジュール熱が発生する.したがって,生体組織は瞬時に **100℃以上**に上昇し,細胞の水分が蒸気となり,細胞ははじけ飛んでしまう(**蒸気爆発**)(図 2-1-1).隣接した細胞にも蒸気爆発は次々と起こるので,生体組織は切開される.電気メスで組織を切開する時は,メス先と組織との接触面積を最小限にして通電した方が切開効率がよい.メス先を強く押しあててしまうと,接触面積が大きくなり切開効率が低下してしまう.また,メス先に凝血

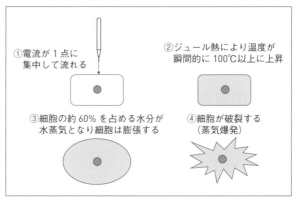

図 2-1-1　切開の原理

塊や炭化物が付着すると，さらに切開効率が低下する．

(3) 凝固

短い時間で**断続的**に通電すると生体組織は100℃まで到達しないので，切開時のような蒸気爆発は起こらない．しかし，**70〜90℃**付近の熱は発生するので，細胞内の水分は緩やかに蒸発してタンパク変性が起こり，組織は乾燥して血液は凝固する．これが凝固作用の原理である．

2) 電気メスの構成（図2-1-2）

(1) 高周波電流発生装置（電気メス本体）

商用交流電源は50 Hzあるいは60 Hzであるが，人体にこの周波数帯の電流を流すと，**ミクロショック**や**マクロショック**を起こす危険性が

> **keyword**
> **マクロショックとミクロショック**
> 人体の体表面を流れることによって起こる電撃をマクロショックという．一方，心臓に電流が直接流れることによって起こる電撃をミクロショックという．マクロショックでは100 mA以上の，ミクロショックでは0.1 mA以上の電流で心室細動が誘発される．

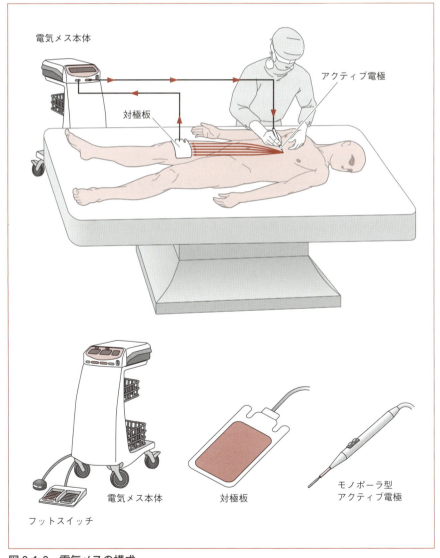

図2-1-2 電気メスの構成

ある．電気メスでは100 mA～1 A程度の電流を流すが，1 kHz以上の周波数では周波数が大きくなるほど感電する電流の値（閾値）は大きくなる．このため，電気メス本体では周波数を**300 kHz～5 MHz**まで増幅して発振している．出力範囲は，切開で10～300 W，凝固で10～100 W程度である．

(2) アクティブ電極

アクティブ電極（能動電極）とは，生体に高周波電流を集中的に流し込む（電流密度を大きくする）ことによって，切開・凝固作用を起こさせる電極である．臨床現場では**メス先電極**とよばれることもある．切開・凝固に用いられる**モノポーラ電極**と，おもに凝固に用いられる**バイポーラ電極**の2種類がある．

①モノポーラ電極

作用電極が1本で，もっとも汎用されている．メス先の形状を図2-1-3 aに示す．主流はブレード型であるが，用途に応じてニードル型，ボール型，ループ型と使い分ける．

図2-1-3 bに示すように，アクティブ電極のホルダには切開・凝固のスイッチが付属しているものが多いが，これを**ハンドコントロール型**という．日本産業規格（JIS）では，切開と凝固の2つの出力スイッチを組み込んでいる場合には，電極に近い方を切開スイッチとし，電極から遠い方を凝固スイッチとしている．図2-1-3 cのようにアクティブ電極にスイッチが付属していないタイプでは，フットスイッチ（図2-1-3 d）で出力のオンとオフを行う（**フットコントロール型**）．JISでは，切開と凝固スイッチが二連式になっている場合には，操作者からみて切開ペダルを左側に，凝固ペダルを右側に配置するとしている．また，切開と凝固は色で識別されており，JISでは切開は黄色，凝固は青色と規定している．

②バイポーラ電極

ピンセットの先端のように近接して位置する2本の電極からなり，挟んだ微小な部分だけに電流を流す．バイポーラ電極は用途に合わせてさまざまな形状をしており，鑷子（ピンセットあるいはフォーセプス）型，鉗子型，ハサミ型などがある（図2-1-4）．ほとんどはフットスイッチで作動させるが，ハンドスイッチタイプのものもある．

(3) 対極板（拡散電極）

対極板は**拡散電極**，あるいは**プレート電極**などともよばれ，アクティブ電極から局所に集中された（電流密度が大きい）電流を拡散し，生体に熱傷を生じさせない程度の低い電流密度にして回収する電極である（図2-1-5）．このため，切開・凝固作用はアクティブ電極の接触部位のみで生じる．拡散作用が不十分で電流密度が大きいと熱傷を起こす危険性があるため，対極板は広い面積で均一に装着する必要がある．

使用形態から，再使用（リユーザブル）型と単回使用（ディスポーザ

---

keyword

人体の高周波電流による特性

商用交流電流（50 Hzまたは60 Hz）では1 mAでビリビリと感じるが，人体は高周波電流に対して感じにくいので，高周波になると1 mAではビリビリと電流を感じることはない．500 kHzの場合，商用交流電流の500倍以上の電流を流さなければ感電しない．

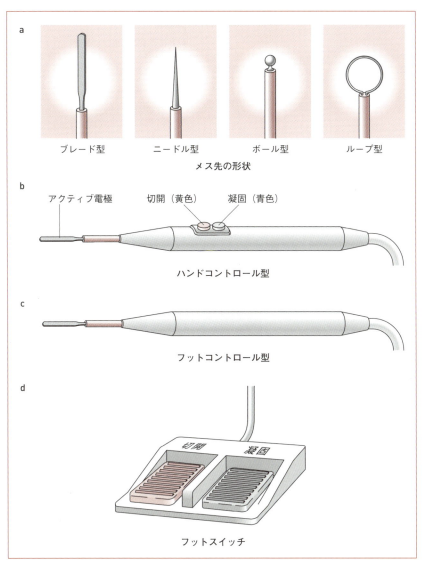

図 2-1-3　モノポーラ電極

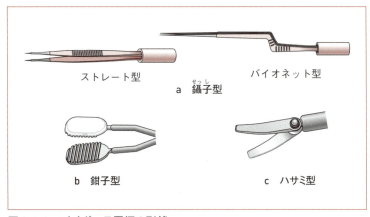

図 2-1-4　バイポーラ電極の形状

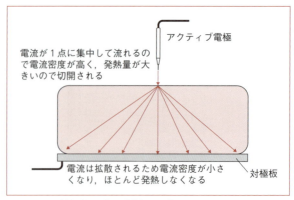

図 2-1-5　対極板による電流の回収

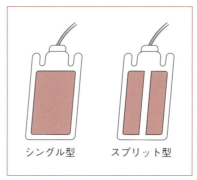

図 2-1-6　シングル型とスプリット型の対極板

ブル）型に分類される．再使用型は鉛板やステンレス板が使用されており，導電性のペーストや生理食塩水を浸した布を用いて生体へ密着させるが，密着性がよくないためほとんど使用されていない．最近では，可撓性や密着性がよいことに加え，感染対策の面からも単回使用型が主流である．

　対極板には，電極が1枚の**シングル型**と，電極が2枚に分かれた**スプリット型（デュアル型，ダブル型）**がある（図2-1-6）．スプリット型は，対極板が剥がれて生体の一部としか接触していない場合に発生する熱傷事故を防止する目的で開発された．

　対極板の電気的特性は，生体との電気的な接触の仕方によって，**導電性対極板**と**容量性対極板**に分けられる．

①導電性対極板

　導電性対極板には対極板表面に導電材が用いられている．導電性対極板は生体組織との接触抵抗を小さくすることができるが，接触面積が減少した場合には熱傷の危険性が増大する．消毒液が対極板表面に付着し，乾燥して絶縁被膜を形成すると対極板の有効面積が減少するので，熱傷を起こす危険性がある．

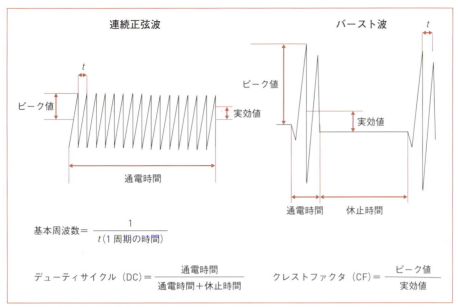

図 2-1-7 電気メスの出力波形

②容量性対極板

　容量性対極板は，導電材の表面を絶縁被膜でコーティングしたものを用いる．容量性対極板では，体表と対極板の間にコンデンサが入った状態となるので，高周波電流は通すが，直流や低周波電流は通さないという性質がある．さらに，接触面積が減少した場合でも，容量性リアクタンスが大きくなるため高周波電流は流れにくく，接触面積減少に伴う熱傷の防止に有効である．

　ただし，対極板表面の絶縁被膜にピンホールがあったり，生理食塩液などの液体が混入すると，その部分に電流が集中的に流れるため熱傷の危険性が増大する．また，対極板と生体の接触抵抗が高いので，他のME機器が患者に接続されている場合には高周波分流が発生しやすくなるため，高周波非接地形の電気メスを使用した方がよい．

keyword

高周波分流
2-7)-(1)「高周波接地（ノンフローティング）形」(p.15)を参照．

3) 電気メスのモードと出力波形

　電気メスには**切開**，**凝固**，**混合**の3つのモードがあり，それぞれで異なる出力波形を用いている．図2-1-7に，電気メスの出力波形の基本的事項を示す．**デューティサイクル（DC）**は，特定期間（通電時間＋休止時間）のうち通電時間の占める割合で示される．DCの通電時間の割合の違いが切開・凝固・混合の違いとなる．**クレストファクタ（CF）**は止血能を示し，電圧波形のピーク値と実効値の比で示され，実効値よりもピーク値が高くなるので1より大きい．CFは連続正弦波よりバースト波の方が高く，CFが高いほど止血効果が大きい．

　図2-1-8に各モードの出力波形を示す．連続正弦波（純切開）では休止時間がないため，DCは1（最大）となる．通電時間が短くなるに

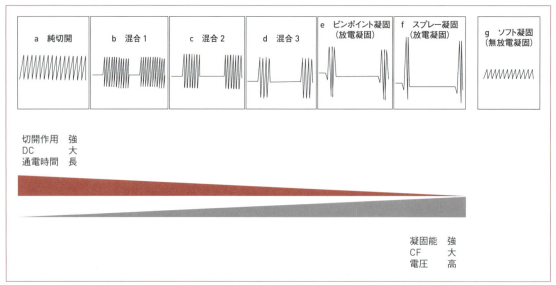

図 2-1-8　出力モードによる波形の違い

従い，混合 1，混合 2，混合 3，ピンポイント凝固，スプレー凝固の順で DC は低くなる．休止時間を長くすると，同一出力電力を保つためにピーク電圧を高くする必要がある．休止時間が長いほどピーク電圧が高くなるので，CF は混合 1，混合 2，混合 3，ピンポイント凝固，スプレー凝固の順で高くなる．すなわち，出力波形が尖っている凝固モードで高い値となる．

(1) 切開

電気メス本体からの高周波電流をアクティブ電極から対極板に通電し，メス先接触部位へ電流を集中させ，そこでジュール熱を発生させる．切開ではジュール熱を持続的に発生させるため，図 2-1-8 a のように連続的に**高周波電流（連続正弦波）**を流す．

(2) 混合モード

混合モードは切開波形の一つである．図 2-1-8 b〜d に示すように，凝固波形の電流の流れる時間を長くして，切開波形と凝固波形の中間的な波形を用いる．これにより，生体を凝固しつつ切開することができる．通電時間を長くすると切開作用を強くすることができ（図 2-1-8 b），通電時間を短くすると切開作用を弱くすることができる（図 2-1-8 d）．

(3) 凝固（放電凝固）

凝固には，図 2-1-8 e のような，電圧の高い（1,200〜4,600 Vpp の）**断続波（バースト波）**が用いられる．図 2-1-8 f に示すように，短いパルスで高電圧（最大で約 10,000 Vpp）にすると，メス先を組織に接触させずにスプレー状の火花（スパーク）を放出することができる．電圧が高いほど火花は遠くまで飛び，電流は抵抗の低いところへ流れやす

keyword

ピークトゥピーク電圧 (Vpp)

1 周期内の正の最大電圧値から負の最大電圧値までの電圧を示す．

い．ある1点が凝固されると次は抵抗の低いまだ凝固されていない場所へ次々に火花が飛ぶことになるので，ある範囲を一度に凝固することができる．これを**スプレー凝固**という．スプレー凝固に対し，通常の凝固はメス先を接触させた1点のみを凝固させるので，**ピンポイント凝固**とよばれる．スプレー凝固は肝・膵などの実質臓器の凝固止血に用いられ，ピンポイント凝固よりも広範囲（広くても数mm程度）をすばやく凝固できる．

(4) ソフト凝固（無放電凝固）

図2-1-8gのように，電圧を200V未満に制御することで火花の発生をおさえ，ジュール熱だけを利用して凝固させる方法を**ソフト凝固**（**無放電凝固**）という．電流密度を落とし，連続波を用いるが，放電を伴わないため切開はできない．

先端電極としては，接触面積が広くとれるボール電極や，ボール電極を平たくしたような形状のIO（イオ）電極が適する．通常の凝固に比べ，組織表面の炭化や火花による血管の破綻を防げるなどの利点がある．ソフト凝固により，血管の閉鎖や組織内に引き込まれた血管の凝固が可能となった．

4) 負荷特性

電気メスの出力は，**電力**（**W：ワット**）で表示される．これは，電気メスのアクティブ電極と対極板の間に**無誘導負荷抵抗**（R）と高周波電流計を接続し，高周波電流（I）を計測して電流値と負荷抵抗値から求めた**電力値**（$P=I^2R$）で表している．

負荷抵抗はメーカの指定した値（**100～2,000 Ω**）を用い，その負荷抵抗に対する出力が得られるようになっている．**300～500 Ω**の負荷抵抗が用いられることが多い．1985年以前の電気メスは，組織のインピーダンスなどが変化すると設定した出力が得られず（負荷抵抗値が変化すると出力は減少する），切開能にムラが生じたが，1985年以降は，負荷抵抗に応じて出力を調節する自動制御回路が内蔵された電気メスが市販され，ほぼ一定した出力が得られるようになってきている．

5) 出力回路

図2-1-9に一般的な電気メスの出力回路を示す．AC電源から入力された商用交流電源を高周波に直接変換することはできないため，高周波電源部で交流から直流に変換される．この直流を高周波発振部で高周波交流に変換し，高周波トランスにより昇圧する．高周波トランスとアクティブ電極および対極板との間には**コンデンサ**（**C**）が挿入されている．これは，アクティブ電極と生体間で放電の際の整流作用（→ p.16参照）により発生する直流や，低周波電流による**筋・神経刺激を防止**する目的で挿入されている．JISでは，このコンデンサの容量はモノポーラ出力

keyword

無誘導負荷抵抗

通常の抵抗器は，高周波領域ではコイルとしての性質をもち，高周波は通りにくくなる．高周波において，コイルとしての性質，すなわちインダクタンス成分をもたない抵抗を無誘導負荷抵抗という．

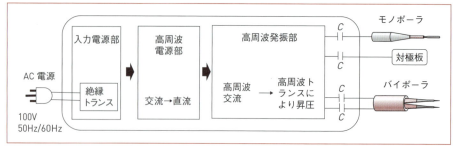

図 2-1-9　電気メスの出力回路

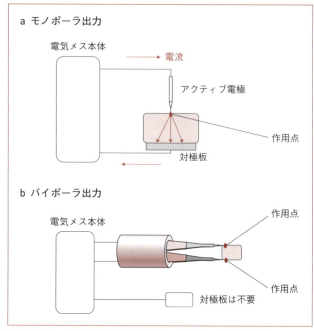

図 2-1-10　モノポーラ出力方式とバイポーラ出力方式

では 5 nF 以下，バイポーラ出力では 50 nF 以下としている．

6) 出力方式

電気メスの出力方式は，**モノポーラ出力**と**バイポーラ出力**に分類される．

(1) モノポーラ出力

図 2-1-10 a に示すように，電気メス本体から発振された高周波電流をアクティブ電極から対極板へと流し，電気メス本体へと戻す方式である．モノポーラ出力では，アクティブ電極だけで作用が起きるので，**モノポーラ（単極）**とよばれる．

(2) バイポーラ出力

図 2-1-10 b に示すように，2 本の電極で，生体組織を挟んだ微小な部分だけに電流を流して凝固を図る．電流は 2 本の電極間のみに流れるため，対極板は必要ない．バイポーラ出力では，2 本の電極の両方がア

クティブ電極と対極板の役割をもっている．

バイポーラ電極は，メス先が細く接触面積が小さいので，電流が返ってくる電極においても凝固作用が起きる．すなわち，電極で挟んだ領域全体が凝固作用を受ける．このように，バイポーラ出力では2つの電極がアクティブ電極として作用するので，**バイポーラ（双極）**といわれる．バイポーラの出力波形は基本的に連続正弦波であるが，バースト波を用いることもある．

モノポーラ出力による凝固では放電により広範囲に凝固作用が及ぶが，バイポーラ出力ではメス先で挟んだ部分のみであるため，目的とする部位以外に凝固作用が及ぶことはない．対極板を必要とせず，両電極が近接しているので心電図やペースメーカへ影響を及ぼすことも少ない．また，モノポーラ出力による凝固に比べて低電圧で出力も少なく行える．しかし，低電圧のため大きな出血に対しては効果が得られにくいといった欠点がある．バイポーラ出力は，脳神経外科手術などの**微細な手術（マイクロサージェリー）**などに応用されている．

7）出力形式

電気メスの出力形式には，①**高周波接地形**と②**高周波非接地形**がある．JISでは，本体の対極板接続部に図2-1-11のような図記号をつけることが定められており，これにより接地形か非接地形かを確認することができる．

(1) 高周波接地（ノンフローティング）形

図2-1-12aに示すように，対極板側回路を**コンデンサ（C）**により高周波的に接地（アース）したものをいう．コンデンサを介しているので，低周波は絶縁されるが，高周波では対極板と接地の電位がほぼ等しくなる．

電気メスの高周波電流は，本体→アクティブ電極→対極板→本体という経路をたどるが，これ以外の経路へ高周波電流が流れることを**高周波分流**という．高周波分流は，高周波接地形の電気メスで発生しやすい．心電図モニタを患者に接続した場合，対極板側回路の抵抗が増大し電流が流れにくくなると，電流はアクティブ電極から患者に装着した心電図電極を通って心電図モニタ本体へと流れ，アースを介して対極板側回路へと流れるようになる．心電図電極装着部で電流密度が増大すると熱傷を起こすことになる．一方，雑音障害に関しては，高周波非接地形より少ない．

(2) 高周波非接地（フローティング）形

図2-1-12bに示すように，対極板側回路を接地から**絶縁**したものをいう．これにより前述した高周波分流が起こりにくくなる．ただし，電磁誘導による高周波の漏れが生じるため，完全に防ぐことはできない．

図2-1-11 電気メスの出力形式を示す記号

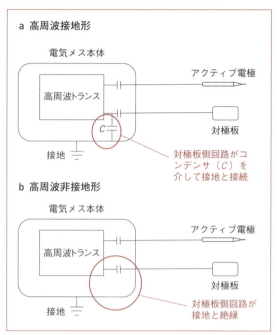

図 2-1-12　高周波接地形と高周波非接地形

3. 電気メスの事故と対策
1）電撃
（1）低周波漏れ電流

　電気メスは商用交流電源（50 Hz あるいは 60 Hz）で駆動するので，低周波漏れ電流に注意しなくてはならない．感電防止の対策として，**本体の接地**を確実に行う．3P プラグを用いれば，自動で本体の接地ができる．

（2）整流作用

　整流とは，交流を直流に変換することをいう．メス先接触部位ではアーク放電により火花が飛ぶが，この時には**整流作用**が起こり，直流および低周波電流が発生してしまうので，**感電**する危険性がある．スプレー凝固のようなピーク電圧が高い場合には低周波成分の発生量が多いので，感電の危険性が高まる．鉗子などの金属にアクティブ電極が不完全に接触した場合には火花が発生し，それに伴う整流作用により，低周波電流が通常の数十倍の大きさになるため非常に危険である．

2）熱傷

　電流密度・抵抗・通電時間によって決まるジュール熱によって，生体組織の温度が過剰に上昇した時に熱傷が生じる．したがって，「電気メスの出力が大きい」，「通電時間が長い」，「対極板面積が小さい」場合に，熱傷の危険性が増す．

　電気メスによる熱傷事故には対極板部の熱傷，アクティブ電極部の熱

---

keyword

熱傷と圧迫壊死

圧迫壊死とは圧迫により細胞が壊死した状態で，熱傷と同様に見かけ上は発赤や水疱がみられる．対極板が完全に密着した状態での対極板部の熱傷や，対極板部以外で直径の大きい発赤や水疱がみられた場合は圧迫壊死を疑う．

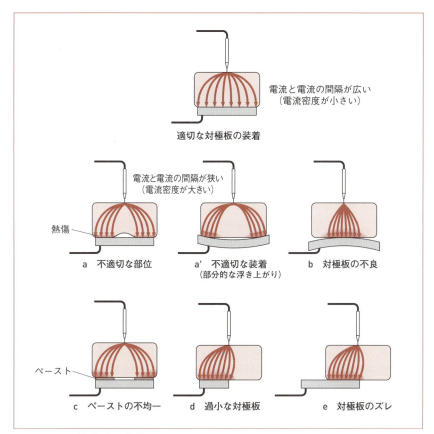

図 2-1-13 対極板部の熱傷の原因

傷，その他の部位の熱傷がある．

(1) 対極板部の熱傷

対極板装着部位での熱傷は，対極板と生体との接触面積が減少することによりジュール熱（危険電流密度は **30 mA/cm²** 程度）が発生することにより生じる．その原因は図 2-1-13 に示すようなものがある．

①不適切な部位（平坦でない部位，皮脂のある部位など）や不適切な装着のため，対極板の一部分しか体に接触していない．
②極端に反り返ったステンレス対極板や，使い古して表面が極端に凸凹な鉛対極板を使用した．
③対極板表面に塗布するペーストが不均一，あるいはペーストの一部が乾燥している．また，対極板に生理食塩液を浸したガーゼを巻いて用いる場合において，水分が少なすぎたり，時間の経過によって乾燥したりしている．
④小児用対極板を成人に使用したり，対極板を小さく切ってしまった．または，対極板の面積に対して出力が大きすぎる．
⑤体位変換の際に対極板がずれてしまった．

これらの原因による対極板熱傷を起こさないためには，十分な面積の対極板を適切な部位へ確実に装着する必要がある．成人用としては，対

表 2-1-1　対極板の装着部位

望ましい装着部位	避けた方がよい装着部位
・平坦で十分な装着面積を確保できる部位 ・血行のよい筋肉質な部位 ・傷跡のない正常な皮膚面 ・皮脂，汗，体毛で覆われていない部位 ・圧迫を受けない部位 ・消毒液などが流れ込まない部位	・肩甲骨など，骨の突起した部位 ・傷跡が瘢痕化した部位 ・血行が悪い部位 ・ペースメーカ植え込みの近辺 ・心電図などモニタ電極の近辺 ・子供や女性で腕の細い人は十分な装着面積がとれないので上腕部は避ける

極板の面積が $110\sim150\ cm^2$ 前後のものが用いられ，出力電力と必要な対極板面積は比例する．小児用としては面積 $70\sim100\ cm^2$ 前後，新生児用としては $25\sim40\ cm^2$ 前後のものが用いられるが，切開や凝固を行うのに必要な出力エネルギーは成人と変わらないので，可能であれば成人用を使用することが望ましい．対極板が身体からはみ出してしまうなど，成人用が使用できない場合には小児用や新生児用を使用し，成人よりも低出力で使用しなくてはならない．

対極板の装着部位（表 2-1-1）としては，できるだけ術野に近く，平坦で十分な面積を確保できる部位が望ましい．大腿部，下腿部，殿部，背部，上腕部などが用いられる．アクティブ電極から通電された電流は対極板に均一に流れるのではなく，対極板の角や電流が流れてくる方向に面した周辺部では抵抗が小さいため，多く流れる．このため，対極板の**長辺側**が術野に対して**垂直**になるように装着することが望ましい（図 2-1-2）．

(2) アクティブ電極部の熱傷

アクティブ電極部による熱傷の原因には以下のものが考えられる．

①誤操作などにより，意図しない部位へアクティブ電極が接触した．
②アクティブ電極のコードの被覆が剝がれ，むき出しになった内部の銅線と身体が接触した．
③アクティブ電極コードが体の下に入ってしまうと，コードの被覆が薄い場合には静電結合により高周波電流が流れ，熱傷を起こすことがある．
④使用中の電気メスの先端部は 300℃ 以上あり，出力停止後もしばらくは 100℃ 以上の高熱をもっている．したがって，手術中に電気メスをドレープの上に置いた場合，患者が熱傷を起こすことがある．

(3) その他の部位の熱傷

高周波分流による熱傷は，対極板回路へ電流が返りにくくなった時と，対極板以外に電流の流れやすいルートができた時に発生する．この原因には以下のものが考えられる．

①対極板回路抵抗の増大
・断線した対極板コード，長すぎる対極板コードの使用やコネクタの接続不良．

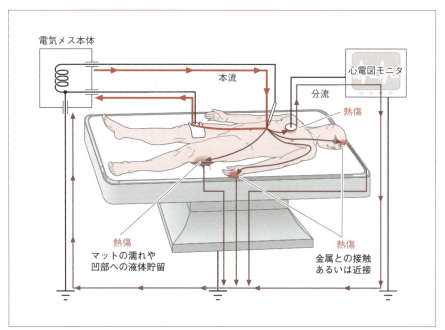

図 2-1-14　高周波分流による熱傷

・対極板コードがループを形成している：コードが巻かれた状態では，コイルと同じ性質をもつ．コイルのリアクタンスは $2\pi fL$（f：周波数，L：コイルのインダクタンス）で表されるが，電気メスでは高周波を用いるため誘導性リアクタンスが増大する．その結果，対極板回路へ電流が流れにくくなる．

②対極板回路以外の回路形成

図 2-1-14 に，**高周波分流**によって熱傷の危険性がある部位を示す．そこから接地線を介して電気メス本体へと高周波電流は流れていき，下記に示す部位に熱傷を生じる．

・術野近くにつけられた心電図モニタなどの電極部．
・金属部と患者が接触している部位（手術台や，脳外科手術で患者の頭をしっかり固定するために用いられる三点固定器など）．
・接触はしていないが金属部と極端に患者が近接している部位（肘，殿部，頭などマットに沈みやすい部位）．
・マットが濡れて患者と接触している部位や，凹部に血液や生理食塩液が貯留している部位．
・身体の一部分が小さな接触面積で触れている場合（図 2-1-15）：身体の一部分が接触しそうな場合には，乾燥したタオルを間に挟んだり，接触を避けられない体位の場合には電流密度の増大をおさえるため広い面積で接触させるとよい．

高周波分流は，図 2-1-16 a に示すように，とくに**高周波接地形**で起こりやすく，接地線を介して高周波電流が電気メス本体へと流れてしまう．このような高周波分流への対策として，最近では**高周波非接地形**を

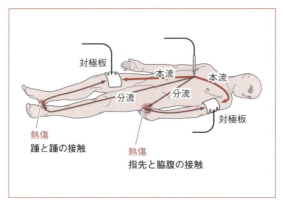

図 2-1-15　身体の接触による熱傷
本図では対極板を 2 枚貼付しているが，実際は電気メス 1 台の使用につき 1 枚の対極板を貼付する．

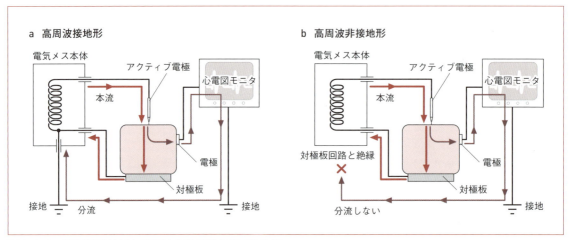

図 2-1-16　高周波接地形と高周波非接地形の高周波分流

使用することが多い．図 2-1-16 b に示すように，高周波非接地形では対極板回路が接地から絶縁されているため，接地線を介しての高周波電流路が形成されず，高周波分流は起こらない．しかし，高周波電流は近接した金属部へ飛び移って流れてしまうため，高周波非接地形でもわずかに電流が流れてしまい，完全に防止することはむずかしい．

（4）内視鏡外科手術での熱傷

内視鏡外科手術では，本手術特有の電気メスに起因する熱傷事故が起こる．内視鏡用の電気メスのアクティブ電極先端が硬性鏡などの金属機器と接触し，硬性鏡が手術対象外の部位に触れていた場合，アクティブ電極→硬性鏡→手術対象外部位→対極板へと電流が流れるため，硬性鏡と手術対象外部位の接触部で意図しない熱傷が起こる（図 2-1-17 ①）．

また，内視鏡用電気メスをトロッカーに挿入して手術を実施するが，内視鏡用電気メスとトロッカーとの間にコンデンサを形成することにより，トロッカーと接触している手術対象外部位に熱傷が起こる（図

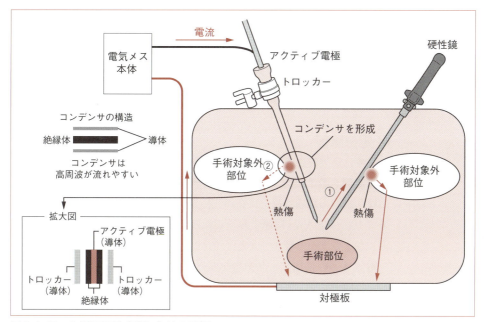

図2-1-17　内視鏡外科手術における熱傷

2-1-17②).

このような熱傷を防止するために,内視鏡用電気メスの先端部が視野に入るように操作する,トロッカーや硬性鏡などの金属機器(導体)が手術対象外の部位に触れないようにするなどの注意が必要である.

3) 爆発・火災

電気メスでは火花が発生するため,火災を引き起こさないために十分な注意が必要である.

(1) 引火性麻酔ガス

過去には引火性の麻酔ガス(エーテル,シクロプロパン)を使用していたため,電気メスの火花が飛び爆発するといった事故も発生していたが,現在では使用されていない.

(2) 高濃度酸素

人工呼吸器装着患者の気管切開時に誤って電気メスで気管チューブを損傷し,支燃性物質である酸素が漏出することで,火災が発生する.酸素投与下では原則電気メスを使用せず,外科用メスやはさみを使用する.

(3) アルコール系消毒薬

アルコール系の消毒薬は,電気メスの火花が引火しやすいため注意が必要である.アルコール含有消毒薬が乾燥しないうちに消毒部位をドレープで覆うと,ドレープ下でアルコールが気化し充満していることがある.気化したアルコールへ火花が引火することにより火災が発生する.電気メスを使用する場合は,原則アルコールを含有しない消毒薬を使用する.なお,アルコール含有消毒薬でも商品名に「アルコール」な

どの表記がないものがあるので，添付文書で確認する必要がある．アルコール含有消毒薬を使用する場合は，よく乾燥させた後にドレープをかける．

(4) 腸内ガス
腸内に蓄積されたガスに引火して爆発した事例もある．

4）電磁障害

電流は高周波になるほど空間へ飛び出す性質をもち，電気メス使用時には直流～数十MHzまでの周波数が発生する．また，電気メス使用中には，患者の高周波電位は高周波接地形で50～100 Vpp，高周波非接地形で100～600 Vppに達する．これらの電流や電波がME機器に入り込み，さまざまな影響を与える．

電気メスの使用により影響を受けやすいME機器には，心電図モニタ，脳波モニタ，血圧モニタ，ペースメーカ，輸液ポンプ，シリンジポンプ，温度計，パルスオキシメータ，超音波血流計，電磁血流計，超音波断層装置，内視鏡，大動脈バルーンパンピング装置などがある．

(1) 混入経路
電気メスの雑音が混入する経路には，以下のものが考えられる．
① アクティブ電極コードや対極板コードが他のME機器のコードと一緒に束ねてあると，電磁誘導により高周波電流が流れ，ME機器本体に影響を与える．
② 電流は高周波になるほど空間へ飛び出す性質をもち，アクティブ電極がアンテナとなって高周波が電波として放出される．これがME機器本体へ直接入り込む．また，無線伝送を行っている場合には，伝搬妨害を受けることになる．
③ 電気メスから放電された高周波が，心電図や脳波などの電極から混入する．
④ 電気メスが使用している電源ラインやアースラインを他のME機器でも共通に使用すると，電源ラインやアースラインを経由して電気メスの雑音が混入する．

(2) ME機器への影響
① 心電図モニタ障害

電気メス使用時には，誘導コード，電源コード，アース線などから電気メスのノイズが混入し，心電図をモニタすることができない．電気メス使用時の患者の高周波電位が50～600 Vppであるのに対して，心電図は1～2 mV程度であるため，心電図波形が電気メスのノイズに隠れてしまい心電図をモニタすることができなくなる．

心電図モニタの増幅できる周波数は100 Hz程度で，電気メスでは100 kHz以上の高周波を使用するので心電図モニタは影響を受けないはずであるが，実際には100 Hz程度の雑音が混入してくる．電気メスでは

商用交流電源を直流に変換して電源としているが，完全に直流にすることができず，わずかに低周波成分が残ってしまい，これが高周波電流に含まれることになる．これがノイズとして心電図モニタに影響を与える．

このような雑音混入を防止するために，まず高周波を除去し，その後，高周波に含まれている低周波を除去する回路を装備した心電図モニタもあるが，混入を完全に防止することはできない．雑音に関してだけいえば，高周波非接地形よりも患者の高周波電位を低くおさえることができる高周波接地形の方がよい．

②血圧モニタ障害

観血式血圧モニタでは，動脈圧を測定する場合には影響を受けにくいが，静脈圧を測定する場合には雑音が混入したり基線がずれることがある．

非観血式血圧測定法の自動血圧計では，雑音により誤作動することがある．

③ペースメーカ障害

電気メスをペースメーカ装着患者に使用すると，デマンド機構に影響を与え誤作動（不適切なパルスの刺激や抑制など）を起こすことがあるので，可能なかぎり避けるべきである．やむをえず使用する場合には，対極板，アクティブ電極ともペースメーカから15cm以上離せる部位で使用し，出力は必要最低限で10秒以上続けて使用しないようにしなくてはならない．また，電気メス使用中にはペースメーカを固定レートにして，電気メスに影響されない動脈圧モニタなど複数の方法で心リズムを監視する必要がある．モノポーラよりもバイポーラを使用した方が電磁障害の影響は受けにくい．

ペースメーカの設定変更や電気メスの使用による心室頻拍・心室細動のリスクがあるため，除細動器の準備は必須である．

④輸液ポンプ・シリンジポンプ障害

電気メスのアクティブ電極コードがポンプ本体に近接していると，電源切れ，注入停止，急速注入，表示の変化などの誤作動が起こることがある．本体およびアクティブ電極コードや電源コードなどを50cm以上離して使用する必要がある．

(3) 電磁障害の対策

電磁障害の対策としては，**電磁干渉**（electromagnetic interference：**EMI**）を発生しにくく，また付近にあるME機器からの電磁波の影響を受けにくい**電磁感受性**（electromagnetic susceptibility：**EMS**）をもつことが必要である．つまり，**電磁両立性**（electromagnetic compatibility：**EMC**）が図れる装置類の使用が必要となる．しかし，電磁障害を完全に防ぐことはできないので，必要以上に出力を上げないことや，電気メスと他の機器をできるだけ離すようにすることが重要である．その他，一般的な対策を表2-1-2にまとめた．

表 2-1-2 電磁障害の対策

対策	具体的な対策法
雑音の発生をおさえる	出力を必要最小限にする 無負荷の状態で出力しない アクティブ電極を鉗子などの金属に接触させない
雑音の混入経路を遮断する	電気メスとME機器をできるだけ離す 使用するME機器はバッテリー駆動にする 電気メス本体や他のME機器の上に機器を重ねて置かない アクティブ電極コード，対極板コードを他のコードやME機器本体に近づけたり束ねたりしない 隣室で使用している電気メスの影響がある場合には部屋を電磁シールドする

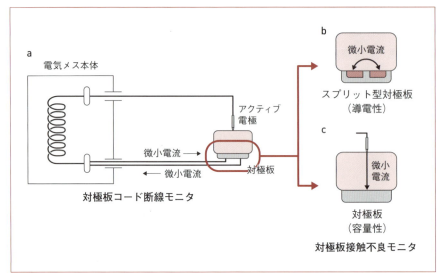

図 2-1-18 電気メス安全モニタ回路

4. 安全対策

電気メスの最大の問題点は熱傷事故である．電気メスにはこれを防止するための安全モニタ回路が複数組み込まれている．

1) 対極板コード断線モニタ

対極板の断線を監視するモニタである．対極板のコードは通常2本線となっており，電気メス本体→一方の線→対極板→他方の線→電気メス本体と微小電流を流しておき，断線して微小電流が流れなくなるとアラームを発生させて出力を遮断する（図2-1-18 a）．ただし，生体組織と対極板の装着状態は確認できないので，目視で装着状態の確認を行わなければならない．

2) 対極板接触不良モニタ

生体組織と対極板の装着状態を監視するモニタである．対極板と生体組織との**インピーダンス**，または**静電容量**を監視し，対極板が剥がれた

時にアラームを発生させて出力を遮断する．

　導電性対極板では，**スプリット型対極板**（生体との接触部を2分割したもの）の片側からもう片側に微小電流を流して接触インピーダンスを測定する（図2-1-18b）．対極板の接触面積が減少するとインピーダンスが高くなり，アラームが発生する．

　容量性対極板では，アクティブ電極から微小電流を流して生体と対極板間の静電容量を測定し，対極板の安全面積を算出する（図2-1-18c）．

5. 保守管理
1）始業点検
　始業点検では，本体，アクティブ電極，対極板などの準備と，電気メス使用中に感電や熱傷などの事故が起きないように，コード類などの損傷の有無や対極板の装着状態などの点検を行う．

2）使用中点検
　通電は必要最小限の出力で行う．電気メス使用中に切開・凝固作用が低下した場合にはむやみに出力をあげるのではなく，アクティブ電極への付着物などがないか原因を調べる．また，熱傷を起こさないように，対極板の装着状態や高周波分流を起こすような要因がないかなどの確認を行う．

3）終業点検
　終業点検では，本体，コード類，プラグ類の損傷や変形などの確認を行う．とくに，対極板コードとアース線は導通試験を行うことが望ましい．対極板や他の電極類を外す際には，熱傷などの異常がないかなどの確認を行う．

4）定期点検
　外観・付属品の点検，機械的特性の点検，電気的安全性の点検，電気的性能の点検を行う．

　外観・付属品の点検では，本体や付属品を目視にて点検し，破損や傷みの程度などを調べる．また，付属品の数量も確認する（員数点検）．

　機械的特性の点検では，ツマミやスイッチの可動性，ロック機構，表示ランプの点灯などに異常がないか確認する．

　電気的安全性や電気的性能の点検では，電気安全テスタ（低周波漏れ電流）や電気メス解析装置（出力電力，高周波漏れ電流）が市販されている．それらを利用すると簡単に測定でき便利である．

(1) 電気的安全性の点検
①低周波漏れ電流
　低周波漏れ電流に関しては，接地漏れ電流，接触電流，患者漏れ電流

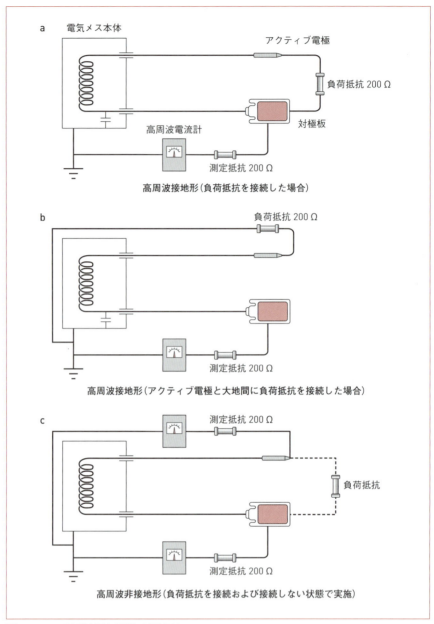

図 2-1-19　高周波漏れ電流の測定法

などを測定し，基準を満たしているか確認する．

②高周波漏れ電流

　高周波漏れ電流の測定は図 2-1-19 に示す回路にて実施する．出力を最大に設定して，**200 Ωの無誘導負荷抵抗器**を通して大地に流れる高周波漏れ電流は **150 mA** をこえてはならない．上記の方法の代わりに，電気メスの出力端子から直接高周波漏れ電流を測定してもよい．この場合の許容値は 100 mA 以内である．

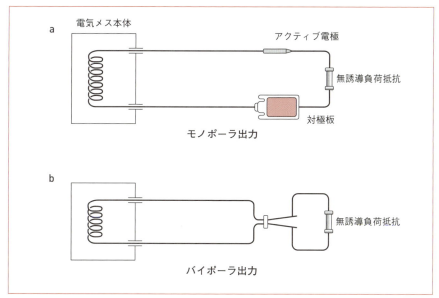

図 2-1-20 出力電力の測定法

③安全モニタ回路の点検

異常状態を人為的に引き起こして，出力停止やアラームが鳴ることを確認する．

(2) 電気的性能の点検

①出力電力

出力電力は図 2-1-20 に示すように，無誘導負荷抵抗（R）に流れる高周波電流（I）を高周波電流計にて測定し，I^2R の式から求める．無誘導負荷抵抗はメーカの指定したものを用いる．モノポーラ出力では 100〜2,000 Ω，バイポーラ出力では 10〜1,000 Ω の範囲である．測定値が表示値の ± 20% 以内であるか確認する．

6. その他の電気メス

1) Vessel Sealing System (LigaSure™)

基本的には**バイポーラ方式**の電気メスである．出力は，コンピュータフィードバック技術によるインスタントレスポンス機能によって制御されている．専用のハンドピースで挟んだ組織の種類と抵抗値を連続的に測定し，最適な出力に自動調整するので，組織の種類にかかわらず迅速で確実な**シーリング**ができる．この診断と出力の調整は，シールサイクルの間 1 秒間に約 200 回もの頻度で行われる．使用電圧は約 180 V と電気メスより低く，電流は約 4 A と電気メスよりも高い．これより組織中のコラーゲンや結合組織を融合・一体化して，完全に**血管を閉鎖**することができる．

従来のバイポーラ方式では，血液の凝固・血栓により止血しているため血管の内腔は一体化されておらず開いているが，LigaSure™ System

では，血管壁を一体化することによって完全に閉鎖できることから，シール強度は非常に高い．また，シールに要する時間も短く，組織にもよるが平均4秒程度である．手術装置は本体（ジェネレータ）と，組織を挟みシーリングを行うハンドピースからなる．LigaSure™ Systemの利点を以下にあげる．

① 7 mm までの血管に対する確実な止血ができる．
② 短時間で自動的に処理できる．
③ 組織の温度が上がらず周囲組織への熱損傷が少ない．
④ 破裂圧強度が縫合糸やクリップ並みに高い．
⑤ コンピュータで制御されるので術者の熟練を要しない（シール完了で自動的に出力が停止する）．
⑥ 縫合糸，クリップを用いず収束結紮ができるので，体内に異物を残さない．
⑦ シール部分はプラスチック状で変形しにくく，永久的である．

2) バイポーラシザーズ

バイポーラシザーズは先端がはさみとなっており，**物理的に切開**を行う．また，はさみの先に電流を流し，刃先の接触部位を**凝固**させる．これにより切開と凝固が同時に行える．バイポーラシザーズの利点としては，以下の点などがあげられる．

① 止血のために器械交換をする必要がないので，手術時間の短縮が可能である．
② 術中の出血量を少なくできる．
③ モノポーラ電気メスに比べて周囲組織への熱損傷が少なく，切離面の組織障害も軽度である．
④ 大血管の近傍でも安全に使用できる．
⑤ 対極板が必要ないことから熱傷，感電事故の危険性も少ない．

3) アルゴンガス併用電気メス

アルゴンガス併用電気メスは，細いノズルから**アルゴンガス**を生体組織へ噴出し，ノズルの中心にある針電極と対極板の間に電圧をかけることにより，アルゴンガスがイオン化されてプラズマ状になる．高周波電流はイオン化されたアルゴンガス中を拡散しながら組織の表面へ到達し，そこで発生したジュール熱により凝固する．**非接触で止血**が可能なため，肝臓などの実質臓器の止血に用いられる．

スプレー凝固も非接触で止血・凝固が行えるが，空気を媒体とするため，放電が不安定で分布も不均一となる．一方，アルゴンガス併用電気メスでは電気伝導性の高いアルゴンガス中を放電させるので，スプレー凝固よりも放電が安定で分布も均一となる．

4）ラジオ波焼灼療法（RFA）

　ラジオ波焼灼療法とは，経皮的に針電極を肝臓などの実質臓器に挿入し，**高周波電流**による**ジュール熱**を利用して腫瘍を**焼灼**する療法である．radio frequency ablation の頭文字をとって **RFA** とよばれる．

　針電極には単針型と，4～10 方向にフック状に飛び出した形状の展開型がある．高周波電流を回収するための**対極板**も必要である．電極と生体の接触抵抗が 50 Ω と低いことから，出力電力が 50 W でも 1 A の電流が流れるため，機種によっては 2～4 枚の対極板が必要となる．

2　マイクロ波手術装置

1. マイクロ波手術装置とは

　マイクロ波手術装置は，マイクロ波組織凝固装置，マイクロ波メスともよばれ，マイクロ波を生体組織内に集束して照射し，組織内に発生する**誘電熱**によって**凝固**，**止血**，**切除**を行う装置である．経皮的に電極を腫瘍に刺入し，マイクロ波によって腫瘍を凝固させるマイクロ波凝固療法（percutaneous microwave coagulation therapy：PMCT）にも用いられている．

2. 歴史

　マイクロ波手術装置は，1979 年に田伏らによってわが国で開発された．1984 年にはマイクロターゼという商品名で市販されるようになり，肝臓など血液含有量の多い実質臓器の手術に適用された．その後，電極の形状を改良することによって，泌尿器科，耳鼻科，産婦人科，脳外科，眼科などの領域に応用されている．開腹手術のみならず内視鏡を用いた手術にも用いられている．

3. 加熱原理

1）マイクロ波の特性

　マイクロ波（**極超短波**）は周波数 300 M～3 GHz，波長が 10 cm～1 m の電磁波である．医療分野では **ISM**（Industrial Scientific Medical）**周波数**の一つである **2,450 MHz**（**波長 12 cm**）が用いられている．また，光の特性によく似ており，直進，反射，屈折，透過，干渉する性質をもつ．

　マイクロ波は金属のような導電体の表面では反射されるが，水のような誘電体（絶縁体）ではそのほとんどが吸収され熱に変換される．また，伝達特性は誘電体によって変化し，生体内のマイクロ波の波長は空

---

keyword

ISM 周波数

無線通信の目的以外で，産業（industrial），科学（science），医療（medical）用に割り当てられた周波数帯である．頭文字をとって ISM 周波数とよばれる．

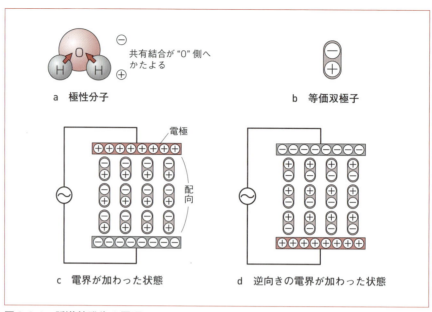

図 2-2-1　誘導熱発生の原理

気中に比べ短く，途中で減衰してしまうので伝達距離は 1～2 cm 程度である．これは，下記の式より波長を求めると，空気中における波長は 12 cm であるが，生体組織における波長は **1.8 cm** となるためである．

$$\lambda = \frac{C}{f} \cdot \frac{1}{\sqrt{\varepsilon_r}}$$

λ：波長，C：光速，f：周波数，ε_r：比誘電率

このように，マイクロ波は電極周囲で減衰してしまうので，電気メスのような**対極板は必要ない**．

2）誘電熱

水分子（H_2O）は，原子間の共有結合の際にわずかに電荷のかたよりを生じるため，極性をもつ（図 2-2-1 a）．これを**極性分子**とよぶが，**等価双極子**としては図 2-2-1 b のように表現される．このような極性分子を 2 枚の電極で挟んで強い電界を加えると，図 2-2-1 c のように整列する．このように，分子の方向が揃うことを**配向**とよぶ．次に，逆方向の電界を加えると図 2-2-1 d のように**逆方向に整列**する．

マイクロ波手術装置では 2,450 MHz のマイクロ波を用いるので，1 秒間に $2,450 \times 10^6$ 回の頻度で電界のプラスとマイナスが入れ替わる．水分子の配向も同じ回数だけ変化するので，物質間の衝突や摩擦が起こり，熱が発生する．これを**誘電熱**という．電極を接触させた組織に誘電熱が発生すると，組織は凝固を起こす．誘電熱による発熱量はマイクロ波の周波数と誘電損失係数［比誘電率（ε_r）×誘電体損失角（$\tan \sigma$）］に比例する．また，凝固が進むと組織の水分は蒸発し，水分量は減少するこ

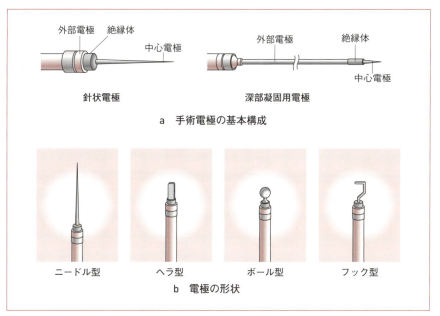

図 2-2-2　手術電極

とになるので誘電熱は発生しなくなり，自動的に凝固は止まる．したがって，過剰凝固することがないので，組織の**炭化を防止**することができる．

4. 構成
1) 本体
　本体には，2,450 MHz のマイクロ波発振器（**マグネトロン**）を内蔵している．電極の種類や治療目的によって，出力や照射時間などの設定を行うことができる．

2) 高周波出力用同軸ケーブル
　本体から発振されたマイクロ波は，**高周波出力用同軸ケーブル**にて手術電極まで伝送される．

3) 手術電極
　電極はすべて基本的に**中心電極**，**絶縁体**，**外部電極**からなっている（図 2-2-2 a）．中心電極は，組織に刺入，接触する部分で，マイクロ波の発振部である．外部電極は中心電極からのマイクロ波を回収し本体に戻す部分である．電極には，開腹下手術で用いられる**針状電極**や**深部凝固用電極**がある．また，腹腔鏡用電極や内視鏡用電極などがあり，用途にあわせて使い分ける．電極の形状としては，ニードル（針状）型，ヘラ型，ボール型，フック型などがある（図 2-2-2 b）．電極の長さもさまざまで，針状電極で 15～30 mm，深部凝固用電極で 150～250 mm である．凝固範囲は電極の長さにより規定され，凝固部位は**電極周囲に限局**され

図 2-2-3　マイクロ波メスの凝固形状

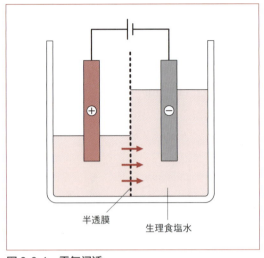

図 2-2-4　電気浸透

る．凝固範囲は先端部で直径 3～4 mm，基部で直径 10～12 mm 程度で，針状電極では半紡錘形，深部凝固用電極では楕円形となる（図 2-2-3）．

4) 組織解離装置

マイクロ波手術装置は凝固能が高いため，凝固完了時に凝固組織が電極に付着して，電極を組織から引き離しにくいことがある．このような場合に，凝固組織から電極をスムーズに引き抜けるよう，**組織解離装置**が装備されている．電極先端の中心電極にマイナスの電圧を，電極基底部の外部電極にプラスの電圧を加えると，**電気浸透**（図 2-2-4）によってマイナス側の電極へ水が集まってくる．このように，中心電極の周囲には水が集まってくるので，電極に付着した組織が軟化され，電極から離れやすくなる．解離電流には直流が用いられる．

5. 安全回路

マイクロ波手術装置には，マイクロ波伝送異常時の緊急停止機構，マイクロ波の不要放射防止機能など，安全回路が装備されている．

6. 保守管理

1) 始業点検

始業点検では，本体，手術電極，高周波出力用同軸ケーブルなどの準備をし，破損の有無などを確認する．

2) 終業点検

終業点検では，本体，手術電極，高周波出力用同軸ケーブルなどの損傷や変形などの確認を行う．手術電極や高周波出力用同軸ケーブルは，洗浄後に EOG（エチレンオキサイドガス）滅菌を行う．

3）定期点検
（1）外観・付属品の点検
　目視にて，本体や付属品に亀裂や損傷，接続部分のゆるみなどがないか確認する．
（2）機械的特性の点検
　表示，スイッチなどの動作が正常であるか確認する．
（3）電気的安全性試験
　他のME機器同様，接地漏れ電流など，低周波漏れ電流の点検を行う．
（4）電気的性能試験
　マイクロ波出力や解離電流の測定を行う（専用の測定機器が必要）．

7. 取り扱い上の注意事項
①可燃性麻酔ガスの近くでは使用しない．
②出力は必要最小限で行う．
③長時間の連続照射は過度な温度上昇をきたすため避ける．
④心臓またはその近辺には使用しない．解離電流（直流）により心室細動を引き起こす危険性がある．
⑤負荷のない状態でマイクロ波を出力させない．
⑥高周波出力用同軸ケーブルは専用のものをまっすぐに伸ばして使用する．
⑦ニードル型の手術電極が大きく屈曲した場合は，修復しても使用中に折れる危険性があるため，取り扱いに注意する．
⑧電極を本体に装着したまま装置の電源を入れた場合，電極部に触れていると熱傷を起こす危険性がある．

8. 他の機器と併用する場合の注意点
①電気メスと併用すると，高周波電流によってマイクロ波メスが誤作動あるいは電子回路が破損することがあるので同時に使用しない．
②解離電流の影響でペースメーカが誤作動を起こすことがある．
③心臓内にカテーテルが入っている場合には，解離電流の影響で心室細動を起こすことがある．
④心電図モニタに雑音が混入し心電図波形が得られなくなることがある．

ハサミ型のマイクロ波メス
　2017年に世界初のハサミ型メスが実用化された．2,450 MHzのマイクロ波を用いて電子レンジと同じ原理で加熱し，止血・凝固が可能である．また，皮膚組織の切離や癒着の剥離，脈管切離・封止なども可能で，手術器具を持ちかえることなく一連の操作が可能となった．

3 除細動器

1. 除細動器の目的と適応症

除細動器（defibrillator）は，1899年，スイスの生理学者PrevostとBatelliによって，動物の心臓に高電圧の電流を通電すると心室細動が停止することが確認され，1947年にClaude, Beckによってはじめて臨床に応用された．1950年代から現在の直流通電による除細動器が考案され，現在に至っている．

除細動は，致死性不整脈に対して行う除細動（defibrillation，QRS波に同期させずに通電）と，頻拍性不整脈に対して行う**電気的除細動**（cardioversion，QRS波に同期させて通電）の2つに分けられる．

電気的除細動は，2つの電極を介して心臓に大きな直流電流を流すことによって，心房や心室の興奮頻度が増加する頻脈性不整脈を停止させて，心臓を洞調律に戻す医療機器として用いられている．

適応となる頻脈性不整脈は，心室性のものとして**心室細動**（ventricular fibrillation：**VF**）と**無脈性心室頻拍**（pulseless ventricular tachycardia：pulseless**VT**）が，心房性のものとして**心房細動**（atrial fibrillation：AF）と**心房粗動**（atrial flutter：AFL），**心房頻拍**（atrial tachycardia：AT）がある（表2-3-1）．

一方，心臓が血液を全身へ拍出できず血行動態が破綻した状態を心停止といい，心室性の頻脈性不整脈がおもな原因となる（表2-3-2）．心停止は迅速な治療を行わなければ致死的であるので，電気的除細動による原因不整脈の速やかな停止が救命救急の手段として不可欠である．ただし，心停止は心臓の電気的活動の消失や心室筋の収縮不全でも生じ，これらが心停止の原因である場合は，電気的除細動の対象外である．

1) 心室性の頻脈性不整脈（表2-3-1）

心室性の頻脈性不整脈は，興奮が心室筋で高頻度に発生したり，持続的に旋回したりして心室が高頻度で興奮するものであり，しばしば心停止も生じうる．

心電図では幅広いQRSの頻拍として現れる（図2-3-1, 2）．この興奮が一定の場所で発生または旋回する場合，頻拍中のQRS波形は規則的となる．これを**単形性心室頻拍**（monomorphic VT）という（図2-3-2a：左図および心電図上段）．一方，興奮の発生または旋回する場所が移動する場合は，その移動に応じて頻拍中のQRS波形は変化する．これを**多形性心室頻拍**（polymorphic VT）という（図2-3-2a：左図および心電図中段）．また，旋回興奮波がさまよったり分裂したりする

表 2-3-1 電気的除細動の適応症

		停止処置		その他の処置
		電気的除細動	その他の停止法	
心室性	心室頻拍 (VT)	(血行動態破綻) 非同期通電	(血行動態安定) 抗頻拍ペーシング 抗不整脈薬投与	発作予防：抗不整脈薬投与 根治療法：カテーテルアブレーション，植込み型除細動器（とくに心停止を予防できない場合）
	心室細動 (VF)	非同期通電		根治療法：植込み型除細動器
心房性	心房頻拍 (AT)	同期通電	抗不整脈薬投与	発作予防：抗不整脈薬投与 根治療法：カテーテルアブレーション＋抗血栓療法
	心房粗動 (AFL)	同期通電	抗不整脈薬投与	心拍数調節：薬物投与，ペーシング，細動化 発作予防：抗不整脈薬投与 根治療法：カテーテルアブレーション＋抗血栓療法
	心房細動 (AF)	同期通電	抗不整脈薬投与	心拍数調節：薬物投与，ペーシング 発作予防：抗不整脈薬投与 根治療法：（カテーテルアブレーション or Maze 手術）＋抗血栓療法

表 2-3-2 心停止のおもな原因

- 心室細動　　　　　ventricular fibrillation (VF)
- 心室頻拍　　　　　ventricular tachycardia (VT)
- 心静止　　　　　　cardiac asystole
- 無脈性電気活動　　pulseless electrical activity (PEA)

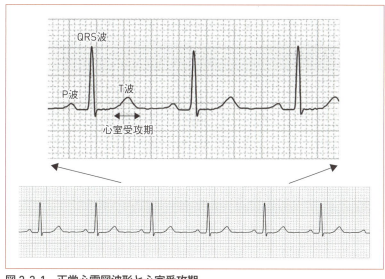

図 2-3-1 正常心電図波形と心室受攻期

と，頻拍中のQRS波形は不規則となる．これを心室細動という（図2-3-2 b：左図および心電図下段）．心室頻拍における血行動態は心室の興奮頻度に依存し，高頻度であれば血行動態は破綻し，正常な血圧を維

除細動器　35

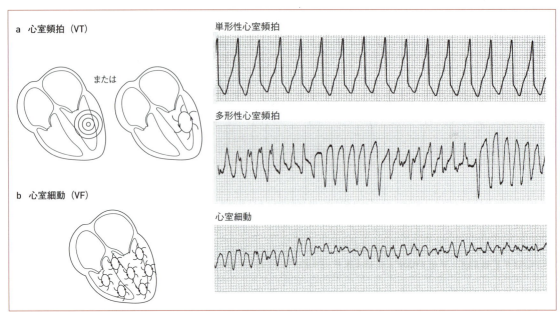

図 2-3-2　電気的除細動の適応となる心室性の頻脈性不整脈

持できなくなる．心室細動では血行動態はかならず破綻し，血圧はゼロになる．心室頻拍と心室細動はしばしば互いに移行する．

　頻脈性不整脈により血行動態が破綻している場合，除細動により頻脈性不整脈を停止させて洞調律に戻すと，血行動態も回復する．除細動には，電気的除細動の他にも，薬物投与による薬物的除細動，ペーシングによる抗頻拍ペーシングがある．電気的除細動は，他の方法に比べて心筋に与える傷害は大きいが，迅速で強力な除細動が可能であり，血行動態が破綻している場合には必須である．単形性心室頻拍で血行動態が維持されている場合は，薬物的除細動や抗頻拍ペーシングも用いられる．

　一方，心臓の電気的活動が消失すると，心電図上の波形も消失する．これを**心静止**（cardiac asystole）という．左室が収縮しないので心臓は血液を全身へ拍出できず，血行動態は破綻する．ただし，心臓の電気的活動が消失しているため，心室の高頻度興奮を停止させる電気的除細動は無効である．また，原因として何らかの心筋障害が背景にあることを考えると，さらに心筋に傷害を与える電気的除細動は悪影響でしかない．したがって，心静止は電気的除細動の適応外である．

　また，心臓の電気的活動は正常であるにもかかわらず左室が収縮しない場合も，心臓は血液を全身へ拍出できず血行動態は破綻する．これを**無脈性電気活動**（pulseless electrical activity：PEA）という．この場合，心臓の電気的活動は正常であるため，心室の高頻度興奮を停止させる電気的除細動は無効である．心室の**受攻性**（p.39 参照）を考えると，正常な電気的活動を行っている心臓への通電は悪影響でしかない．したがって，無脈性電気活動も電気的除細動の適応外である．

---

keyword

心静止

心室が動かない状態．心臓が電気刺激に対して反応していないため，電気刺激を与えても効果はない．そのため，AED の電気ショックの適応外である．

keyword

無脈性電気活動

心停止の一種．心電図上は波形を認めるが有効な心拍動がなく，脈拍を触知できない状態．

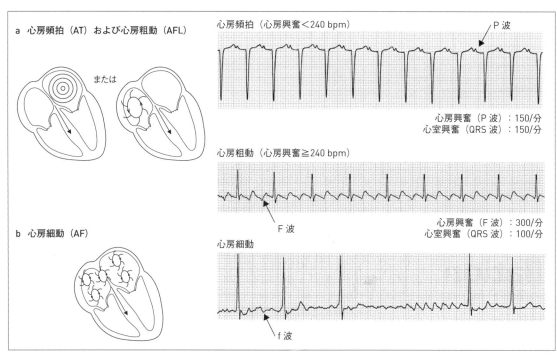

図 2-3-3 電気的除細動の適応となる心房性の頻脈性不整脈

2) 心房性の頻脈性不整脈(表2-3-1)

　心房性の頻脈性不整脈は，興奮が心房筋で高頻度に発生したり，持続的に旋回したりして，心房の興奮頻度が増加するものである．心房の興奮が規則的である場合，興奮頻度が240/分以下を心房頻拍，240〜440/分を心房粗動という（図2-3-3a）．一方，旋回興奮波がさまよったり分裂したりすると，心房の興奮は不規則となる．このような状態を心房細動という（図2-3-3b）．

　心房が高頻度で興奮すると，心電図では心房興奮波形であるP波の出現頻度が増加する．ただし，心房粗動では非常に高頻度で規則的な心房興奮波形が鋸歯状を呈することから，**鋸歯状波（F波）** とよばれる．また，心房細動では非常に高頻度かつ不規則な心房興奮波形が細かい基線の振動を呈することから，**細動波（f波）** とよばれる．

　心房の興奮は房室結節を介して心室に伝わる．これが心室全体に伝わると，心室は収縮して心拍を形成する．ただし，心房が非常に高頻度で興奮する場合は，心房興奮の一部のみが心室に伝わることによって適度な心拍数を維持する（図2-3-3）．この場合，心拍数は房室結節の伝導能に依存する．心電図では原則的に洞調律時と同形状のQRS波が出現するが，心室の興奮頻度が高いとQRS幅が広くなる場合もある（心室内変行伝導）．心室の興奮頻度が過度に高いと血行動態が破綻し，血圧が低下する場合もある（図2-3-4，図2-3-5a）．一般に，薬物で房室結節の伝導能を調節することによって心拍数を調節するが，心拍数の調節

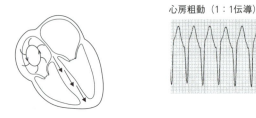
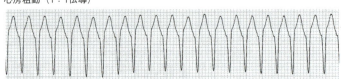

図 2-3-4　心房粗動（AFL）の高頻度心室応答

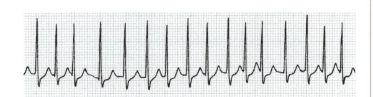

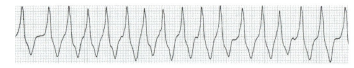

図 2-3-5　心房細動（AF）の高頻度心室応答

keyword

WPW（ウォルフ・パーキンソン・ホワイト）症候群

心房と心室の間に電気刺激を伝える伝導路（副伝導路）が先天的に存在する疾患．心拍数が異常に速くなる頻脈がみられることがある．

keyword

ワルファリン

抗凝固薬．作用機序からビタミンK拮抗薬とよばれる．プロトロンビンなど血液凝固因子の合成に欠かせないビタミンKの働きを阻害する．凝固系の働きが抑制され，抗血栓効果を発揮する．

が困難な場合は電気的除細動によって不整脈を停止させる場合もある．

　また，**WPW症候群**のように，房室間に副伝導路が存在する患者に心房性の頻脈性不整脈が生じると，心房の高頻度興奮は副伝導路を介してそのまま心室に伝わり，心室が高頻度に興奮して血行動態が破綻し，血圧が低下する（図2-3-5b）．このような場合には，電気的除細動による心房の高頻度興奮の停止が必要である．副伝導路を介して心房興奮が心室に伝わる場合はQRSが幅広い頻脈となるため，心室頻拍との鑑別が必要となる．

　さらに，心房性の頻脈性不整脈が生じると心房内の血流速度が低下し，心房内に血栓を形成しやすくなる．心房内血栓は脳梗塞などの血栓塞栓症のおもな原因であるため，抗血栓療法による血栓塞栓症の予防が必要である．抗血栓療法には，**ワルファリン**などの抗凝固薬の投与が行われる．

　心拍数調節と抗血栓療法が適切に施されていれば，心房性の頻脈性不

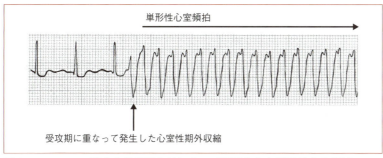

図 2-3-6　R on T 型心室性期外収縮によって誘発された単形性心室頻拍

整脈が持続していても日常生活や予後には差し支えがないことも多い．ただし，心房性の頻脈性不整脈が続くかぎり抗凝固薬の内服は不可欠であり，定期的な採血により**プロトロンビン時間**またはトロンボテストで薬効を評価して内服量を調節しなければならない．そのような背景もあり，現在でも除細動治療による不整脈の停止が選択される場合も多い．心房性不整脈の除細動治療では，まず抗不整脈薬の経口投与または静脈内注射による薬理学的除細動が第一選択であるが，無効の場合には電気的除細動が選択される．

3）受攻性

心筋が興奮から回復する過程を再分極といい，心電図には T 波として現れる．再分極過程には，心室興奮が重なると心室頻拍や心室細動が誘発されるタイミングがある（図 2-3-6）．これを心室の**受攻性**といい，タイミングを受攻期（図 2-3-1），心室興奮が受攻期に重なる状態を **R on T** という．

R on T 型の心臓興奮は，心室性期外収縮のような心室の自発興奮，電気的除細動や落雷などの体外から加えられる電気刺激，殴打などの物理的刺激などによって生じる．物理的刺激が受攻期に重なって生じた心室細動を**心臓震盪**という．

2. 除細動器の種類

除細動器には，使用者が手動で操作する手動式除細動器（manual defibrillator），ほぼすべての操作を機械が自動で行う**自動体外式除細動器**（automated external defibrillator：**AED**），あらかじめ体内に植え込んでおき，必要な時に自動的に作動する**植込み式除細動器**（implantable cardioverter defibrillator：**ICD**）がある．

除細動器は，**高度管理医療機器（クラスⅢ）**に分類される．クラス分類は，**医療機器規制国際整合化会議**（Global Harmonization Task Force：**GHTF**）を基本ルールとしている．また，除細動器は**特定保守管理医療機器**である．特定保守管理医療機器は，適正な管理が行わなければ重大な影響が生じるおそれがあるものとして，保守点検や修理，そ

keyword

プロトロンビン

血液凝固因子の第Ⅱ因子で，トロンボプラスチンを加えると固まる．血漿にトロンボプラスチンを加え，固まるまでの時間を測定する検査がプロトロンビン時間やトロンボテストである．

keyword

心臓震盪

胸部に衝撃が加わったことにより心臓が停止してしまう状態．

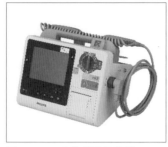 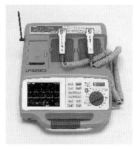

図 2-3-7　手動式除細動器
左：フィリップス社製　手動式除細動器「ハートスタート XL ＋」.
右：フクダ電子社製　手動式除細動器「FC-1700」.

の他の管理に専門的な知識や技能が必要とされる，厚生労働大臣が指定した医療機器である．

　禁忌は一般的に，高気圧治療装置内での使用，可燃性麻酔ガスおよび高濃度酸素雰囲気内での使用，**MRI** 近位や MRI 装置内での使用（条件付きで使用できる機種あり）である．また，併用注意では電気メスがあげられており，除細動時およびモニタ使用時に干渉することが添付文書に明記されている．

1）手動式除細動器（manual defibrillator）（図2-3-7）

　手動式除細動器は，心電図波形の鑑別，エネルギー量の設定，充電，通電などの操作を，使用者がすべて手動で行うタイプの除細動器である．これには，心室性不整脈のみに対応する機種（図 2-3-7 左）と，心房性不整脈にも対応する機種（図 2-3-7 右）がある．後者には，心房性不整脈への通電が心室の受攻期に重ならないように，通電のタイミングを心電図の R 波に同期させる R 波同期回路が装備されている．

(1) 対象

　手動式除細動器の対象となる不整脈は，心室性不整脈では心室細動と心室頻拍，心房性不整脈では心房細動，心房粗動，心房頻拍である．

(2) 構成

　本体と，2 個の通電電極で構成される．

　本体には，出力エネルギー設定ツマミ，充放電スイッチ，電源部，内部回路，内蔵バッテリが装備されている．出力エネルギー設定ツマミの目盛りには，患者との皮膚接触抵抗を 50 Ω と仮定した供給エネルギーが一般に 1〜360 J の範囲で表示されている．充放電スイッチは，通電電極に装備されている機種もある．電源部は，交流電源での作動および内蔵バッテリの充電を行う．内蔵バッテリは，交流電源が使用できない状況での作動に用いられる．内蔵バッテリには，再充電可能な二次電池が使用されている．この二次電池にはリチウムイオン電池が用いられる．リチウムイオン電池はエネルギーの保持/供給能力の維持に優れたバッテリだが，この能力は使用状態と使用時間に伴って低下する．定期

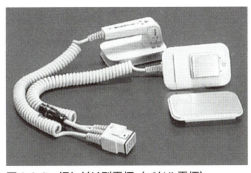
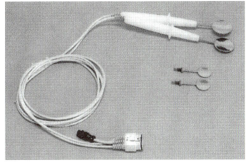

図 2-3-8　押し付け型電極（パドル電極）
左：体外電極．フクダ電子社製 体外パドル「TE-2900」．
右：直接電極．フクダ電子社製 体内パドル「TE-2800」．

表 2-3-3　電極面積と出力エネルギー

			成人	小児
体外通電	電極面積		50 cm²	15 cm²
	出力エネルギー	心室（非同期通電）	150～360 J	2～4 J/kg×体重（kg）
		心房（同期通電）	50～150 J	
体内直接通電	電極面積		32 cm²	9 cm²
	出力エネルギー	心室（非同期通電）	20～60 J	5～20 J

的に校正を実施することにより，バッテリの充電ゲージがバッテリの充電状態を正確に示しているかどうか確認できる．鉛蓄電池では，充電不足での長期放置，充電不足での使用，頻回の再充電などでバッテリ容量の急速な減少を招き，バッテリの寿命を縮めるため，使用後には完全に充電しておく必要がある．

　いずれにしても，バッテリには寿命があるため定期的な交換が必要である．交換時期は製造年月日やメーカ推奨の有効期間が目安となる．

　心房性不整脈にも対応する機種の本体には，R波同期回路のスイッチ，表示部，記録部が装備されている．表示部のモニタ画面には，心電図波形，心拍数，設定エネルギーが表示され，これらの情報および出力エネルギーは記録部で用紙に記録できる．

　通電電極には手で押し付けるタイプのパドル電極が使用され，体表に押し付ける体外電極（図2-3-8左）と，開胸時に直接心臓に押し付ける直接電極（図2-3-8右）がある．これら体外電極と直接電極，そして成人用と小児用とで電極面積が異なる（表2-3-3）．2個の電極にはどちらにも通電スイッチがあり，両者を同時に押すと通電される．表示部に心電図波形が表示される機種では，心電図の電極を別途装備している機種もあれば，通電電極が心電図の電極を代行する機種もある．

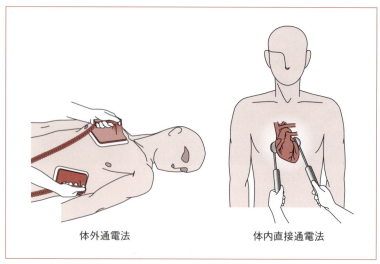

体外通電法　　　　　　　体内直接通電法

図 2-3-9　通電方法

(3) 操作法

①準備

　電源とアースの接続を確認する．心電図モニタが装備されている機種では，心電図電極を装着し，有効な波形が表示されているかモニタを確認する．有効な波形が表示されていない場合，誘導切換ボタンにて有効な波形が表示される誘導を選択する．R 波同期スイッチが装備されている場合は，心室性不整脈に対する通電では OFF に，心房性不整脈に対する通電では ON になっていることを確認する．胸壁が濡れている場合は拭き取る．

　心房性不整脈に対する電気的除細動では，血栓症を合併することが比較的多い．心房細動を発症して 48 時間以内ならば血栓症の危険性は少ないとされるが，それを超える場合は事前に心房内の壁在血栓の有無を経食道超音波検査で確認する．左房や左心耳に壁在血栓が確認された場合，電気的除細動は禁忌となり，抗血栓療法で壁在血栓が消失した後に除細動を行うことになる．壁在血栓がなければ，抗凝固療法の有無にかかわらず除細動を行ってもかまわない．経食道超音波検査が行えない場合は，除細動前 3 週間，後 4 週間の抗凝固療法が必要である．実際の心房性不整脈に対する電気的除細動は，抗凝固薬であるヘパリン 5,000 単位を静脈内投与して血栓症を予防したうえで，静脈麻酔下で施行する．

②出力エネルギーの設定

　本体の出力エネルギー設定ツマミで設定する．通電方法（図 2-3-9）には，体外電極を体表に押し付ける体外通電法と，開胸時に直接電極を心臓に押し付ける体内直接通電法がある．出力エネルギーの設定値は通電方法や不整脈の種類，年齢によって異なる（表 2-3-3）．

　出力エネルギー量について，日本蘇生協議会（Japan Resuscitation Council：JRC）の「JRC 蘇生ガイドライン 2020」では，心室性不整脈

に対する体外通電では，成人の場合，初回通電エネルギーは単相性減衰正弦（モノフェージック）波形では360 J，二相性切断指数（バイフェージック）波形では150 J以上，二相性矩形波形では120 J以上で施行することが推奨されている．小児（体重25 kg以下）の場合，体重（kg）×2～4 J/kgとすることが，アメリカ心臓協会（American Heart Association：AHA）の2000年改訂版の心肺蘇生ガイドラインで推奨された．体内直接通電では，成人で20～60 J，小児で5～20 Jとする．

心房性不整脈に対する体外通電では，初回を100 Jとし，2回目以降漸増するのが一般的である．また，心房粗動や心房頻拍では，50 Jからの開始でもよいとされる．

出力が**二相性（バイフェージック）**波形の機種では，除細動に必要な出力エネルギーを低くおさえることができるので，通電による心筋傷害を軽減できる．ただし，二相性波形による通電の小児への有効性は証明されていない．

③通電電極の押し付けと使い捨てパッド

体外通電では，2つの通電電極の金属面にペーストを塗布し，体表面に8 kg以上の力で押し付けて密着させる．電極を押し付ける場所は胸骨右上部と左側胸部（心尖部）が一般的だが，胸骨左縁第4肋間と左肩甲骨下部とする前胸部・背部法や，左側胸部と背部とする心尖部・背部法などもある．ペーストは電極からはみ出ないように注意する．ケラチンクリームは拭き残しによる汚れや錆の原因となり，超音波用ゲルは導電性が低いため，いずれもペーストの代用とはならない．

体内直接通電では，心臓を挟むように電極を直接心臓に押し付ける．

使い捨てパッドは，手術や検査前に事前に貼り付け経皮ペーシングも

ジュール［J］は仕事・エネルギー・熱量の単位

ジュール［J］は，仕事量またはエネルギーの単位を表す（J＝W・S）．1 J（ジュール）とは，1 A（アンペア）の電流が1 Ω（オーム）の抵抗中を1秒間流れた時に相当するエネルギーを表す．例として，1 Wの電球を1秒間点けるエネルギーが1 Jとなる．したがって，100 Wの電球を2秒間点けるエネルギーは200 Jとなる．

除細動器のエネルギー En［J］は下記公式により，電圧に変換して表すことができる．

$$En = \frac{1}{2}CV^2$$

C：除細動器内部のコンデンサ容量（機種やメーカにより異なる），V：電圧

コンデンサの容量が100 μFで，設定エネルギーが200 Jの場合，電圧は

$200 = 1/2 \times 100 \times 10^{-6} \times V^2$
$V^2 = (2 \times 200)/(100 \times 10^{-6})$
$V = 2,000$ V

になる．

※実際は内部での損失（コイルなどの抵抗分等）があるため，上記の計算値と異なる．

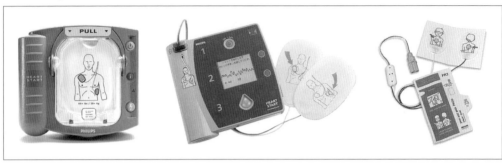

図 2-3-10 自動体外式除細動器
左：フィリップス社製 自動体外式除細動器「ハートスタート HS1」．
中：フィリップス社製 自動体外式除細動器「ハートスタート FR2」（心電図表示機能付き）．
右：フィリップス社製 小児用パッド電極（減衰器付き小児用貼付け型電極）．

同じパッドで行えるため利用が増えている．再使用不可であり，新品の電極対インピーダンスは 3 kΩ 以下（10 Hz），30 Hz の場合は 10 Ω である．放電時のインピーダンスは単相 360 J 放電時で 5 Ω 以下である．

④充電

本体または通電電極の充電ボタンを押して充電を開始し，完了ランプや完了音で充電完了を確認する．充電開始から充電完了までは新品満充電バッテリで常温（20℃）のとき 200 J まで 10 秒以内，充電回数は新品バッテリで 200 回／270 J（20℃）が可能である．

⑤通電

通電開始を声で周囲に伝えて注意喚起し，両電極の通電ボタンを同時に押して放電する．通電中は患者に触れないように注意する．通電ボタンが押されなければ 30〜60 秒で自動的に内部放電される．

⑥効果確認

通電後はただちに**心肺蘇生**（cardiopulmonary resuscitation：**CPR**）を開始する．患者の確かな体動や意思表示がない場合は CPR を中断することなく 2 分間実施し，効果を確認する．必要ならば充電および通電を再施行する．

2）自動体外式除細動器（automated external defibrillator：AED）（図 2-3-10）

自動体外式除細動器は，使用者が除細動器の電源を入れて使い捨ての貼付け電極（パッド）を体表面に装着する以外は，心電図波形の鑑別，エネルギー量の設定，充電までの操作を機械が自動で行い，除細動が必要と判断された場合に使用者が本体の通電ボタンを押して通電するものである（図 2-3-10）．また，手動式除細動器としても使用できる機種を半自動式除細動器という．

心室性の頻脈性不整脈による心停止が起きると，除細動が 1 分遅れるごとに救命率が 7〜10％ずつ低下するため，除細動器による迅速な電気

図 2-3-11　駅ホーム内に設置された自動体外式除細動器
フィリップス社製「ハートスタート HS1」.

的除細動が不可欠である．そこで，操作法が簡単である自動体外式除細動器を一定の条件下であれば，医師以外の者が操作しても医師法違反にならないと認めたうえで，この自動体外式除細動器を医療機関だけでなく，警察署，消防署，市区町村役所などの公共機関や，不特定多数の人が集まる公共施設，レジャー施設，駅，学校などに設置し，迅速な除細動を可能にすることで心停止患者の救命率の向上が図られている（図2-3-11）．

(1) 自動体外式除細動器の変遷

アメリカでは，1992 年，AHA の**心肺蘇生ガイドライン**に，心臓突然死の救命率向上には現場での早期除細動が重要と明記された．1995 年には**食品医薬品局**（Food and Drug Administration：**FDA**）の承認を得て，AED の発売が開始された．

2000 年には心肺蘇生ガイドラインが国際ガイドラインとして改訂され，非医療従事者による AED 使用の正当性が明記された．また同年，心停止発生時の緊急医療に関する法律（Cardiac Arrest Survival Act：CASA）の法案が連邦議会を通過し，非医療従事者による AED の使用が認められた．これにあわせて 2001 年には，連邦法により連邦政府の施設への AED 設置が義務付けられた．さらに同年，連邦航空局（Federal Aviation Administration：FAA）が 2004 年 7 月までにアメリカの全旅客機に AED 搭載を義務付けた．2002 年 6 月には，当時の大統領が AED 普及促進費用として 2,500 万ドルを 2003 年の予算に組み込む案に署名し，2003 年にはニューヨーク州法で学校への AED の設置が義務付けられた．そして 2005 年には，心肺蘇生ガイドラインが国際蘇生連絡協議会加盟団体（International Liaison Committee On Resuscitation：ILCOR）によって，「心肺蘇生と緊急心血管治療のための科学と治療の推奨に関わる国際コンセンサス 2005」（2005 International Consensus on Cardiopulmonary Resuscitation and Emergency Cardiovascular Care Science with Treatment Recommendations：

表 2-3-4　JRC（日本版）GL2005 → 2010 → 2015　心肺蘇生の手順　変更のポイント

	ガイドライン 2005	ガイドライン 2010	ガイドライン 2015	
意識（反応）の確認 応援の依頼	大声で叫び，応援を呼ぶ 119 番通報・AED 依頼		「周囲の安全を確認する」 「大声で応援を呼ぶ」 「119 番通報・AED 依頼・通信司令員の指導に従う」	安全確認と通信司令員の指導が追加
気道の確保 呼吸の確認	気道確保し，「見て，聞いて，感じて」普段どおりの息をしているか確認	▼市民 気道確保せず，胸と腹部の動きを見て，普段どおりの息をしているか，死戦期呼吸をしていないか，10 秒以内で確認 ▼医療従事者 気道確保し呼吸の確認	▼市民 気道確保せず，胸と腹部の動きを見て，普段どおりの息をしているか，死戦期呼吸をしていないか，10 秒以内で確認 ※呼吸をしているかわからない時は胸骨圧迫をする． ▼医療従事者 気道確保し呼吸の確認	「わからない時」は胸骨圧迫を開始するが追加
人工呼吸	2 回（省略可）	直ちに胸骨圧迫から開始	直ちに胸骨圧迫から開始	
胸骨圧迫の位置	胸の下半分，胸の真ん中	胸骨の下半分，胸の真ん中	胸骨の下半分	
胸骨圧迫の強さ	強く（成人：約 4〜5 cm，小児：胸の厚さの 1/2〜1/3）	強く（成人：少なくとも 5 cm，小児：胸の厚さの約 1/3）	強く（成人：約 5 cm，小児：胸の厚さの約 1/3） ★医療従事者は 6 cm を超えない	
深度・速さ・中断時間	速く（約 100 回/分） （中断時間：できるだけ 10 秒以内）	速く（少なくとも 100 回/分） 絶え間なく（中断時間：最小に）	速く（100 回から 120 回/分） 絶え間なく（中断時間：最小に）	
人工呼吸と胸骨圧迫の組み合わせ		人工呼吸ができる場合は 30 回の胸骨圧迫と 2 回の人工呼吸を加える．ためられる場合は胸骨圧迫のみを行う．	人工呼吸の技術と意思があれば 30 回の胸骨圧迫と 2 回の人工呼吸の組み合わせを行う．	救助意欲を高めるため，人工呼吸を躊躇するようであれば胸骨圧迫のみの心肺蘇生でもよい
AED 到着	▼電気ショックが必要な場合：ショック 1 回実施後，直ちに胸骨圧迫から CPR を再開 ▼電気ショックが必要ない場合：直ちに胸骨圧迫から CPR を再開			

変わりゆく心肺蘇生の手順

1992 年，AHA の心肺蘇生ガイドラインに，心臓突然死の救命率向上には早期除細動が重要であることが明記され，50％の救命率には 4 分以内の心肺蘇生術（心臓マッサージと人工呼吸）と 8 分以内の除細動が必要とされた．2015 年改訂版ガイドラインでは，電気ショック前の心肺蘇生術の中断時間が短ければ短いほど，また無灌流時間比が小さければ小さいほど，重要臓器の灌流が増加し，自己心拍再開（return of spontaneous circulation：ROSC）率も高くなることが示された．

JRC ガイドライン 2005 以降の 2010，2015，2020 について比較ポイントを表 2-3-4，5 に示す．

表 2-3-5 　JRC（日本版）GL2005 → 2010 → 2015 → 2020 　AED 関連部分　変更のポイント

	ガイドライン 2005	ガイドライン 2010	ガイドライン 2015	ガイドライン 2020
電極パッドの貼付位置	右上前胸部（鎖骨下）と左下側胸部（左乳頭部外側下方）．代替位置は，上胸部背面（右または左）と心尖部．	右前胸部と側胸部　その他に，容認できる位置：①前胸部と背面，②心尖部と背面	右前胸部と側胸部　GL2010 の「その他に，容認できる位置：前胸部と背面，心尖部と背面」についてはアルゴリズムから削除された．電極を貼る位置について電気ショックの成功率などに変化がなかったためという理由からである．	GL2015 と同様
小児の場合	1 歳以上 8 歳未満の小児に対しては，小児用パッドを用いる．小児用パッドがないなどやむを得ない場合，成人用パッドで代用する．	未就学の小児に対しては，小児用パッドを用いる．小児用パッドがないなどやむを得ない場合，成人用パッドで代用する．成人に対して小児用パッドを用いてはならない．＊プレホスにおいては生後 28 日までの新生児の対応についても乳児と同様としてよい．	GL2010 と同様	未就学児と，小学生～大人へ変更（小児の表現を削除）
ICD・ペースメーカが植え込まれている場合	少なくとも 2～3 cm 以上離して電極パッドを貼る	ペースメーカ・ICD から少なくとも 8 cm 離して電極パッドを貼る．前胸部に ICD やペースメーカを植え込まれている傷病者に対する電気ショックでは，ICD やペースメーカ本体の膨らみ部分を避けてパッドを貼付し，すみやかにショックを実施する．パッドは膨らみから 8 cm 以上離すことが理想的とする報告があるが，このために貼付に手間取ってショックの実施を遅らせてはならない．	記載されている章が変更　GL2010　第一章　一次救命処置（BLS）　GL2015　第二章　成人の二次救命処置（ALS）　記載内容については変更なし	GL2015 と同様
エネルギー固定とエネルギー漸増式		◆心停止アルゴリズム（処置の手順の流れをまとめたもの）では特に言及なし　◆第二章（ALS）のトピックに以下記載　二相性ショックでは，2 回目やそれ以降に初回と同じエネルギー量を用いることは容認できる．しかし，可能ならばエネルギー量を増加させることは理にかなっている．	◆第二章（ALS）　心停止アルゴリズムにおいて以下記載　引き続いて実施される電気ショックで，エネルギー量を上げることが可能な機種であれば，エネルギー量を上げて行う．　GL2010 では第二章（ALS）のトピックとして「波形とエネルギー量」項目で言及されていたが，GL2015 から心停止アルゴリズムでも言及され，エネルギーエスカレーションが強調されるようになった．	GL2015 と同様

その他：GL2015 では，AED が到着したらすぐに電極装着することが強調された．

CoSTR）として改訂され，新たな心肺蘇生の手順が提唱された．この国際コンセンサスをもとにして，各国で国内事情に合わせたガイドラインが作成された．

　一方日本では，2001 年 10 月に日本航空がすべての国際線に AED を搭載し，同年 12 月に日本航空から AED 使用について照会を受けた厚生労働省は，訓練を受けた客室乗務員が緊急避難的に AED を使用することはやむをえないとの見解を明らかにした．その後，日本航空と全日本空輸（全日空）は，すべての国際線に AED を搭載し，国内線にも原則的に搭載した．

　2002 年 12 月には，日本循環器学会が「非医師による AED 使用推進

変更前	変更後
ガイドライン表示ラベルの変更	
 2015 ガイドライン2015対応機器	 2020 ガイドライン2020対応機器
モードパネルの変更	
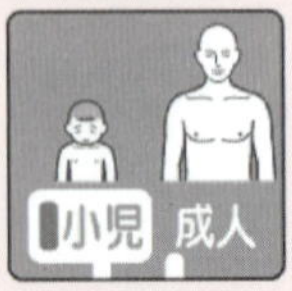 小児 成人	 未就学児 小学生〜大人
年齢表現の変更	
小児	未就学児
成人	小学生〜大人
音声ガイドの変更	
成人モードです.	小学生〜大人モードです.
小児モードです.小学生以上に使用する場合は,成人にスイッチを切り換えてください.	未就学児モードです.小学生以上に使用する場合は,小学生〜大人にスイッチを切り換えてください.
意識,呼吸を確認してください.	反応がないこと,呼吸がないことを確認してください.

図 2-3-12 JRC 蘇生ガイドライン 2020 の変更点
(日本光電社資料をもとに作成)

の提言」を厚生労働省に提出し,これを受けた厚生労働省は,2003年4月に医師の包括的指示下で救急救命士による半自動式除細動器の使用許可を通達した.さらに2004年7月に厚生労働省は,AEDの使用が医行為に該当し,非医師が反復継続する意思をもって使用することは医師法違反としながらも,現場に居合わせた非医療従事者によるAEDの使用には反復継続性が認められないので医師法違反とはならないとの方針を決定した.一定の条件付きで非医療従事者によるAEDの使用は認可され,2005年には日本蘇生協議会(JRC)により,日本版の心肺蘇生ガイドラインが策定された.

日本では,2004年7月に非医療従事者によるAED使用が認可されて以来,AEDの設置普及が進んできた〔心停止から5分以内の除細動が必要なため,300mごとの設置を推奨(日本循環器学会等)〕.日本には,約62万台のAEDが設置してあると推定されており,日本は世界でも有数のAED保有国となっている.その一方で,総務省消防庁の「令和3年版 救急救助の現況」によると,2020年(令和2年)の1年間に一般市民に目撃された心原性心肺機能停止傷病者(突然の心停止)25,790人のうち,AEDが使用されたのは1,092人と,わずか4.2%となっている.

(2) 対象

AEDの対象となる不整脈は心室細動と心室頻拍であり,心房性不整脈は対象外である.

2022年5月より,AEDおよび電極パッドに係る「小児」および「成人」の呼称を止め,それぞれ「未就学児」および「小学生〜大人」という新呼称へと改められた(図2-3-12).除細動器本体を製造販売する企業でも「小児」・「成人」という表現を止め,それぞれ「未就学児」と「小学生から大人」と記載することとなった(厚生労働省医薬・生活衛生局通知).

通電電極には,体表面に貼り付ける使い捨てのパッド電極が使用される.電極面積は手動式に準じ,小学生〜大人と未就学児で異なる(図2-3-10).

未就学児以下には,減衰機能付きAEDを使用する.ただし,それらが近くにない場合や,対象が不明確な場合,成人・小児用パッドで代用できることが,2005年改訂版のJRC心肺蘇生ガイドラインから提唱さ

れている.

(3) 非医療従事者の使用条件

非医療従事者がAEDを使用する条件は，①医師等を探す努力をしても見つからない等，医師等による速やかな対応を得ることが困難であること，②使用者が，対象者の意識，呼吸がないことを確認していること，③使用される自動体外式除細動器が医療用具として医薬品医療機器等法上の承認を得ていることとされており，この場合は医師法第17条違反とならないとされている．ただし，医師でない者が反復継続する意思をもってAEDを使用することは，医師法第17条違反となる．

(4) 構成

本体と2個の使い捨て貼付けパッド電極で構成される．

本体（図2-3-13）には，電源スイッチ，通電スイッチ，内部回路，内蔵バッテリが装備されている．機器は内蔵バッテリで作動する．内蔵バッテリには充電機能のない一次電池が使用されている．この一次電池には，容量が非常に大きく，電圧降下や自己放電が少ない長寿命のリチウム電池がおもに用いられる．したがって，AEDでは内蔵バッテリの充電作業は不要である．本体にはバッテリ容量の残量表示があり，通電できる回数は20～300回とメーカによって異なる．内蔵バッテリは一般に4年程度で交換する．また，本体にはセルフチェック機能があり，バッテリ残量，使い捨て貼付けパッド電極，内部電子回路の点検や，内部回路でのエネルギーの充放電テストが定期的に自動で行われ，不備がみつかればアラームと本体に装備されている使用準備完了ランプによって注意喚起される．

AEDにはメモリ機能が備わり，使用時の救助データ（心電図波形・イベント情報）を最大3件90分（1件最大30分）保存できる．また，

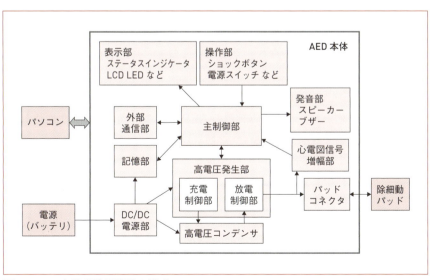

図2-3-13　自動式除細動器の構成

毎日のセルフテストの結果を31件，毎月のセルフテストの結果を12件，その他のセルフテストの結果を50件保存する（日本光電社，AED-3100）．通電記録，心電図データは内部メモリや内蔵のデータカードに保存され，BluetoothでデータをPCへ送ることができる．また，モニタ画面で心電図波形を確認できる機種もある．

AED本体の耐用年数は，製造販売者が使用環境や使用回数などに応じて設定しており，一般的な耐用年数は6～8年となっている．耐用年数を過ぎたものは，必ず更新が必要となっている．なお，法定耐用年数とは税法で規定される耐用年数，減価償却の期間を指す．AEDの法定耐用年数は4年である．

AEDは高度管理医療機器，特定保守管理医療機器として，製造元やメーカが設置場所を登録・管理することになるため，設置したAEDを廃棄・譲渡する場合は，製造元やメーカに連絡する必要がある．

出力の電圧波形には，現在，すべての機種で二相性（バイフェージック）が採用されている．二相性波形による通電は，単相性（モノフェージック）波形による通電よりも除細動効果が大きいため，除細動に必要な出力エネルギーを低くおさえられる．ただし，医薬品医療機器等法で認可されている機種が実際に採用している出力エネルギーは，メーカごとに分かれている．単相性波形での通電時と同様，高エネルギーが漸増するように設計されている．これを高エネルギーバイフェージックといい，従来のエネルギー出力での通電効果と，二相性波形での通電効果との相乗効果による除細動効果の向上を狙ったものと考えられる．一方，低エネルギーに固定している機種もある．これを低エネルギーバイフェージックといい，二相性波形を使用する代わりに出力エネルギーをおさえ，通電が心筋に与える傷害を抑制して除細動後の不整脈発生を防止することにより，除細動効果の向上を狙ったものと考えられる．未就学児への電気ショックエネルギー量は2～4J/kgで，パッド内でエネルギーが減衰する方式や，未就学児キーやスイッチにより機械本体で減衰する方式がある．ただし，未就学児へのエビデンスはこれまでのところ観察研究段階である．

最近のAEDは，このエネルギーの調整を内部で行う機種も出てきている．例として日本光電社製のAEDの場合，成人の患者1回目150Jで除細動できなかった場合，2回目以降は200Jに出力エネルギーを自動的に上げる機能として，エネルギー漸増式もしくはエスカレーション方式を採用している．

(5) 操作方法

電源を投入すると，操作手順のガイダンスが始まる．このガイダンスに従って，患者の胸壁に通電電極を貼付する．胸壁が濡れている場合は拭いてから貼付する．ペースメーカが植え込まれている場合は，ペースメーカの直上からずらして貼付する．電極を貼付すると，この電極から

記録された心電図波形の自動解析が始まる．その結果，除細動治療の適応と判定されたら，自動的に充電が開始される．充電が完了したら，ガイダンスに従って使用者が通電ボタンを押して通電する．通電が終わると，2020年改訂版のJRC心肺蘇生ガイドラインに基づき，ただちに胸骨圧迫から心肺蘇生（CPR）を再開し，2分間行う．また，胸骨圧迫は成人5～6 cm，小児は胸の厚さの約1/3とし，毎分100～120回で，繰り返し行う．以後2分おきに，自動的に心電図の自動解析が再開され，除細動治療の適応と判定されれば自動的に充電が開始される．充電が完了したら，ガイダンスに従って使用者が通電ボタンを押して通電する．除細動治療の適応が続くかぎり，この過程が繰り返される．心電図へのノイズ混入や，通電による感電事故を防止するため，電極貼付後は使用者および周囲の人が患者の体に触れないように注意する．

オートショックAEDとは，電気ショックが必要と判断した場合に，装置が自動で電気ショックを実施するAEDである（図2-3-14）．令和3年（2021年），厚生労働省から「ショックボタンを有さない自動体外式除細動器（オートショックAED）使用時の注意点に関する情報提供等の徹底について」と題する通達が発出された．オートショックAEDは，ショックボタンがなく音声と表示ガイダンスのみである．除細動が必要と判断された場合には，患者から離れるよう音声ガイドが流れ，カウントダウン（例：スリー，ツー，ワン）またはブザーの後に，除細動ショックが実施される．機種によって使用できる電極パッドは決まっていることから，機種に適合する電極パッドを使用する．この機能のメリットは救助者の精神的負担軽減，デメリットとしては救助者の感電の危険性があげられる．海外ではオートショックAEDが2014年から発売されており，世界70ヶ国以上で販売されている．海外では，救助者がオートショックAEDであることを知らずに使用し救助者が感電した事例や，音声ガイドが聞き取れずに胸骨圧迫を継続し救助者が感電した事例（軽傷）が報告されている．

音声が小さく聞こえない時（周囲の雑音など）や，難聴者（耳の遠い人）などの操作について課題がある．

図2-3-14　オートショックAEDロゴマーク

3）植込み式除細動器（implantable cardioverter defibrillator：ICD）（図2-3-15）

植込み式除細動器（ICD）は1980年，アメリカのメリーランド州ボルチモアにあるジョンズ・ホプキンス病院にて世界で初めて人体へ植え込みが行われた．

1996年には国内で保険収載され，2016年12月末までに累計約55,000人に植え込まれている．2020年の新規ICD植え込みは4,383件，交換は2,083件であった〔循環器疾患診療実態調査（JROAD）報告書（2020年実施・公表）〕．

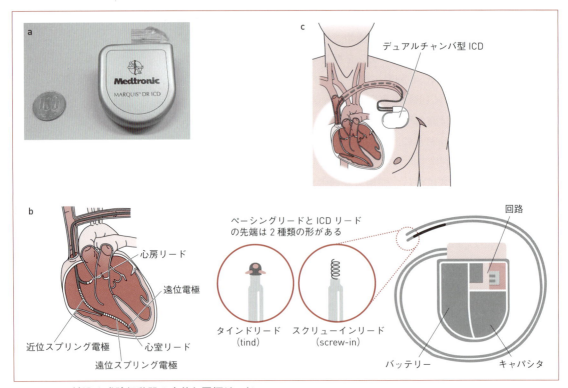

図 2-3-15　植込み式除細動器の本体と電極リード
a：日本メドトロニック社製植込み式除細動器本体．b：右心内への電極リードの留置．c：本体と電極リードの植え込み．

　ICD は，日常的に心室細動や心室頻拍を生ずる患者に小型軽量の除細動器を植え込み，リードを介して右室に留置された電極で記録される心内電位を常に監視する．頻拍を検出（センシング）すると頻拍停止機能が，徐脈を検出するとペーシング機能が作動して，心臓突然死を防止する機器である．

(1) 適応症

　ICD の適応となる不整脈は，心室細動，持続性心室頻拍，器質的心疾患に伴う非持続性心室頻拍である．とくに，心室細動による突然死が高率に発生する遺伝性疾患である Brugada 症候群は，ICD の絶対的な適応症である．また，原因不明の失神発作を生じる患者で，重症の器質的心疾患を伴っている場合や，電気生理学的検査で心室頻拍や心室細動が誘発される症例で，薬物や**カテーテルアブレーション**による治療が困難な場合には，ICD の使用が奨励されている．さらに，高度の心機能低下を伴った虚血性心疾患の患者にも ICD の使用が奨励されている．

(2) 構成

　ICD は，チタン製の本体と電極リードから構成される．

　本体は電子回路，電池，キャパシタなどで構成され，観察された不整脈の情報，電池の使用状況，本体の設定や作動内容などの情報を記録している．この情報はプログラマで読み取る．

容量は20～30 mL，重量は70 g程度と小型である（図2-3-15 a）．本体には内部回路と内蔵バッテリの他に，電池寿命などを警告音で患者に知らせるためのスピーカが装備されている．機器は内蔵バッテリで作動する．内蔵バッテリにはおもに長寿命（5～10年）の銀酸化バナジウムリチウム電池（SVO）が用いられる．

電極リードはシリコンコーティングされており，先端部には遠位電極と遠位スプリング電極，近位部には近位スプリング電極が装着されている（図2-3-15 b）．遠位電極と遠位スプリング電極の間で心内電位のセンシングとペーシングが，遠位スプリング電極と本体および近位スプリング電極の間で通電が行われる．

(3) 種類

ICDには，皮下植込み型除細動器（S-ICD）システムと，経静脈ICDシステムの2種類があり，またシングルチャンバ型，デュアルチャンバ型がある．シングルチャンバ型は右室にのみ電極を留置するタイプであり，本体は右室電位を監視し，異常を検出すると右室に刺激を加える．一方，デュアルチャンバ型は右室に加えて右房にも電極を留置するタイプであり，本体は右室電位と同時に右房電位も監視し，異常を検出すると右室に刺激を加える．右房電位も参照していることから，心房興奮の異常を心室興奮の異常と誤認することによる不適切作動を予防できる．さらに，このタイプでは心室と心房でセンシングとペーシングを行うDDD型ペースメーカの機能を兼用できる．デュアルチャンバ型の適応は，洞性頻脈を含む心房性不整脈や，房室ブロックを合併している場合である．シングルチャンバ型は，デュアルチャンバ型の適応ではない場合に使用する．

この他，心不全に対する両室ペーシング機能を兼ね備えた両室ペーシング機能付き植込み式除細動器（cardiac resynchronization therapy with implantable defibrillator：CRT-D）がある．このタイプでの電極は，両室と右房に留置される．

(4) 除細動器の植え込み（図2-3-15 c）

本体および電極リードを非開胸的に体内に植え込む．電極リードは通常，左鎖骨下静脈から静脈内に挿入され，先端は右室心尖部に留置される．電極リードの他端は，左鎖骨下の皮下に植え込まれる本体に接続される．

(5) 機能

本体は，右室心尖部の心内膜に留置した遠位電極と遠位スプリング電極から記録される心室電位を持続的にモニタリングする．頻拍はおもに心拍数によって検出される．ただし，不適切作動を防止するため，頻拍の出現パターンや電位波形も参照される．デュアルチャンバ型では，心房電位を上室性頻拍との鑑別に利用する．

本体が頻拍を感知すると，頻拍停止機能が作動する．方法としては，

抗頻拍ペーシングと電気的除細動がある．抗頻拍ペーシングは，遠位電極と遠位スプリング電極との間でペーシング刺激を行って頻拍を停止させる方法である．一方，電気的除細動は，自動的に充電を開始し，充電完了後に頻拍の持続を再確認したうえで，心臓を直接通電する方法である．通電の出力は 5～45 J の低エネルギーで，二相性波形である．停止法や出力エネルギーは，検出された頻拍に応じた複数の設定が可能であり，あらかじめ決められた設定に従って停止機能が作動する．また，1つの停止法が不成功であった場合，引き続いてより強力な方法で停止が試みられる．これを段階的治療という．これにより，抗頻拍ペーシングなど負担の軽い停止法から段階的に作動し，頻拍の停止処置に伴う疼痛などの不快感が軽減される．

一方，本体が徐脈を感知すると，ペーシング機能が作動する．

頻拍や徐脈のエピソードとそれに対する機器の作動状況はすべて本体のメモリに記録され，後で詳細に解析できる．その結果に基づいてより適切な停止法に設定を変更できる．

(6) 植込み式除細動器に特有の問題点

頻拍停止機能が適応外にもかかわらず作動することを，**不適切作動**という．不適切作動の原因には，①心房性不整脈，② T 波のオーバーセンシング，③心室電位へのアーチファクトやノイズの混入，などがあげられる．心房性不整脈による不適切作動は，デュアルチャンバ型を用いると予防できる．T 波のオーバーセンシングによる不適切作動は，電極を適切な位置に留置して，心室電位の電位幅を 135 ms 以内にすることで防止できる．心室電位へのアーチファクトやノイズの混入も，電極を適切な位置に留置することで防止できる．

さらに，心室頻拍や心室細動中では心室電位の形態・振幅・幅が変化するため，感知不全を生じる可能性が高い．低心機能による心室低電位も感知不全の原因となる．このような感知不全を防止するために，心拍数や心周期の時相に応じて感度を変化させる機構が備わっている．また，適切な位置への電極の留置も感知不全の予防に重要である．さらに，心室筋の除細動閾値の上昇は，無効通電の原因となる．

ICDへの電磁干渉（electro magnetic interference：**EMI**）の経路は3種類ほどあり，①伝導電流，②変動磁界，③高電圧交流磁界である．①は人体に直接流れ込む電流である．たとえば，漏電している電気機器に人体が触れることで発生する．②は電極と不関電極（本体）の間で電流が流れる．③は電圧源が直流であれば，電圧が断続しないかぎり ICD などに影響することはないが，交流の場合，人体がその電気力線の中に入ると，体内に交流電流が誘起される．

ICD は大部分が金属で構成されている関係上，MRI 検査が原則的に禁忌であった．しかしながら，ICD を植え込む患者に対し各種診断に有用な MRI 検査を安全に実施できることは，臨床上大きな意味をもつ

ことから，研究開発が行われてきた．現在では，条件付き（限定種類，限られた設定下）で使用可能となっている．

MRI検査の心筋組織への過熱を防ぐために，**RFパルス**照射によるリードの発熱などに対しては，発熱防止用のフィルタを取り付け，リード内部で発生した熱が電極へ伝わらないようにする．また，傾斜磁場，RFパルスの影響におけるオーバーセンシングで減衰する出力を，自動調整することで対応している．

一般的なICD（非MRI対応機種）の禁忌事項は，磁気共鳴画像診断装置（MRI），電気利用の鍼治療，高周波／低周波治療器，ジアテルミー，電気メス，結石破砕装置，放射線照射治療装置，X線診断装置，X線CT装置，身体に通電したり強い電磁波を発生する機器〔肩コリ治療器，電気風呂，医療用電気治療器，筋力増強用の電気機器（EMS），体脂肪計など〕である．電気自動車の充電，またエンジンのかかった自動車のボンネット近く，農機（草刈り機，耕運機など），可搬型発電機，オートバイ，スノーモービル，モーターボートなどは，電磁波が発生するため，失神などを起こす可能性がある．

また，ICDの遠隔モニタリングシステムは，医療施設から離れた場所から，コミュニケータとよばれる専用の送信機を使って，ペースメーカやICDなどの植込み型機器の情報を医療施設へ送ることができるものである．課題としては，リモート監視デバイスに関する脆弱性であり，サイバーセキュリティに関する十分な設計検証が行われていなかったことをFDAが2017年に公表している．

> **keyword**
> **RF波（radio frequency pulse：ラジオ波）**
> 静磁場方向へ巨視的磁化を形成した水素原子を傾斜させる角度や回転磁場のことをRFパルスという．

3. 手動式除細動器の内部回路（図2-3-16）
1）充電回路

充電回路は，高電圧発生器，整流器（ダイオードなどの整流素子で構成），コンデンサ（キャパシタ）の直列回路として構成される．手動式除細動器の電源に商用交流電源を使用する場合は，高電圧発生器に変圧器（トランス）を使用する．充電スイッチが入ると商用交流電源が昇圧され，これを整流器が半波整流により直流に変換して，コンデンサを充電する．一方，手動式除細動器の電源に充電式バッテリ（直流電源）を使用する場合や，内蔵バッテリを電源に使用する自動体外式除細動器では，高電圧発生器に直流変圧器（DC-DC converter unit：DDCU）を使用し，直流電源をそのまま昇圧し，コンデンサを充電する．また，植込み式除細動器も内蔵バッテリを使用しているので，自動体外式除細動器と同様である．

コンデンサの静電容量 C〔キャパシタンス，単位：ファラッド（F）〕は機種によって異なるが，10〜40 μF 程度（単相性減衰正弦波形：MDS），あるいは100〜200 μF 程度（単相性切断指数波形：MTEおよび二相性切断指数波形：BTE）であり，充電電圧 V〔単位：ボルト（V）〕

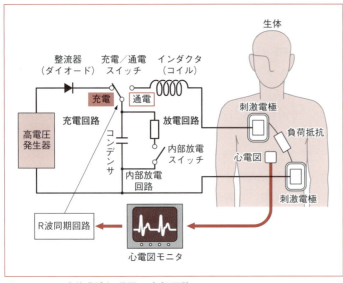

図 2-3-16　手動式除細動器の内部回路

で蓄えられるエネルギー En〔単位：ジュール（J）〕は次の式で表される（p.43 Tips 参照）．

$$En = \frac{1}{2}CV^2$$

充電は，開始後 15 秒以内で完了されなければならず，完了後 30 秒か，それまでに自動的に内部放電する場合は内部放電直前に 85％以上のエネルギーが維持されていなければならないことが，日本産業規格（JIS）で規定されている．JIS は，国際電気標準会議で定める国際規格（International Electrotechnical Commission：IEC）の基準に準拠している．

2）放電回路

放電回路は，充電回路で充電されたコンデンサ，インダクタ（＝コイル），そして電極接触インピーダンスや胸郭インピーダンスを含めた電極間の負荷抵抗の直列回路として構成される．胸郭インピーダンスには，骨の構造，皮膚の特性，基礎健康状態などが影響する．通電スイッチが入ると，コンデンサに蓄えられた電荷が，インダクタを通じて短時間で生体に出力される．

心臓に電流が流れることによって除細動効果が得られるが，同時に心筋は傷害を受ける．心臓に流れる電流が少なければ除細動効果は低く，多ければ心筋がより大きな傷害を受ける．除細動効果を引き出す重要な要素はピーク電流とされ，それ以外の電流は心筋に与える傷害を大きくする．出力エネルギーが高いとピーク電流も大きくなるが，出力エネルギーは心筋に傷害を与える要素とされる．したがって，低エネルギー出力で大きなピーク電流のみを得ることが，除細動にもっとも効果的な通電となる．放電回路から心臓に流れる電流には，インダクタ，コンデンサのキャパシタンス，負荷抵抗が関与する．

インダクタには急激な電流変化をおさえる性質がある．インダクタがなければ，コンデンサと負荷抵抗による微分回路から発生する出力電圧は，急激に上昇し，急激に減衰した後，低電位を維持しながら緩徐に減衰する．したがって，除細動効果が期待される高電圧の期間はきわめて短いうえに，高いピーク電圧や低電位期間を通じた長時間の通電が心筋に与える傷害は大きい．インダクタは，出力電圧のこのような急激な上昇と減衰を緩和し，その後の低電圧を抑制する（ダンピング作用）（図

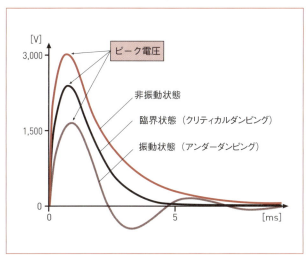

図 2-3-17　出力波形（単相性減衰正弦波形：MDS）
負荷抵抗が大きい場合やコイルのインダクタが小さい場合は非振動状態に，負荷抵抗が小さい場合やコイルのインダクタが大きい場合は振動状態になる．

2-3-17)．したがって，除細動効果が期待される高電圧の期間が長くなって大きなピーク電流を得られるうえに，ピーク電圧の低下や低電位期間の短縮によって不要な電流による心筋への傷害もおさえられ，より除細動に効果的な波形となる．この出力波形をダンピング（ローン）波形という．

　コンデンサのキャパシタンスは出力エネルギーに影響する．生体に一定の電流を流す場合，キャパシタンスが大きいほど，必要な出力エネルギーは高くなる．したがって，コンデンサのキャパシタンスが小さいほど一定の電流を低エネルギー出力で生体に流せることから，除細動には効果的である．

　負荷抵抗は成人で約 70～80 Ω であり，一定の出力エネルギーで生体に流れる電流は，負荷抵抗が大きいほど小さくなる．負荷抵抗を下げる方法として，電極面積の確保，パドル電極への適切な圧力，電極の金属面へのペーストの塗布などがあげられる．電極面積は，体外通電の場合，成人用で 50 cm^2，小児用で 15 cm^2，体内直接通電の場合，成人用で 32 cm^2，小児用（2020 年より未就学児）で 9 cm^2 と JIS で規定されている．また，除細動時のパドル電極の押し付け圧力については，AHA では 11 kg を推奨している．ペーストは除細動器専用のものを用いる．

　出力波形には，非振動状態，臨界状態（クリティカルダンピング），振動状態（アンダーダンピング）がある．コンデンサのキャパシタンスおよびインダクタのインダクタンス〔単位：ヘンリー（H）〕が一定の場合，負荷抵抗が大きいと非振動状態に，小さいと振動状態の傾向になる（図 2-3-17）．標準では負荷抵抗を 50 Ω として設計されており，出

力波形は臨界状態かやや振動状態にしてある．

　出力電圧は，コイルの巻線抵抗や，電極と生体との接触抵抗によるエネルギー損失のため，充電電圧とは若干異なる．最大出力電圧は，心筋損傷を防ぐため5 kV以下とすることが国際規格（IEC）で規定されており，JISはその規定に準拠している．

　通電時間は，振動状態では立ち上がりから0 Vを横切るまでの時間，臨界状態や非振動状態では立ち上がりからピーク電圧の半値に達するまでの時間とし，一般に2〜5 msである．通電時間が短すぎると除細動効果は低くなり，長すぎると心筋傷害によって除細動後に不整脈が再発する可能性が高くなる．

　出力エネルギーは，出力波形を二重積分した値であり，波形内の面積が広いほど出力エネルギーは大きい．出力エネルギーは負荷抵抗によって変化しない．体外通電で400 J以上，体内直接通電で100 J以上の出力エネルギーで通電する場合は，通常の操作以外に付加的な操作を必要とする構造に設計することが国際規格（IEC）で規定されており，JISはその規定に準拠している．

3）出力波形

　出力波形には，代表的なものとして**単相性減衰正弦波形**（monophasic damped sinusoidal：MDS）（図2-3-18, 19），**単相性切断指数波形**（monophasic truncated exponential：MTE）（図2-3-20, 21），**二相性切断指数波形**（biphasic truncated exponential：BTE）（図2-3-22, 23）がある．単相性減衰正弦出力では，電流は一方の電極から他方の電極へ一方向に流れる（図2-3-24左上）．患者のインピーダンスによって出力波形は変化する．この変化は受動的で，インピーダンスが低い場合，ピーク電流は大きく，振動波形となる．インピーダンスが高い場合は，ピーク電流は小さく，出力波形は長く尾を引く．

　単相性切断指数波形の特徴は，インダクタがなく立ち上がりが急峻であることと，出力の終わりはスイッチにより切断されていることである．コンデンサはMDSでは40 μF であるが，MTEでは100 μF が用いられる．MDSに比べピーク電流値が低くパルス幅が長いのが特徴である．

　二相性波形による通電は，除細動効果が高いことから通電エネルギーを低くおさえられるため，心筋に与える傷害を軽減できるとされている．二相性切断指数波形は図2-3-23にあるように，4つのスイッチを切り替えることで出力の極性を反転させている（図2-3-24右上）．

　2000年改訂版のAHA心肺蘇生ガイドラインでは，200 J以下の二相性波形による通電が，高エネルギーを漸増する単相性波形より安全かつ除細動効果が高いと評価された．現在では，電圧が急峻に立ち上がり，しばらく漸減した後，急峻に立ち下がるBTE波形を用いた二相性切断

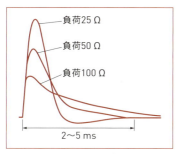

図 2-3-18　単相性減衰正弦波形（MDS）

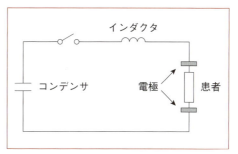

図 2-3-19　単相性減衰正弦波形（MDS）出力回路

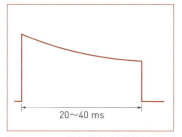

図 2-3-20　単相性切断指数波形（MTE）

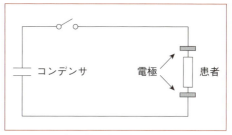

図 2-3-21　単相性切断指数波形（MTE）出力回路

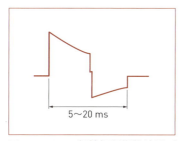

図 2-3-22　二相性切断指数波形（BTE）

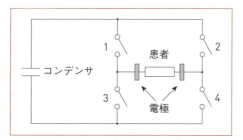

図 2-3-23　二相性切断指数波形（BTE）出力回路

指数波形が，植込み式除細動器や自動体外式除細動器での標準波形となっている（図 2-3-24 下）．なお，ほぼ一定の電流で過剰な電流が流れない**二相性矩形**（rectilinear biphasic：**RLB**）波形は，旭化成ゾールメディカル社の手動式除細動器および AED で使用されている独自の出力波形である（図 2-3-25）．

4）内部放電回路

内部放電回路は，充電完了後，一定の待機時間で通電されなかった場合に，蓄電されたコンデンサを自動的に内部放電させる回路である．待機時間は 30 秒〜1 分程度，放電特性は時定数 10 秒未満と国際規格（IEC）で規定されており，JIS はその規定に準拠している．

5）R 波同期回路

R 波同期回路は，心房細動に対する電気的除細動において，通電のタイミングが心室の受攻期（心電図の T 波）に重なって心室細動を誘発

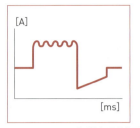

図 2-3-25　二相性矩形波形

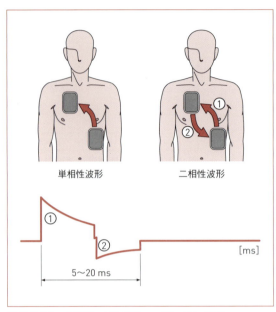

図 2-3-24　二相性（バイフェージック）波形
上：単相性波形（左）と二相性波形（右）の電流の流れ．
下：二相性波形（truncated exponential 波形）．

しないように，心電図の R 波に同期させて通電する回路である．本体の R 波同期回路のスイッチを ON にして通電スイッチを押すと，回路はまず心電図の R 波を検出し，次に現れる R 波直後のタイミングに合わせて通電する．これを同期通電という．

　心電図の R 波検出は，R 波検出用の電極を患者に装着して行う機種と，通電電極を R 波検出用の電極と兼用する機種（パドル誘導）とがある．モニタ画面には心電図波形とともに R 波に同期する輝点が現れ，同期音も発生する．これによって R 波検出回路が正しく作動しているかを通電前に確認する．

　一方，本体の R 波同期回路のスイッチを OFF にして通電スイッチを押すと，その瞬間に通電される．これを非同期通電という．心室細動の除細動では，R 波同期スイッチを OFF にして通電しなければならない．もし，心室細動への通電時に R 波同期回路のスイッチが ON になっていたら，回路が R 波を検出できないためいつまでも通電されない．ただし，このような事態を防止するために，除細動器の電源スイッチを投入した時には，常に R 波同期回路のスイッチが OFF（非同期通電）の状態となるように国際規格（IEC）で規定されており，JIS はその規定に準拠している．

4. 安全機構

　除細動器は JIS T 0601-1：2017「医用電気機器-第 1 部：安全に関する一般的要求事項」において，医用電気機器を安全に適用するための安

全手段別の3つのクラス分類で，クラスⅠのME機器となっている．電撃防止対策として，電源からの絶縁による基礎絶縁に加え，基礎絶縁が壊れた時のための追加保護手段として保護接地（アース）が装備されている．電源プラグは医用接地極付2極プラグ（3Pプラグ）である．通電電極は2線とも接地端子よりフローティングされている．電極装着部は，体外電極ならばBF形，直接電極ならばCF形に分類される．R波同期回路を備えた除細動器の心電図入力部は，入力フローティングによる保護回路を備えている．電極部と本体外装部との浮遊静電容量や絶縁抵抗，接地線抵抗，各種漏れ電流などの測定法や許容量を含め，除細動器の安全機構はJIS T 0601-1：2017「基礎安全及び基本性能に関する一般要求事項」に規定されている．

5. 保守と点検

　一般的な医療機器に準じた点検が行われる．点検項目は，外観点検，作動点検，機能点検に分類される．外観点検は目視を中心とした点検，作動点検は電源を入れて基本的な作動状態をチェックする点検，機能点検はチェッカや測定器を用いて行う点検である．

　また，点検の時期によって，日常業務のなかで行う日常点検と，時期を定めて行う定期点検に分類される．治療用医療機器には，定期点検による正常動作の点検と，摩耗部品の交換が義務付けられている．

1) 日常点検

　日常点検では，使用者（一般的には看護師）が始業時と終業時に，外観点検，作動点検，そして消耗品の有無のチェックを行う（表2-3-6）．セルフテスト機能が装備され，テスト結果がレポートとして印刷される機種もある．エネルギー試験を行う場合は，通電電極を短絡または開放した状態で放電してはならず，取扱説明書に従って内蔵の負荷抵抗器を通して放電させなければならない．通電電極を短絡した状態で放電すると，過大な電流によって内部回路が破損する．また，開放した状態で放電すると，放電時に通電電極に触れて電撃などの事故の原因となる．

　終業時には，充電電圧を確実に放電し，電源スイッチを切り，電源コンセントを抜く．また，通電電極の清掃は重要である．電極の金属面に残ったペーストは汚れや錆の原因となり，電極インピーダンスが上昇して発熱や心電図モニタに支障をきたす．また，バッテリを充電状態にして保管しておくことも必要である．日常点検で不具合が発見された場合は，ME機器の管理部門に通報され，臨床工学技士による点検が行われる．

2) 定期点検

　定期点検では，日常点検の項目に加えて機能点検を行う．臨床工学技

表 2-3-6　外観点検，作動点検，消耗品点検の項目例

外観点検	除細動器の上に何も載せられていない 外装各部の汚れや傷がない 警告文やその他の表示が読める 除細動電極の電極部に破損・汚れがない 除細動電極や心電図などのコード類の破損がない 各コネクタが確実に接続されている 架台にガタツキがなく移動可能状態にある
作動点検	セルフチェック・プログラムが正常終了する 警告および指示ランプが点灯する ディスプレイが正しく表示される 充電されたバッテリが装着されている 記録紙が正しく掃引される テスト波形が正しく記録される エネルギー試験（試験装置内蔵の場合）が正常終了する
消耗品点検	電極ペースト 心電図用使い捨て電極 記録紙 保護用手袋など

表 2-3-7　臨床工学技士が院内で行える機能点検の項目

性能	エネルギー充電時間 内部放電時間 出力波形（最大出力，通電時間） 出力エネルギー R 波同期回路 バッテリ容量
安全性	保護接地線抵抗（クラス I の ME 機器） 各種漏れ電流

士が院内で行うことのできる機能点検の項目は表 2-3-7 のとおりである．機能点検では，JIS T 0601-1：2017「基礎安全及び基本性能に関する一般要求事項」に従い，チェッカや測定器を用いて機器の性能や安全性を点検する．

(1) 性能の点検

①エネルギー充電時間

　最大エネルギーへの充電時間を測定する．充電時間の許容値は，充電スイッチを入れた瞬間から 15 秒以内である．バッテリ式の除細動器では，エネルギー充電時間はバッテリの質的状態を反映しており，バッテリが劣化するとエネルギー充電時間は延長する．バッテリには交換時期があり，メーカ推奨の使用時間と通電回数の目安が規定されている．

②内部放電時間

　エネルギーの充電が完了してから内部放電されるまでの時間を測定する．充電完了後，非通電時に 30 秒～1 分で自動的に内部放電されなければならない．

③出力波形

　通電電極間に負荷抵抗 50 Ω を接続し，オシロスコープを用いて負荷抵抗への出力波形を確認して，最大出力電圧（ピーク電圧），通電時間（パルス幅）を測定する．出力波形は，負荷抵抗 50 Ω で臨界状態かやや振動状態となるように設計されている．最大出力電圧は 5 kV 以下と規定されており，高圧プローブを使用するか，抵抗で分圧して測定する（図 2-3-26）．出力電圧と充電電圧は若干異なる．通電時間は，振動状態では立ち上がりから 0 V を横切るまでの時間，臨界状態や非振動状態では立ち上がりからピーク電圧の半値に達するまでの時間として測定する．一般に単相性減衰正弦波形の場合は 2～5 ms で，20％の短縮を

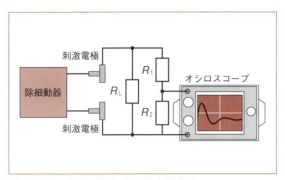

図 2-3-26　分圧抵抗による出力測定法
R_L：負荷抵抗，分圧比 $R_2/R_1 = 1/10 \sim 1/100$.

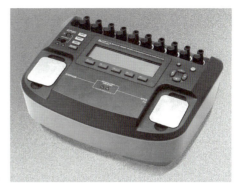

図 2-3-27　除細動器チェッカ
フルーク社製　除細動器チェッカ「インパルス 7000DP」.

認めたらメーカによる専門的な点検が必要となる．二相性切断指数波形は 5～20 ms である．単相性出力と同様の点検項目を実施する．この場合，出力波形は正負 2 つのピークをもつため，ピーク電圧は両者の測定が必要である．

④出力エネルギー

出力エネルギーの点検は，除細動器チェッカ（図 2-3-27）を用いて，負荷抵抗 50 Ω に対するエネルギーを計測する．除細動器チェッカは，アナログ式では出力波形を二重積分して，デジタル式では出力波形を A/D 変換した後に内蔵 CPU で二重積分して，出力エネルギーを計測する．

出力エネルギーの点検では，まず，充電完了直後の出力エネルギーを測定し，設定値との誤差を計算する．誤差の許容値は ±15％ 以内である．ただし，設定値が 27 J 以下での誤差の許容値は ±4 J 以内である．次に，充電完了 30 秒後か，それまでに自動的に内部放電してしまう場合は内部放電直前の出力エネルギーを測定する．この時，充電完了直後の 85％ 以上のエネルギーが維持されていなくてはならない．

二相性出力でも，単相性出力と同様の点検項目を実施する．ただし，二相性出力に対応した除細動器チェッカを使用しなければ測定値に誤差を生じる可能性がある．

⑤R 波同期回路

R 波同期回路のスイッチを ON にし，心電図模擬波形を入力して，R 波に同期した表示ランプの点滅および同期音の発生を確認する．次に，同期通電を行い，R 波からエネルギー出力までの時間を計測する．許容値は 0.06 秒以内である．除細動器チェッカには R 波同期回路の点検機能が装備されている．

⑥バッテリ容量

搭載されているバッテリの容量を点検する．バッテリ容量の点検機能を装備している機種もある．製造年月日やメーカ推奨の有効期間を目安にして定期的にバッテリを交換する．定期点検は 12 カ月ごとに行う．

一方，自動体外式除細動器に搭載されている充電機能のない長寿命リチウム電池は一般的に2～4年ごと，また，植込み式除細動器の場合は7～8年ごとに交換する．また，手動式除細動器にリチウムイオン電池が用いられている場合は4～5年ごとに交換する．ただし，いずれにしても使用条件が厳しければバッテリの寿命は短くなる．

(2) 安全性の点検

JIS T 0601-1：2017「基礎安全及び基本性能に関する一般要求事項」の測定法や許容値に基づいて測定および点検を行う．

①電極部と本体外装部との浮遊静電容量

電極部と本体外装部との浮遊静電容量は2 nF以下と規定されている．測定にはインピーダンスメータやキャパシタンスメータを用いる．

②電極部と本体外装部との絶縁抵抗

電極部と本体外装部との絶縁抵抗は大きいほどよい（10 MΩ以上）．測定には絶縁抵抗計（メガー）を用いる．

③保護接地線抵抗

接地線抵抗は，着脱可能な保護接地線ならば0.1 Ω以下，着脱不能な保護接地線ならば接地ピンから機器外装までの抵抗が0.2 Ω以下と規定されている．簡易測定にはテスタの抵抗レンジを用いる．

④各種漏れ電流

各種漏れ電流の測定には漏れ電流測定器を用いる．漏れ電流の値は以下の条件のうち最大値とする．

- 充電前
- 最大エネルギーを充電中
- 最大エネルギーを充電完了後1分以内
- 最大エネルギーを負荷抵抗50 Ωに通電後1分以内（放電直後1秒間を除く）

接地漏れ電流の許容電流は，正常状態で500 μA，単一故障状態で1,000 μAである．接触電流の許容電流は，正常状態で100 μA，単一故障状態で500 μAと規定されている．また，直流電流は体内の電解質溶液を電気分解し，有害物質を生じて人体組織を損傷するおそれがあるため，ME機器の電源部から装着部を介して流れる患者漏れ電流および患者測定電流の許容電流は，直流規制値として，正常状態で10 μA，単一故障状態で50 μAと厳しく規定されている．また，測定値が許容値の範囲内であっても，初回（新品）の測定値の1.5倍以上に上昇した場合は機器の劣化が考えられ，メーカによる点検や機器の更新が必要となる．

(3) その他

除細動機能の他に，モニタ機能，経皮ペーシング機能，パルスオキシメータ機能などを搭載した機種については，それらの機能点検も必要である．

6. 事故と対策

1) 心筋損傷
　過度の通電エネルギーは心筋損傷の原因となる．心筋が損傷すると，正常調律に回復した後に，重篤な心室性不整脈を再発するおそれがある．

2) 筋収縮
　体外通電では，通電電極を押し当てた胸筋を中心に全身の筋肉が収縮し，通電後に胸筋の痛みを訴える場合がある．

3) 発熱（火傷，発火）
　通電電極の接触抵抗が大きいと，通電時にジュール熱によって電極部で発熱する．体外通電では，通電電極が接触した皮膚面に火傷を生じる．接触抵抗の増加の原因として，電極へのペースト不足，電極の押し付け不足，電極過小などがあげられる．したがって，発熱の予防には，通電電極の金属面に十分なペーストを塗布する，通電電極を十分な圧力で密着させるなどして，接触抵抗をできるだけ小さくする．また，電極の汚れや錆も接触抵抗を増加させるので，その原因となるケラチンクリームはペーストの代用にならない．発熱により発火すると，周囲に引火性麻酔ガスや高濃度酸素があれば引火や爆発を起こす危険がある．したがって，通電時には可燃物や支燃物を患者から遠ざける．

4) 無効刺激
　体外通電では，塗布したペーストが通電電極の金属面からはみ出ていたり，電極周辺が体液や消毒液などで濡れていたりすると，体表面で電流が短絡（ショート）してエネルギーが失われるため，心筋に流れる通電電流が小さくなり，除細動効果が低下する．電極間距離が近すぎても同様に，心筋への通電電流が小さくなる．火傷もエネルギーを損失する．また，超音波用ゲルは導電性が低いので，ペーストの代用として塗布すると十分な電流が流れず，除細動効果は低下する．

5) 感電
　通電中は高圧刺激パルスによる感電の危険があるので，患者の身体に素手で触れてはいけない．感電の予防対策として，操作者や介助者はゴム手袋を着用する，操作者は通電電極をもつ手指を縮める，通電電極の金属面やはみ出たペーストに指を触れない，などがあげられる．

6) 併用機器の破壊
　除細動器の出力電圧は非常に大きいため，同時に使用する機器には入力保護回路が必要である．入力保護回路を備えた機器には，JIS T

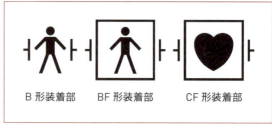

図 2-3-28　耐除細動形装着部の図記号

0601-1：2017「基礎安全及び基本性能に関する一般要求事項」に規定された除細動保護マーク（図 2-3-28）が付いており，これらの機器は除細動器との併用が可能である．それ以外の機器は，除細動器からの過大な電流の流入により破壊される可能性があるので，通電時には患者から外す．

4　心臓ペースメーカ

1. 心臓ペースメーカとは

　心臓は**心筋**の集合体であり，電気的刺激によって心筋が興奮し，成人では 1 回の収縮で約 80 mL の血液を拍出する．その電気刺激は，心臓自身のペースメーカである**洞結節**とよばれる組織から 1 分間に約 70 回発生し，心臓全体に電気的興奮が伝搬する．正常な心臓からは 1 分間に 5〜6 L の血液が全身に送り出される．しかし，心臓の電気的興奮の発生および伝達に障害が生じた場合，正常なリズムで心臓が収縮できず，脳をはじめとする全身の臓器に十分な血液を循環することができないため，意識消失やめまいなどさまざまな症状をきたす．このような心臓に対し直接，人工的に電気刺激を与え心筋の興奮を誘発し，必要な**心拍数**ならびに**心拍出量**を維持するための医用治療機器が**心臓ペースメーカ**である．

2. 心臓ペーシング治療の発展

　ペースメーカ治療の歴史は，1930 年にアメリカのハイマンが，針電極を胸壁から心臓に刺入し体外より電気刺激したことから始まる．1952 年，アメリカのゾルは，アダムス・ストークス症候群の患者を針電極による体外式ペースメーカで救命した最初の報告をした．1957 年にはアメリカのバッケンがトランジスタを用いた電池式携帯型ペースメーカを開発．そして 1958 年にはスウェーデンのセニングとエルムクィストによって心外膜電極法による世界初の植込み型ペースメーカが開発．使用

された．同じ頃，アメリカのファーマンは，静脈を伝って心臓の内側に電極を到達させる経静脈カテーテル電極の動物実験を行い，1958年には実際の患者で使用を始めた．これにより，心臓外科医による開胸術が必要だったペースメーカ植込みが循環器内科医によって行えるようになり，ペースメーカ治療は広範に普及していった．

植込み型ペースメーカの寿命の改良は，ペースメーカに内蔵する電池の歴史といっていい．セニングらのペースメーカは体外からの充電式であった．充電可能な電池として用いられたNi-Cd電池は，使用当初は1週間に1回1時間の充電で使用できたが，充放電の繰り返しにより電池が劣化してくると1日に1回の充電が必要であった．1960年代のペースメーカはすべて水銀電池を使用していた．その寿命は約2年で，患者は2年に1回ペースメーカの交換手術が必要であった．1970年，アメリカのグレートバッチによりペースメーカ用のヨウ素リチウム電池が開発され，その寿命は7〜8年となった．水銀電池は水素ガスを発生するため密閉できなかったのに対し，ヨウ素リチウム電池はガスを発生しないため密閉が可能となり，ペースメーカの安全性も向上し，現在ではほとんどのペースメーカに用いられている．

臨床使用が開始された頃のペースメーカは，1分間に一定の刺激回数で心室を刺激（ペーシング）する固定レート型であった．1965年，心臓の興奮電位を心臓に装着した電極で感知（センシング）し刺激を制御するデマンド型ペースメーカが開発された．1980年には右房と右室の両方のセンシングとペーシングを行う機能をもったデュアルチャンバペースメーカも使用されるようになり，心房と心室を同調させたペーシングが可能となった．そして1984年には，内蔵したセンサにより患者の身体活動を感知し刺激を制御する心拍応答型ペースメーカが登場し，より正常な生理的リズムによるペーシングが可能となった．

トランジスタと水銀電池を使用した1960年代の植込み型ペースメーカは，容積100 mL，重量200 g程度のものだったが，現在は電子回路および電池の小型化により容積6 mL，重量12 gのものまである（図2-4-1）．

3. ペースメーカ治療を理解するための基礎
1）心拍動と刺激伝導系

心臓は，心筋（**固有心筋**）と**特殊心筋**とよばれる組織で構成される**刺激伝導系**（図2-4-2左）により成り立っている．

刺激伝導系は，**洞結節**（sinus node），**房室結節**（atrioventricular node：A-V node），**ヒス束**（His bundle），**脚**〔**左脚**（left bundle branch：LBB），**右脚**（right bundle branch：RBB）〕，**プルキンエ線維**（Purkinje fiber）に大別される．洞結節は右房と上大静脈の接するところに存在する特殊心筋群で，心拍動の正常なリズムはここから生成される．成

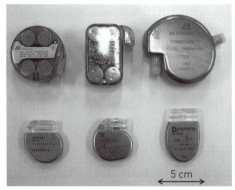

（日本メドトロニック社製）

図 2-4-1 植込み型ペースメーカの変遷
左：上段は水銀電池を使用した 1960 年代のもの，下段は現在のデュアルチャンバペースメーカ．
右：2017 年 9 月から保険適用となったリードレスペースメーカ（Tips 参照）．

人の安静時には毎分約 70 回の興奮を発生する．運動や精神的な興奮，発熱時には回数を増し，睡眠時などには減少する．

洞結節の興奮は，心房内に存在する**バッハマン束**（Bachmann bundle）を伝わって左房へ伝えられるのと同時に，前・中・後の 3 本の**結節間路**を伝わって右房全体を興奮させながら，心房中隔の右房側に存在する特殊心筋群の房室結節に達する．心房と心室の間は電気的に絶縁されており，房室間の正規の興奮の伝導は，この房室結節以外では行われない．房室結節の興奮伝導速度は遅く，そのため心房収縮に遅れて心室収縮が起こる．房室結節から下方にのびた特殊心筋をヒス束といい，ヒス束はさらに下方にのびて左右に分かれた左脚と右脚，左脚はさらに**左前枝**と**左後枝**に分かれる．左右の脚はそれぞれ心室中隔の左右両壁を心尖の方に向かい，その先端は心室筋の内面に沿って網状に分布するプルキンエ線維とよばれる細い特殊心筋線維となる．房室結節からの興奮は，ヒス束，脚，プルキンエ線維により神経のように速い伝導速度で心室筋全体に達するため，心室全体はほとんど同時に収縮する．

このような，洞結節の自動性によって支配される正常な心拍動のリズムを**洞調律**という．病的な障害で洞結節の自動性が低下または停止した

リードレスペースメーカ

従来からの植込み型心臓ペースメーカは，皮下に植え込まれたジェネレータと経静脈的に心血管内に留置した電極リードを接続して使用するのに対し，電極を備えたカプセル型のジェネレータを経静脈的に右心室に留置し直接心室を刺激するリードレスペースメーカが登場し，わが国でも 2017 年 9 月から保険適用となっている（図 2-4-1）．その大きさは単五電池ほどながら，電池寿命は最長 12 年ほどとされている．皮下ポケットの感染やリードトラブルがなくなる特徴がある．従来は VVI モード（シングルチャンバペーシング）のみで適応は限定されていたが，加速度センサによる心房機械的センシングの開発により，VDD モード（房室同期ペーシング）が可能となり，適応が広がった．

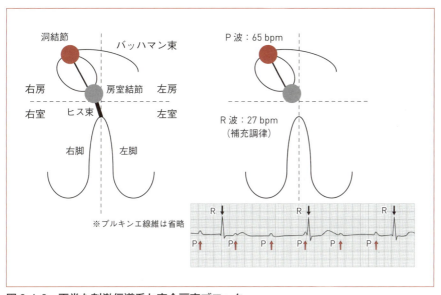

図 2-4-2 正常な刺激伝導系と完全房室ブロック
左：刺激伝導系の模式図，右：完全房室ブロックの模式図と心電図．

り，房室結節までの伝導が途絶えた時には，房室結節やヒス束の特殊心筋も自動性の興奮をすることができる．ただし，その興奮頻度（**補充調律**）は洞結節の1/2以下である（図2-4-2右）．

2）ペースメーカ治療の対象
(1) 徐脈性不整脈のペースメーカ治療

　心拍数は個人差，年齢差もあるが，成人の安静時で約70/分である．60/分以下の心拍数が継続している状態を**徐脈**（bradycardia），100/分以上の時を**頻脈**（tachycardia）という．徐脈になると心拍出量の低下による脳血流の減少さらには停止により，眼前暗黒感，めまいやふらつき，動悸や息切れが生じ，重篤な場合，失神や意識消失，死に至ることもある．このような症状を**アダムス・ストークス症候群**（発作）とよぶ．徐脈をきたす代表的な疾患として，洞結節とその周辺の障害により正常な数の刺激を心房に伝えることのできない**洞不全症候群**（sick sinus syndrome：SSS）や，心房から心室への伝導障害である**房室ブロック**（atrio-ventricular block：A-V block）があり，房室ブロックは伝導障害の程度により3段階に分類される（図2-4-3）．心房から心室への伝導が完全に途絶えた状態の**第3度房室ブロック**（**完全房室ブロック**）や，**第2度房室ブロック**のなかでも正常な房室伝導が突然に途絶える**モービッツ（Mobitz）Ⅱ型**，そして洞不全症候群による徐脈で種々の症状を呈する場合，ペースメーカ治療の適用となる．

(2) 心不全のペースメーカ治療

　近年，**拡張型心筋症**（dilated cardiomyopathy：DCM）など，**心室内伝導障害**を伴った重症心不全にもペースメーカ治療が適用されるよう

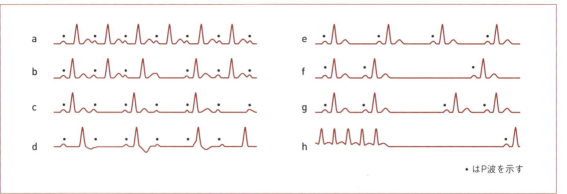

図 2-4-3　房室ブロックと洞不全症候群
a：第1度房室ブロック，b：Wenckebach型第2度房室ブロック，c：MobitzⅡ型第2度房室ブロック，d：第3度房室ブロック，e：洞性徐脈，f：洞停止，g：洞房ブロック，h：徐脈頻脈症候群.

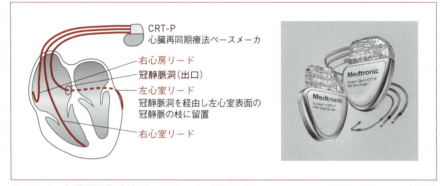

図 2-4-4　心臓再同期療法ペースメーカ（CRT-P）　　（日本メドトロニック社製）

になった．これは両心室を刺激し，左室と右室を同時に収縮させ心不全状態を改善させるもので，**心臓再同期療法**（cardiac resynchronization therapy：CRT）とよばれ，専用ペースメーカを **CRT-P** とよんでいる．ただし，すべての心不全症例に有効ではなく，薬物抵抗性のNYHA分類クラスⅢ，ⅣでQRS幅が120 ms以上，左室駆出率（left ventricular ejection fraction：LVEF）が35%未満の心不全症例が適応となる．

　CRT-Pの刺激電極は右房と右室心尖部，そして冠静脈洞より経冠静脈的に挿入し，右室電極からもっとも遠い左室側壁に留置するのが有効であるとされている（図2-4-4）．心機能の改善には，心エコー検査下での至適房室遅延時間（**AVディレイ**），至適心室間遅延時間（**VVディレイ**）の設定が有効となる．さらに致死性不整脈を合併した重症心不全症例に対しては，CRT-Pに除細動機能がついた **CRT-D** が使用される．

3）ペーシング閾値

心筋に接触または近接した電極から人工的な電気刺激を与え，心筋を

---

keyword

AVディレイ（AV delay）

心房をペーシングまたは自己の心房波をセンシングした後，心室をペーシングするまでの時間のこと．自己のPQ間隔（房室伝導時間）に相当し，PQ間隔の正常範囲は120～200 msである．

keyword

VVディレイ（VV delay）

CRT-Pにおいて，左心室をペーシングした後，右心室をペーシングするまでの時間のこと．通常0～50 msで設定される．

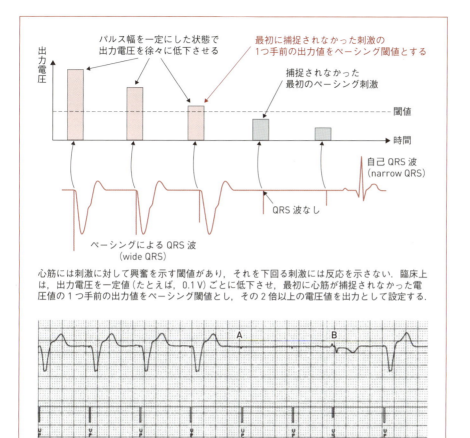

図 2-4-5　ペーシング閾値

興奮させることを**ペーシング**という．心筋を興奮させるために必要な最小の刺激の強さを**ペーシング閾値**（**刺激閾値**）という（図 2-4-5）．したがって，ペースメーカから刺激閾値より強い刺激を与えなければ心筋を興奮させること（**心筋の捕捉**）はできない．刺激の強さは電圧，電流，通電時間（**パルス幅**）によって決まる．心筋の刺激閾値とパルス幅の関係は，次式の Weiss の双曲線関数で表される．

$$V = \frac{a}{t} + b$$

V は刺激電圧閾値，t はパルス幅，a と b は定数である．この式より，パルス幅 t を延長すると刺激閾値 V は低下していくが，無限大に延長しても一定の強さの刺激 b（**レオベース**：基電流）が必要であることがわかる．刺激に要するエネルギー（$e = V^2 \cdot t/R$，R：生体の負荷抵抗）

keyword

レオベース (rheobase) とクロナキシ (chronaxy)

ペーシング出力のパルス幅を無限大に延長しても，刺激による心筋捕捉に必要とされる刺激電圧（閾値）をレオベース（基電流）とよぶ．刺激に要するエネルギーが最小となるパルス幅をクロナキシ（時値）とよび，その時の刺激閾値はレオベースの2倍となる．

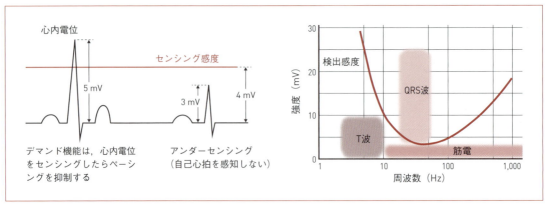

図 2-4-6　心内電位とセンシング
左：センシング感度以上の心内電位は感知できるが，それ未満の心内電位は感知できない．
右：センシングにおける周波数特性．

は，パルス幅 $t = a/b$ の時，最小となる．このパルス幅を**クロナキシ**とよび，クロナキシ程度のパルス幅にて効率のよいペーシングができる．実際は 0.5 ms 程度のパルス幅がもっとも効率がよいとされている．

　心筋への電極装着後，心筋の炎症反応による電極接触部の組織の線維化が生じる．これにより，電極装着 2～4 週間後に，刺激閾値が装着時の 2 倍以上に上昇する．その後はやや低下して安定する．この対策として，電極先端よりステロイド薬剤を溶出する電極が開発され，炎症反応による閾値の上昇がおさえられるようになった．

4) 心内電位とセンシング

　ペースメーカは心筋の興奮電位を感知し，自己の心拍を認識する機能をもっている．この機能を**センシング**という．ペースメーカは図 2-4-6 左に示すように，感知できる**心内電位**の振幅（波高）より低い電圧値での感度設定（**センシング感度**）が必要となる．ただし，心筋に装着した電極では心房，心室の興奮電位（心房波，心室波）の他，心筋脱分極後の再分極電位である T 波や筋電位，あるいは体外からの電磁波などさまざまな電位を感知するので，低すぎる電圧値の高感度設定では，これらの電位を自己心拍と誤認識する可能性がある（**オーバーセンシング**）．そのため，波高に対する感度設定とともに，バンドパスフィルタ（周波数帯域フィルタ）やスルーレート（slew rate：電位変化率）を検出することにより，心房波および心室波を選択的に認識している（図 2-4-6 右）．

　心臓内に装着された電極では，心房内電位は 2 mV 前後の振幅で，心室内電位は 10 mV 前後の振幅で検出される．心房，心室電極により他方の心内電位を感知することを**クロストーク**ないしは **FFRW（ファーフィールド R 波：far field R wave）センシング**とよび，これを防止するため，ペーシング後あるいは心内電位検出後の一定時間のセンシ

keyword
クロストーク
（crosstalk）
心室電極による心房ペーシング電位のセンシング，または心房電極による心室ペーシング電位のセンシングのこと．

keyword
FFRW センシング
心房電極で心室の興奮波をセンシングすること．

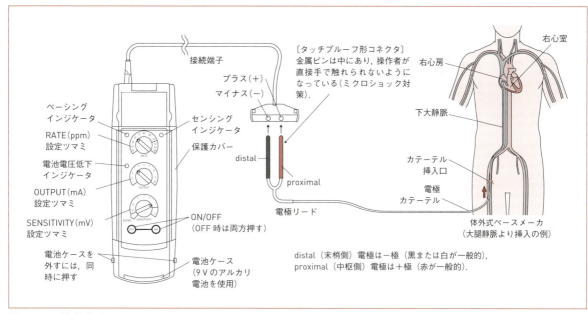

図 2-4-7 体外式ペースメーカ　　　（小野哲章他：ナースのための ME 機器マニュアル．医学書院，2011 を参考に作図）

ングを無視する期間（**ブランキングピリオド**と**リフラクトリーピリオド**）が設定される．これは，ペーシング後の心筋の興奮波や心室波の後の T 波の検出を防ぐことにもなる．

4. 体外式ペースメーカ

　ペースメーカは，心筋の刺激と心筋の興奮電位の検出を役目とする電極，刺激エネルギーの発生と制御および電力供給を行う本体（**ジェネレータ**），その 2 つをつなぐ導線で構成される．通常，電極と導線をあわせて**電極リード**とよんでいる．

　体内に挿入された電極を体外のジェネレータに接続するものや，本体および電極双方が体外に設置される方式を**体外式ペースメーカ**とよぶ．これは植込み型ペースメーカを装着する時間的余裕のない緊急時や，心筋梗塞後の完全房室ブロックや開心術後の不整脈のような一時的な徐脈に対して用いられるため，**テンポラリ・ペースメーカ**ともよばれる．

1) 経静脈心内膜ペーシング

　内頸静脈，鎖骨下静脈，大腿静脈などの穿刺部位より挿入した電極付きカテーテルを心腔内，主に右心室に留置し，体外式ペースメーカ本体に接続してペーシングとセンシングを施行する（図 2-4-7）．

2) 経皮的体表ペーシング

　緊急時または予防的に粘着シールのついた 2 つのパッチ電極を，体外から心臓を挟むように，たとえば左前胸部と背部に貼り，本体（通常は

keyword

ブランキングピリオド (blanking period)

ペーシングおよびセンシング後，いかなる電気信号も認識しない期間（休止期）のこと．たとえば，心室ペーシング後のペーシングによる QRS 波のセンシングを避ける．

keyword

リフラクトリーピリオド (refractory period)

ペーシングおよびセンシング後，電気信号の認識は行うが，ペースメーカの動作には反映させない期間（不応期）のこと．たとえば，心室ペーシングまたはセンシング後心房不応期（post ventricular atrial refractory period：PVARP）があり，FFRW センシングや心室興奮の心房への逆行性伝導波のセンシングを避ける．

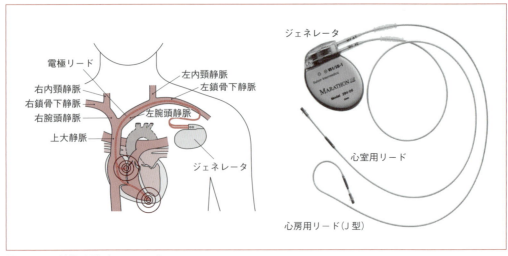

図 2-4-8　植込み型ペースメーカ

除細動器と併用する装置となっている）と接続し使用する．穿刺の必要もなく，非侵襲的に迅速なペーシングを行うことができる．

3）経食道ペーシング

左房後壁は下部食道と接しているため，食道に留置した電極リードにより非侵襲的に心房をペーシングすることができる．**電気生理学的検査**や上室性頻拍の停止を目的として施行される．

5. 植込み型ペースメーカ

洞不全症候群や房室ブロックによる徐脈で継続的に種々の症状をきたす場合，半永久的に使用可能な**植込み型ペースメーカ**が用いられる．ジェネレータおよび電極リードともに体内に植え込まれ使用される（図2-4-8）．

1）ジェネレータ

植込み型ペースメーカのジェネレータは，左または右鎖骨の下縁の大胸筋と皮下組織の間を剝離して作成した**ポケット**に植え込まれ，**鎖骨下静脈**から挿入された電極リードと接続される．

ジェネレータは，電気パルスを発生するための発振器（水晶発振子），刺激頻度・タイミング・デマンド機能などを制御する IC 化された電子回路と，小型大容量の**ヨウ素リチウム電池**で構成される．これらの部品は，長期間，安全に体内に植え込まれ動作する必要があるため，血液や体液を浸潤させず，かつ生体適合性のよい（生体との反応性が低い）チタニウム製ケースに密封されている．また，ジェネレータには**ポート**とよばれる電極リードのコネクタ部との接続部が備わっており，リードコネクタ部をネジの締め付けにより接続固定する．

― 臨床とのつながり ―

ヨウ素リチウム電池

リチウムとヨウ素を挟んだ単純な構造であり故障が少ない．体温下での自己放電も 10 年間で 2% 程度と少ない．放電とともにヨウ化リチウム固体電解質が形成されることにより，電池の内部抵抗が上昇していく（p.85，図 2-4-16）．高レート，高出力時などは，電池寿命末期で動作が不安定になる場合があり，その時期の電気メスや除細動器の使用による動作停止に注意する．

銀酸化バナジウムリチウム電池

内部抵抗がほとんどなく，瞬間的に大電流を取り出すことができることから，植込み型除細動器に使用されることが多い．最近はペースメーカにも使用され，電池寿命が延長している．

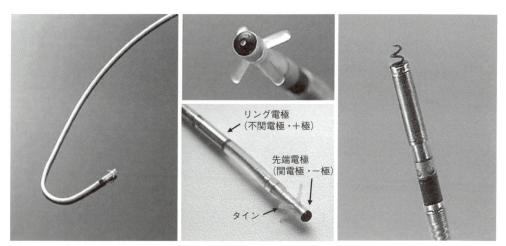

図 2-4-9　心内膜リードの先端形状
左：J型リード，中：タインド式，右：スクリューイン式．

　電子回路には**電磁干渉**（electromagnetic interference：EMI）やペースメーカに入力する過大電圧からの保護回路も含まれる．また，植込み型ペースメーカは**プログラマ**とよばれる装置との交信（**テレメトリ**）により，刺激条件などの設定変更と電池電圧などの情報読み出しが可能である．このための通信回路やペースメーカの動作状況，心房細動・心室頻拍などの不整脈の履歴を保存するメモリ機能も備えている．

2）電極リード
（1）心内膜電極と心筋電極
　電極には白金イリジウムが用いられる．電極は心筋への留置場所により，**心内膜電極**と**心外膜（心筋）電極**に分類される．心内膜電極は，表在の静脈からリードを挿入し留置することができ，一般的に使用される．リードは鎖骨下静脈から経静脈的に右房または右室に挿入し，電極先端を心臓の内腔に留置する．安全で確実なペーシングが行える留置部位として，心室では**心尖部**，心房では**右心耳**が一般的である．また，心房内伝導時間の短縮による心房細動発生率の低下を目的としたバッハマン束あるいは心房中隔への電極留置も施行されている．

　心室にはまっすぐな形状のリードが用いられるが，心房には先端がJ字状に曲げられたリードがおもに用いられる（図2-4-9左）．心臓内のリードは，拍動により留置した組織に強いストレスを与える．心室壁は心筋層が厚く8 mm程度ありそのストレスに耐えうるが，心房壁は3～4 mmと薄く軟らかいため，リードの曲がりにより力を緩衝し電極先端でのストレスを軽減する必要がある．これが心房に**J型リード**が用いられる理由の一つである．

　固定方法には**タインド式**（tind，図2-4-9中）と**スクリューイン式**（screw-in，図2-4-9右）の2種類がある．後者はどのような部位にで

―― 臨床とのつながり ――
タインド式（tind）・スクリューイン式（screw-in）
タインド式の電極先端には軟らかい錨状の突起がついており，心内壁の窪みに先端が挿入されると突起が引っかかり固定される．スクリューイン式は電極先端をコルク栓抜きのようならせん状にしてあり，心内膜側から心筋内にねじ込んで固定する．

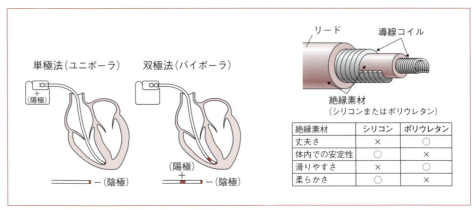

図 2-4-10　単極法・双極法とリードの構造

も固定できること，植込み部位の感染によりリードの抜去が必要な場合，リードを逆回転させることにより比較的容易に電極を心筋から外すことができるなどの利点がある．ただし，心房に用いる場合，ねじ込んだ電極先端による心房壁の穿孔に注意が必要である．

心外膜電極（心筋電極）は開胸して心臓表面に縫着する．身体の成長により電極が外れるおそれのある小児や，三尖弁を人工弁に置換した患者（通過したリードにより弁の閉鎖不全を生じたり，リードの損傷のおそれがある）では心筋電極が用いられる．

(2) 単極電極と双極電極

ペーシングおよびセンシング方法は，**単極法（ユニポーラ）**と**双極法（バイポーラ）**に分類される（図2-4-10左）．単極法は，植込み型ペースメーカの場合，ペースメーカ本体をプラス電極（**不関電極**）として用い，心内膜あるいは心外膜に装着されたマイナス電極（**関電極**）との間で刺激パルスの通電と心内電位の検出を行う．

単極法の場合，リード内の導線は関電極用のみでよく，構造が単純でリードを細くできる．関・不関電極間が広いことで振幅の大きい心内電位が検出できる，などの利点がある．ただし，ペースメーカ本体周辺の骨格筋が刺激され，筋攣縮を起こしやすい，電極間の広さから筋電や外部からの電気的雑音の影響を受けやすくなる，などの欠点がある．

双極法は一般的に用いられており，リード先端の電極と，先端から1〜2cm程度離れたリード側面のリング電極とよばれる帯状の電極との間で通電および検出を行う．1本のリード内に関・不関電極の両方の導線が必要となるため，リードは太くなり構造も複雑になるが，電極間距離が狭まることで，外部からの雑音が混入しにくく，クロストークの可能性も低くなる．また，筋攣縮も起こしにくいという利点がある．双極電極を用いても，ペースメーカの設定により単極法へと変更が可能である．

 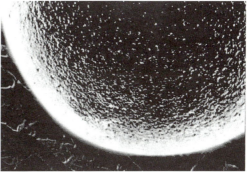

図 2-4-11　低分極リードの電極表面
左：窒化チタンコーティング低分極電極，右：カーボン電極．

(3) リードの構造

　リード内の導線は同じ極性の導線 4〜5 本を並列にして一組とし，これをコイル状に巻いた**多条コイル導線**が使用されている（図 2-4-10 右）．双極の場合は，二組の多条コイル導線を同軸構造にしたものが一般的に用いられている．リードの導線の外周や，双極の場合は二組の多条コイル導線のそれぞれが絶縁素材によって覆われている．リードは 1 分間に 60〜70 回，1 日に約 10 万回の心拍動による機械的ストレスを受け，心室リードの場合は，通過する三尖弁と接触する．外周を被覆する素材は常に血液に曝されるので，化学的ストレスや生体からの異物反応の対象となる．したがって，導線の被覆に用いられる絶縁素材には丈夫さ（物理的強度）や体内での安定性（化学的強度）が要求される．また，生体適合性に優れていることや，経静脈的に挿入しやすい柔らかさや滑りやすさも必要とされる．現在のリードには，一般的に生体適合性

>
> ── 臨床とのつながり ──
> **多条コイル導線**
> 同じ極性の導線を複数本並列し一組としているため，たとえ，その内の 1 本の導線が断線してもペースメーカの機能に問題を及ぼさない．

 電極表面積の影響

　心筋に留置した電極の電気抵抗は，電磁気学の「拡がり抵抗」の概念を用い，次式で表すことができる．

$$R = \frac{\rho}{2\pi \cdot a}$$

　R は電極抵抗であり，a は電極の形状を半球とした時の半径である．ρ は心筋の抵抗率（導電率の逆数）である．心筋の抵抗率は周波数に依存するが，250〜1,000 Ω·cm 程度とされている．電極抵抗は電極の半径に反比例するため，電極面積が小さいほど電極抵抗は大きくなる．さらにオームの法則に従えば，電圧閾値を一定のまま消費電流を低減することができ，ペースメーカの消費エネルギーをおさえることができる．また，心筋は一定以上の電流密度（単位面積あたりの電流）に反応して興奮するとされており，小さい電流で電流密度を確保するには，電極面積は小さいほどよい．一方，センシング閾値は電極面積が大きいほど有利であり，電極面積を小さくし電極金属と電解液（血液）との接触面積が小さくなると，電極に電流が流れるのを妨げる働きをする分極電圧は高くなる．したがって，ペースメーカの消費エネルギーと電極における分極電圧をともにおさえるために，電極表面には超微細な白金（1 μm 以下）を付着させた多孔質処理や，窒化チタンの薄膜をスパッタリング技術でコーティングした微細構造処理（図 2-4-11）などが施され，電解液との接触面積を広げる一方で，電極面積を 1〜2 mm² まで小さくすることが実現できている．

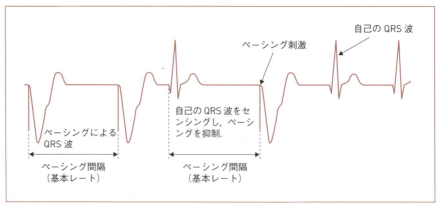

図 2-4-12　抑制型デマンド機能

のよい**シリコン**や**ポリウレタン**が用いられている．

6. ペースメーカの機能と生理的ペーシング

1) デマンド機能

　ペースメーカを必要とする患者でも，ペーシングレートより早いリズムで自己心拍が出現したり，発作的に徐脈になるような場合もある．自己心拍とは無関係に固定レートでペーシングした場合，心室収縮後の受攻期とよばれる時期にペースメーカからの刺激が心筋に与えられると，**心室頻拍**や**心室細動**といった致死性不整脈を誘発する危険がある（**spike on T**, 図 2-4-20 参照）．そこで，自己心拍を検出し，それを優先したペーシングを行うための機能が**デマンド機能**である．デマンド機能には**抑制型**（**inhibition**）と**同期型**（**trigger**）がある．最低の心拍数を保証するためのペーシングレート（**基本レート**）より早いタイミングで自己心拍を検出した時，次の刺激を取りやめるのが抑制型である．検出した時点で刺激を出力し，心筋の絶対不応期に無効刺激を行うのが同期型である．一般的に用いられるのは抑制型デマンド機能である（図 2-4-12）．

2) デュアルチャンバペースメーカとトラッキング機能

　心拍出量の 20～30％ に心房収縮が関与しており，心房と心室の協調性の有無は血行動態に影響を与える．心房心室の協調性を保ったペーシングを**生理的ペーシング**，協調性のないペーシングを**非生理的ペーシング**（図 2-4-13 a）という．非生理的ペーシングなどで血行動態に影響を及ぼし，不快，不調をきたすことを**ペースメーカ症候群**とよぶ．

　洞不全症候群で房室伝導が良好な場合，心房ペーシングで十分である．それは，心房ペーシングによる興奮は正常な刺激伝導系により心室まで伝わり，心室の収縮が得られるからである．つまり，心房ペーシングのみにより生理的ペーシングが可能となる（図 2-4-13 b）．それに対

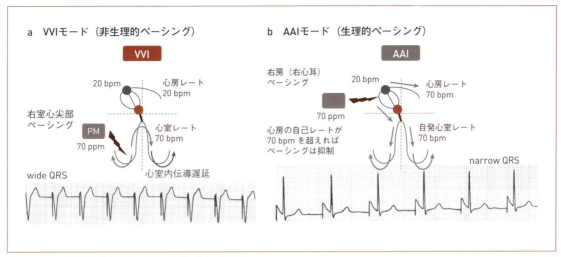

図 2-4-13　洞不全症候群に対するペーシング治療
VVI モード，AAI モードについては，p.81〜を参照のこと．
a：VVI モードの場合，心室の心拍数は正常となるが，心房と心室の興奮の協調性はなく，非生理的ペーシングとなる．
b：洞結節を除く刺激伝導系が正常であれば，AAI モードにより，生理的ペーシングが可能である．心室内伝導遅延もない．
（奥村高広：臨床工学技士が学ぶべきペースメーカの基礎知識 学校教育者の立場から―どこまで教育すればよいか？―．Clinical Engineering，27(5)，379，秀潤社，2016．）

し，洞不全症候群に房室ブロックを合併した場合や完全房室ブロックなどの房室伝導障害による徐脈の場合，ペーシングあるいは自己調律で心房のリズムは正常に維持できても，その興奮が心室にまで伝導されない．この場合，生理的ペーシングを行うためには，心房，心室ともに電極リードを留置してペーシングとセンシングを行う必要がある（図 2-4-14）．心房，心室の両方のペーシングおよびセンシングが可能なペースメーカを**デュアルチャンバペースメーカ**という．これに対し，心房または心室のいずれかを対象とするものは**シングルチャンバペースメーカ**という．

　正常な心臓は，心房に遅れて心室収縮が起こるので，デュアルチャンバペースメーカでは心房と心室の収縮時間の遅れ（**AVディレイ**）を設定する必要がある．デュアルチャンバペースメーカは，心房ペーシングまたは心房波の検出がなされると，設定された AV ディレイの後，心室ペーシングが行われる．また，AV ディレイの間に心室波が検出された時には，心室ペーシングが抑制される．このように，心房と心室間の同期を行う機能を**トラッキング機能**とよび，通常，AV ディレイは 120〜250 ms 程度に設定される．

3）心拍応答機能

　身体活動を検知し，それに応じたペーシングレートの増加を行う機能を**心拍応答機能**とよんでいる．身体活動の検出法には種々あるが，検出用の特殊なリードなどを用いず，実用化されているものとしては，ピエゾクリスタルを用いた圧電素子により体動による振動や加速度を検出す

bpm：自己心拍数は，beat per minute．
ppm：ペーシングレートは，pace per minute．

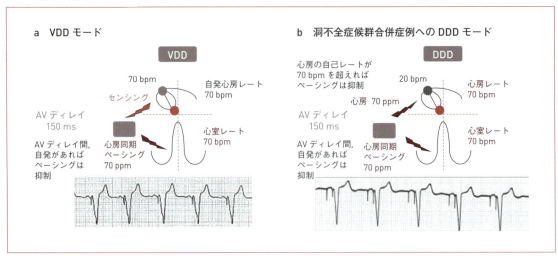

図 2-4-14　完全房室ブロックに対するペーシング治療
VDD モード，DDD モードについては，p.81〜を参照のこと．
a：洞結節が正常であれば，VDD モードにより，生理的ペーシングが可能である．心房の自発リズムに同期して，AV ディレイ（AV 間隔）後に心室をペーシングする．
b：洞不全症候群を合併する場合は，心房側にもペーシングが必要である．心房ペーシングの後，それに同期して AV ディレイ（AV 間隔）後に心室をペーシングする．
（奥村高広：臨床工学技士が学ぶべきペースメーカの基礎知識　学校教育者の立場から―どこまで教育すればよいか？―．Clinical Engineering. 27(5), 379, 秀潤社, 2016.）

る体動センサ，呼吸による胸郭の動きに応じた胸郭インピーダンスの変化を検出する分時換気量センサ，運動による心電図の QT 時間の短縮を測定する QT 時間センサなどがある．

7. ペーシングモード

デマンド機能やデュアルチャンバペースメーカの登場により複雑になったペースメーカの機能をわかりやすく表示するため，アルファベット3文字で構成される **ICHD**（Inter-Society Commission for Heart Disease Resource）コード，**NBG**（NASPE/BPEG Generic code）コードがある．1文字目はペーシング部位，2文字目はセンシング部位を表す．2文字とも，心房を対象とする場合は A（atrium），心室は V（ventricle），心房，心室の両方を対象とする場合は D（dual）で表示する．その機能をもたない場合は O を用いる．心房あるいは心室のみを表す場合，S（single）を用いる．

　3文字目は刺激の制御方法を表す．制御機能を用いない場合は O，デマンド機能による刺激の抑制を行う場合は I（inhibition），同期刺激を行う場合は T（trigger），その両者の機能を有する場合（たとえば心房の自己心拍に同期して心室ペーシングを行い，ペーシングに先行して心室心拍を検出したらペーシングを抑制するなど）は D で表される．心拍応答機能を有する場合は，4文字目に R（rate response）を用いて表す．

たとえば「VVI」は，1文字目がVなので心室に刺激を行い，2文字目もVなので心室で自己心拍の検出を行い，3文字目がIなので自己心拍によってペーシングが抑制されるタイプのペースメーカであることを示している．このように，ICHDまたはNBGコードで示された実際のペースメーカの動作方法をペーシングモードとよぶ．以下に徐脈ペーシング治療に用いられる代表的なペーシングモードを示す．また，図2-4-13，図2-4-14に各ペーシングモードを適用した徐脈性不整脈治療の概略を示す．

1) VVI（図2-4-13 a）

右心室にのみリードを留置し，抑制型デマンド機能を用いて心室の最低心拍数を保証するモードである．心室のみでペーシングとセンシングを行うため，生理的な心房と心室の協調性は得られず，徐脈性心房細動への適応以外は非生理的なペーシングとなる．体外式ペースメーカによる**一時的ペーシング**時によく用いられる．

2) AAI（図2-4-13 b）

右心房のみにリードを留置し，抑制型デマンド機能を用いてペーシングとセンシングを行う．房室伝導の正常な洞不全症候群が適応となり，生理的ペーシングが可能となる．

3) AOO, VOO

固定レートモードとよばれ，心房または心室を設定した基本レートでペーシングする．したがって，自己心拍が出現してもペーシングは抑制されない．心臓手術の人工心肺離脱時，ペースメーカ依存患者に対して電気メスや高周波治療装置などを用いる時の電磁干渉（**EMI**）による**オーバーセンシング**を回避する場合などに一時的に用いられる．

4) DDD（図2-4-14 b）

リードを2本用い，心房と心室の両方でペーシングとセンシングを行う．自己の心房レートが設定した基本レートより少なければ心房ペーシングを行い，基本レート以上であれば心房ペーシングは抑制される．心房ペーシングまたは心房波をセンシングした時点から，設定したAVディレイの間に心室波が検出されない場合には心室ペーシングが行われ，検出された場合には心室ペーシングは抑制される．したがって，心房と心室の協調性を保つ生理的ペーシングが可能である（図2-4-15）．慢性心房細動以外のすべての徐脈性不整脈が適応となり，広く使用されている．ただし，自己の心房レートが異常に上昇した場合，それに同期して心室をペーシングし心室まで頻拍にしてしまう危険があり，これを防止するために1：1の心房心室同期が得られる最大のペーシングレー

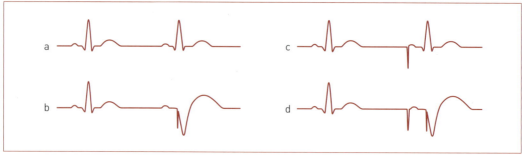

図 2-4-15　DDD モードの基本動作
a：心房，心室ともにペーシングが抑制された．
b：2 拍目は房室伝導が延び，AV ディレイ内に心室波が検出されず，心房同期心室ペーシングが行われた．
c：2 拍目は基本レート以内に心房波が検出されず心房ペーシングが行われ，良好な房室伝導により AV ディレイ内に心室波が検出されたため心室ペーシングは抑制された．
d：2 拍目は心房ペーシング，心房同期心室ペーシング．

ト（**上限レート**）が設定される．

5) VDD（図 2-4-14 a）

　心房，心室のセンシングを行い，心室のみをペーシングする．心房波を検出しそれに同期させ，AV ディレイの間に心室波を検出したら刺激を抑制し，検出されなければペーシングを行う．心房ペーシングはできないため，洞機能が正常な房室ブロックに対し適応される．

　現在は，VDD 専用の電極リードが使用できる．これは，リードの途中の右房に位置する部分にセンシング専用電極，リード先端に心室のペーシングおよびセンシングを行う電極が 1 本のリードに装備されている．心房センシング専用電極はリード途中の心房内に位置するリング電極を用いるため，かならずしも心房壁と接触しておらず，心房で検出される心内電位波高が低くなる可能性がある．また，1 本のリード内に 4 本の導線が組み込まれるためリードは太く，複雑な構造になる．

6) DDI

　DDD モード同様，心房と心室にそれぞれリードを留置するが，DDD モードのような心房に同期するトラッキング機能は備えていない．心室の自己心拍が設定した基本レートより低い場合は心室を刺激するが，それに AV ディレイだけ先行して心房ペーシングも行う．したがって，心房と心室の協調性を保った心室ペーシングまたは自己心拍が続くが，心房の自己心拍が基本レートを上回った場合は心房ペーシングが抑制されるため，心房との同期は行われず，心室に対しては VVI の動作が行われる．DDD モードでは，**発作性心房細動**など突然心房レートが上昇するような場合，上限レートまでは速い心房レートに追従した心室ペーシングが行われるが，DDI モードではそれを回避することができる．したがって，DDD モードで作動中，心房性頻拍が持続するのを検知す

ると一時的に DDI モードへ切り替わる機能（**モードスイッチ**）も用いられている．

8. ペーシング治療に用いる関連機器
1) ペーシングシステムアナライザ

　植込み型ペースメーカの植込み術施行時，電極リードを心腔内に挿入し電極先端の留置位置を決定した後，そこがペーシングおよびセンシングに対し適切な場所かを確認するため各種の測定を行う．その際に用いる機器が**ペーシングシステムアナライザ**（pacing system analyzer：**PSA**）である．PSA と留置した電極リードを接続し，以下の項目の測定を行う．

(1) 心内波高値

　適切なセンシングを行うためには，自己心拍の心内電位の大きさに応じたセンシング感度の設定が必要であるので，自己心拍の**心内波高値**の測定を行う．方法は，PSA を使用して自己の心房または心室の心内心電図波形を観測する．植込み時に体外式一時的ペーシングを行っている場合は，その設定レートを自己心拍が出現するところまで低下させる必要がある．波高値は PSA により自動で計測される．電極は可能なかぎり高い波高値が得られる箇所への留置が望ましく，心房電位は 1 mV，心室電位は 10 mV 以上の値が望ましい．測定結果によっては留置位置を変更する必要がある．センシング感度は，得られた心内波高値の 1/2 以下に設定されるのが一般的である．

(2) リード抵抗 (リードインピーダンス)

　電極の心筋への接触および挿入したリードの損傷（不良品や挿入時の損傷）の有無を確認するために，**リード抵抗**を測定する．PSA を用いて，留置したリードよりペーシング（一般的には出力電圧 5 V，パルス幅 0.5 ms）を行った状態で，PSA により自動計測が行われる．リード抵抗は機種によりさまざまであるが，300〜1,000 Ω が標準的で，高抵抗タイプのものでは 500〜2,500 Ω 程度が計測される．リード抵抗が低すぎる場合，リードの被覆に損傷が起きて電流がリークしている可能性がある．高すぎる場合は心筋との接触が悪いか，リードが断線している可能性もある．

(3) 刺激閾値

　PSA のペーシングレートを自己心拍数より高く設定して，十分大きな出力（5 V，0.5 ms 程度）でペーシングを開始する．心電図を観察し確実にペーシングされていることを確認した後，パルス幅は変更せず出力電圧を徐々に小さくしていく．電圧閾値は 1 V 以下になるような位置に留置することが望ましい．1 V までは 0.2〜1 V 刻みで下げていき，1 V を過ぎてからは 0.1 V ずつ減少させる．そして，ペーシングされなくなる点をみつけ，その直前の値を**刺激閾値**とする（図 2-4-5）．刺激

臨床とのつながり

横隔膜刺激・横隔神経刺激

右室心尖部に留置した電極は、横隔膜に近くなるため、横隔膜刺激による横隔膜攣縮を発生することがある。最大刺激で深呼吸させて確認し、攣縮がみられたときは、留置部位を変更するか、横隔膜刺激閾値を測定し、安全域を考慮した出力設定とする。なお、低出力で横隔膜攣縮を認める時は、リード穿孔を疑う必要がある。

右房側壁に心房リードを留置した場合は、右横隔神経が刺激され、横隔膜攣縮が発生することがある。

閾値が高い場合は、良好な場所へと留置位置を変更することになる。スクリューイン式のリードを用いた場合、ねじ込んだ直後の閾値は局所の炎症により高い傾向にあるが、閾値は次第に低下してくることが多いため、時間をおいて計測し直してみることも有効である。刺激出力は計測された電圧閾値の2倍以上のセーフティマージンをもって設定する。

その他、ペーシングの安定性を確認するため、刺激閾値より若干高い出力設定にてPSAからペーシングを行い、患者に深呼吸や咳払いを行ってもらった時、ペーシング不全が生じないかを確認する。また、最大出力で刺激を行い、横隔膜や横隔神経の刺激による腹部の痙攣（twitching）を生じないか確認する。

2）プログラマ

植込み型ペースメーカの設定変更は、**プログラマ**と称する装置で行う（図2-4-16左）。プログラマは、無線的にペースメーカとの交信（**テレメトリ**）が可能である。設定変更以外にも、電池電圧、電池内部抵抗、ペーシング率、ペースメーカに蓄積された不整脈のホルター情報などの情報をペースメーカから取り出すことができる。また、リードから誘導される心内心電図をリアルタイムに画面表示させるとともに、1拍ごと

電池寿命の予測

ペースメーカの電池が消費する電池電流 I_B は、電子回路が動作するための回路電流 I_C（回路によって不変とする）と刺激に必要な刺激電流 I_S の和である。刺激による電池消費電力 P_B は電池電圧 E_B と刺激電流 I_S の積である。刺激により消費される電力 P_S は刺激電流の通電時間とパルス数が影響するため（図2-4-17）、パルス電圧 E_P、パルス電流 I_P、通電時間 T_P（パルス幅）、1分間あたりのパルス数であるペーシングレート N_P、一定期間内にペーシングした割合を示すペーシング率 a、電極抵抗 R_L を用いると次式で表される。

$$P_S = \frac{E_P \cdot I_P \cdot T_P \cdot N_P \cdot a}{60}$$
$$= \frac{E_P^2 \cdot T_P \cdot N_P \cdot a}{60 R_L} \quad \cdots ①$$

ここで、刺激による電池消費電力 P_B と刺激により消費される電力 P_S が等しいとすると、刺激電流 I_S は次式で表される。

$$I_S = \frac{E_P^2 \cdot T_P \cdot N_P \cdot a}{60 R_L \cdot E_B} \quad \cdots ②$$

また、電池の予測寿命 T_B [年] は、電池容量 C_B [Ah（アンペア・アワー）] と消費する電池電流 I_B [μA] で決まり、次式で求められる。

$$T_B = \frac{C_B}{I_B \times 10^{-6}} \cdot \frac{1}{365 \times 24} = \frac{114 C_B}{I_B} = \frac{114 C_B}{I_C + I_S} \quad \cdots ③$$

各機種の植込み型ペースメーカの予測寿命は取扱説明書などに明示されている。たとえば、予測寿命が7.4年で、その根拠となるペーシング条件がペーシングレート60 ppm、ペーシング率100%（=1.0）、パルス電圧2.5 V、パルス幅0.4 ms、電極抵抗600 Ω、電池電圧2.8 V、電池容量0.83 Ah と明記されていたとする。②式より刺激電流 I_S [μA] は約1.5 μAと算出され、③式より回路電流 I_C [μA] は約11.3 μAとなる。たとえば、刺激閾値の上昇があり、上記の条件からパルス電圧を5 Vに上げざるをえないとしたら、刺激電流 I_S [μA] は6.0 μAに増加し、③式より予測寿命は5.5年と、約2年短縮すると予測される。

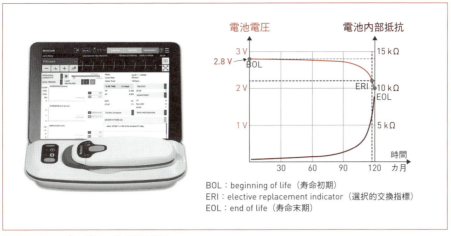

図 2-4-16 プログラマと電池残量
左：プログラマ（日本メドトロニック社製），右：植込み型ペースメーカの電池電圧と電池内部抵抗の経時的変化．

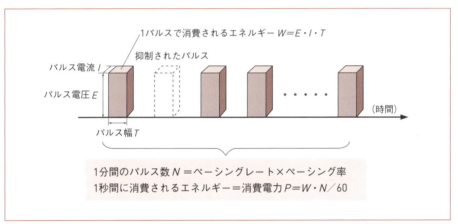

図 2-4-17 刺激による消費電力の算出

にペーシング中かセンシング中かを示すマーカー記号の表示も可能である．心内波高，リード抵抗，刺激閾値の測定もプログラマで可能である．

　図 2-4-16 右に植込み型ペースメーカの電池電圧と電池内部抵抗の経時変化の概略を示す．ペースメーカの電池消耗が進むと，**ERI**（elective replacement indicator）や **ERT**（elective replacement time）などの警告がプログラマに表示される．これらは**選択的交換指標（時期）**とよばれ，ジェネレータ交換を推奨する時期を示すもので，電池の寿命末期（end of life：EOL）によりペースメーカが機能不全に陥る 3〜12 カ月前に相当する電池消耗を表す．ERI を過ぎると，電池消耗を最小限にするためペーシングモードやレートの設定変更が自動的に行われる機種もある．したがって，プログラマによる定期的なチェックを行い，ERI に達する前に電池交換（ジェネレータ交換）を行うことが望ましい．

心臓ペースメーカ　85

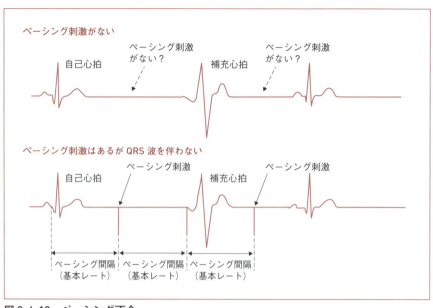

図 2-4-18　ペーシング不全

9. ペースメーカのトラブル

　ペースメーカのトラブルには，リード挿入部・ポケットの感染や出血，**ペーシング不全**および**センシング不全**がある．

　ペーシング不全には，心電図上ペーシング刺激が脱落する場合（図2-4-18 上）やペーシング刺激はあるがその後に QRS 波を伴わない場合（図 2-4-18 下）がある．前者の原因には，電極リードの接続不良や断線などがある．後者の原因には，刺激出力の不足，心筋の状態変化による刺激閾値上昇，電極の位置移動（**dislodgement**）などがある．

　センシング不全には，心拍以外の筋電や小さなノイズなどまで感知してしまう**オーバーセンシング**（図2-4-19 上）と，自己心拍を無視してペーシング刺激を行う**アンダーセンシング**（図2-4-19 下）がある．前者は自己心拍がないにもかかわらずペーシングを抑制してしまい徐脈や心停止をきたす．後者では，ペーシング刺激が心拍の受攻期に行われる spike on T が生じた場合，心室細動が誘発される可能性がある（図2-4-20）．異常心電図が認められた場合，体外式ペースメーカでは出力や感度の調整を行う．植込み型ペースメーカではプログラマを用いて刺激閾値，心内波高値の測定を行い，適切な設定へと変更する．また，リード抵抗を測定し値が高すぎる場合はリード断線，低すぎる場合は被覆の損傷が疑われる．リードの断線や dislodgement は X 線写真により確認できる場合がある．リードトラブルに対しては，双極ペーシングを単極ペーシングへ変更することで対処可能な場合もある．プラス極側リードだけの断線であれば単極ペーシングにすればジェネレータをプラス極に用いることになるので，ペーシング可能となる．ただし，リードのトラブルや dislodgement を確認した場合は，できるかぎり早期の再

keyword
鎖骨下クラッシュ症候群
鎖骨下静脈から穿刺法により挿入されたリードにて，第1肋骨と鎖骨によるリードへの圧迫により，リード断線や絶縁被覆の損傷をきたすこと．腋窩静脈や橈側皮静脈を使用することで予防できる．

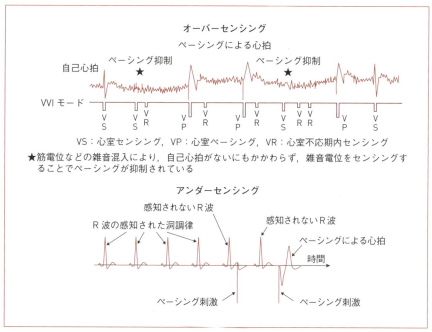

図 2-4-19　センシング不全

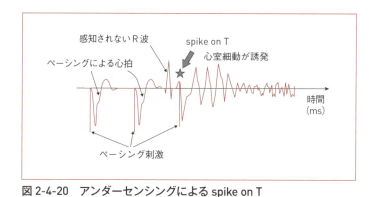

図 2-4-20　アンダーセンシングによる spike on T

手術が必要である．

10. 体外式ペースメーカの保守管理

　体外式ペースメーカは，電池（9 V 乾電池が一般的）を使用する生命維持管理装置なので，日常点検でもっとも重要なことは電池電圧のチェックである．通常，付属のバッテリーチェックボタンを押すことで容易に確認できる．

　定期点検ではオシロスコープによるペーシングレート，パルス幅，出力の測定やデマンド感度のチェックなどを行う（図 2-4-21）．ペーシングレートは，オシロスコープ上で 2 つ以上のパルスが観察できるように時間軸を設定し，パルス間隔から毎分のレートに換算，設定値と実測値が一致していることを確認する．パルス幅はオシロスコープの時間軸を

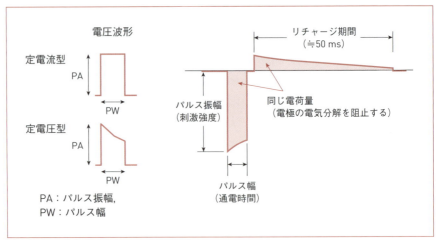

図 2-4-21　出力パルス波形の計測
左：定電流型および定電圧型ペースメーカの出力波形の概形，右：実際の陰極刺激による出力パルス波形（定電圧型）．

keyword
電池交換時駆動機能
体外式ペースメーカは，使用時に電池電圧の低下により電池交換が必要になった場合に，ペースメーカを駆動させたまま本体から電池を外しても，ペースメーカ内部のコンデンサに蓄電された電気により，しばらくの間，駆動し続けることができる．

拡大して読み取る．通常は 0.5～2.0 ms である．出力は 500 Ω の負荷抵抗を接続した状態で測定する．測定された電圧値を負荷抵抗値で割って出力電流値を求め，設定値と実測値が一致していることを確認する．デマンド感度はパルス幅 50 ms の矩形波（R 波を模擬）を入力して，何 mV でペーシングが抑制されるかを測定する．また，固定レート，つまり**非同期（asynchrony）**の設定では抑制されないことも確認する．体外式ペースメーカには**電池交換時駆動機能**が備わっており，取扱説明書に記載のペーシング条件（たとえばペーシングレート 80 ppm，出力電流 10 mA）で動作中に，本体から電池を外しても既定の時間以上（た

電磁干渉と条件付き MRI 対応ペースメーカ

　植込み型ペースメーカや植込み型除細動器は微小な電位を感知しながら適切な電気刺激治療を行うので，電磁的エネルギーを出力する機器からの影響を受けやすい．つまり，体外からの電気的なノイズと心臓からの電気信号との識別ができず，本来の動作から外れてしまうことがある．これを電磁干渉（electromagnetic interference：EMI）という．

　携帯電話による EMI については広く周知されているが，最新の指針では携帯電話をペースメーカの植込み部位から 15 cm 以上離して使用するように指示されている．その他，低周波治療器，体脂肪計，IH 調理器，電子商品監視（electronic article surveillance：EAS）機器や RFID（電子タグ）機器，電気自動車の急速充電器からも影響を受けることが判明し，その具体策も提示されている．詳細については，総務省ホームページなどを参照されたい．

　医療施設で使用する機器では，電気メス，ジアテルミー，X 線，CT，MRI などからの EMI がある．たとえば MRI は電極リードの発熱をきたすなどの影響からペースメーカ患者には禁忌とされていた．しかし現在では，条件付き MRI 対応デバイス（ジェネレータおよび電極リード）が登場し，日本医学放射線学会・日本磁気共鳴医学会・日本不整脈学会が認定する施設（所定の研修を受けた臨床工学技士が関与するなどの条件を含む）にて，ペースメーカ患者も MRI 検査を受けられるようになった．

とえば最低駆動時間が15秒）の動作が可能かを点検する．なお，体外式ペースメーカ専用のチェッカも市販されており，これを使用すればすべての点検を簡単，効率的に行うことができる．

11. 機能的電気刺激治療

心臓を刺激する心臓ペーシング治療以外にも，神経や筋の電気刺激を治療に応用する**機能的電気刺激治療**（functional electrical stimulation：FES）が普及している．ペースメーカ治療と異なり，FESでは骨格筋や神経で加重を生じさせるように，1秒間に数回以上の高頻度の刺激を使用する．また，刺激を断続的に加えたり，必要な時だけ刺激するなどの特徴もある．

(1) 経皮的電気的神経刺激法（transcutaneous electrical nerve stimulation：TENS）

低周波治療器のように皮膚に近い神経を刺激し，関節痛，神経痛，筋肉痛などの**疼痛緩和**の治療に用いられる．

(2) 仙骨神経刺激法（sacral nerve stimulation：SNS）

膀胱などの自律神経が含まれている仙骨神経を刺激することで，神経因性膀胱による**急迫性尿失禁**に適応される．

(3) 脊髄刺激法（spinal cord stimulation：SCS）

体幹や四肢に生じる難治性の慢性痛を，脊髄の対応する部分を刺激し取り除く**除痛治療**に用いられる．バージャー病（小動脈の血栓性閉塞に伴う痛み），帯状疱疹後の神経痛，外傷や糖尿病による末梢神経障害に伴う痛み，四肢切断後の幻肢痛などに用いられる．

(4) 脳深部刺激法（deep brain stimulation：DBS）

脳幹の中脳や橋の色素含有神経細胞の変性脱落などで生じる，**パーキンソン病**の不随意運動の治療に用いられる．大脳基底核にある視床下核などの脳の深部にまで電極を挿入して電気刺激を行う．

5 カテーテルアブレーション装置

1. 目的

心房細動，心房粗動，WPW症候群や発作性上室性頻拍など，**頻拍性不整脈**を有する患者の治療を目的とした**経皮的カテーテル心筋焼灼術**に用いられる装置である．経皮的に電極カテーテルを心臓内の標的部位に挿入し，**電極カテーテル**と体表に装着した**対極板**との間で，**高周波**通電を行い，頻拍の原因となる異常興奮部位を選択的に焼灼して不整脈を治療する．

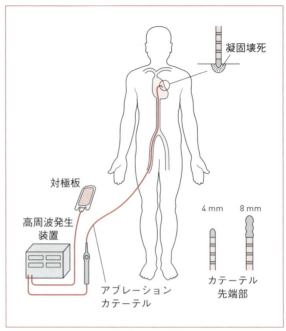

図 2-5-1　カテーテルアブレーション

2. 原理

　カテーテル先端から**高周波電流**を流し，発生した**ジュール熱**により心筋を焼灼する．カテーテル先端と対極板の間に 10〜30 W 程度の高周波電流を流すことで，カテーテル先端が **50〜60℃**に熱せられる．電流を 30〜90 秒間通電すると，カテーテル先端に接した組織が半径約 2〜3 mm の範囲で凝固壊死し，非可逆的変化を起こす．

　カテーテルアブレーション施行前には**心臓電気生理学的検査**が必要で，心臓内の複数の電極カテーテルから得られる心内電位から異常興奮部位を調べる必要がある．**三次元マッピングシステム**を用いると，正確な位置情報に基づき，より正確なカテーテル操作が可能となる．組織障害の範囲は小さいので，心機能に影響を与えることはほとんどない．

3. 構成（図2-5-1）

1）高周波発生装置

　心筋を焼灼させるための装置である．**300〜750 kHz** の高周波電流を発生させる．一般的に用いられる**温度コントロール型**は，カテーテル先端温度を常時測定し，温度を一定に保つよう出力を自動制御する．**出力コントロール型**は，カテーテル先端部と周辺組織を冷却することによって温度上昇を抑える．

2）アブレーションカテーテル

　先端の電極長は 4 mm と 8 mm が多く用いられる．先端には温度セ

ンサが内蔵されており，**サーミスタ**や**熱電対**が使用される．常に焼灼部位の温度を測定しており，適切な出力の高周波通電による焼灼が行える．アブレーションカテーテルは術者側のハンドルを操作することで，カテーテルの先端部分を自由に屈曲させることが可能で，焼灼部位にピンポイントでカテーテル先端を接触させることができる．

(1) イリゲーションカテーテル

　従来からのアブレーションカテーテル（**非イリゲーションカテーテル**）は，血流が少ない部位においては血流によるクーリング効果がないため，出力が制限されたり，血栓が形成されたりする問題があった．この問題を解決するのが，カテーテル先端部に冷却機能を備えた**イリゲーションカテーテル**である．生理食塩水でカテーテル先端部を冷却することにより，出力不足の改善や血栓形成の低減化が可能となった．

(2) コンタクトフォース

　カテーテル先端が適切な圧力で組織に接触していない場合，焼灼不足（接触圧が弱い）や心筋穿孔（接触圧が強い）などが生じる可能性がある．カテーテル先端の組織への接触圧（**コンタクトフォース**）をモニタリングすることで，適切な接触圧でカテーテル操作をする指標となる．適切なコンタクトフォースとして 15～20 g が推奨されている．

3) 対極板

　電気メスと同様に，高周波電流を回収するための**対極板**が必要である．

4. 取り扱い上の注意事項

①高周波を使用するため，ペースメーカや ICD に誤作動を起こすおそれがある．モードを固定レートに変更するなどして対応する．

②高周波通電中に過度の温度上昇やインピーダンスの急激な上昇がみられた場合は，カテーテル先端部の血栓形成が考えられるので，カテーテルを引き抜き先端部の血栓付着の有無を確認する．

5. 保守管理

　日常点検では，外観検査，作動確認を行う．年に1回は定期点検（性能検査，安全機能検査，電気的安全性試験）を行う．

①**外観検査**：ネジ，ナットなどに緩みがないか，電源コードや対極板などに破損がないかなどの点検を行う．

②**作動確認**：表示部やランプの点灯，ツマミやスイッチがスムーズに動くことなどのチェックを行う．

③**定期点検**：電力の表示値の誤差，安全機能が正常に作動すること，漏れ電流の検査などを行う．

参考文献

1) 小野哲章編：電気メスハンドブック．秀潤社，1993．
2) 小野哲章，酒井順哉：電気メス Q&A．小林製薬，2003．
3) 日本生体医工学会 ME 技術教育委員会監修：ME の基礎知識と安全管理改訂第7版．南江堂，2020．
4) 小野哲章，堀川宗之，峰島三千男，吉野秀朗編：臨床工学技士標準テキスト．第4版，金原出版，2022．
5) 桜井靖久監修：ME 早わかり Q&A4．南江堂，1989．
6) (財) 医療機器センター監修：ME 機器保守管理マニュアル 臨床工学技士の業務を中心として 改訂第3版．南江堂，2009．
7) 電子情報技術産業協会編：新 ME 機器ハンドブック．コロナ社，2008．
8) ME 技術講習会実行委員会監修：ME の知識と機器の安全．南江堂，1983．
9) 都築正和，須磨幸蔵，竹中榮一，他：医用工学シリーズ8 治療と ME．コロナ社，1988．
10) 高橋敬蔵監修：手術室・ICU の医療機器取扱いマニュアル．克誠堂出版，1993．
11) 桜木 徹：わかりやすい電気メスの本．金原出版，2014．
12) 小野哲章編：まるごとナットク！電気メス安全ハンドブック．秀潤社，2015．
13) JIS T 0601-2-2 医用電気機器—第2-2部：電気手術器（電気メス）及びその附属品の基礎安全及び基本性能に関する個別要求事項．
14) 独立行政法人医薬品医療機器総合機構：PMDA 医療安全情報．https://www.pmda.go.jp/safety/info-services/medical-safety-info/0001.html
15) 日本電子機械工業会編：改訂 ME 機器ハンドブック．コロナ社，1996．
16) 日機装株式会社：マイクロ波を用いた外科手術用デバイス「Acrosurg.（アクロサージ）」https://www.nikkiso.co.jp/technology/project/acrosurg.html
17) 日本蘇生協議会：JRC 蘇生ガイドライン 2015．
18) 石川利之：心臓ペーシングのすべて．中外医学社，2004．
19) 横山正義：心臓ペースメーカーの理解と生活．文光堂，1992．
20) 笠貫 宏編：改訂版 目でみる循環器病シリーズ1 不整脈．メジカルビュー社，2000．
21) 田中茂夫編：改訂版 目でみる循環器病シリーズ11 心臓ペースメーカー・植込み型除細動器．メジカルビュー社，1999．
22) 山本敏行，鈴木泰三，田崎京二：新しい解剖生理学．南江堂，1995．
23) 早川弘一編：エキスパートナース臨時増刊号 ナース必携心電図マニュアル．照林社，1987．
24) 加納 隆：ME ひとくち知識．学習研究社，1995．
25) 庄田守男他訳：イラストで学ぶ心臓ペースメーカー Step by Step．医学書院，2007．
26) 的場聖明監修：人体のメカニズムから学ぶ臨床工学 循環器治療学．メジカルビュー社，2017．
27) 奥村高広：臨床工学技士が学ぶべきペースメーカの基礎知識 学校教育者の立場から—どこまで教育すればよいか？—．Clinical Engineering，27(5)，2016．
28) 日本循環器学会，他：循環器診療における検査・治療機器の使用，保守管理に関するガイドライン．Circulation Journal，73(Suppl. III)，2009．
29) 高橋 淳：格段にうまくいくカテーテルアブレーションの基本とコツ エキスパートが教える安全・確実な手技と合併症対策．羊土社，2017．
30) 相澤義房，奥村 謙編：カテーテルアブレーション 基本から最新治療まで 改訂2版．メジカルビュー社，2010．
31) 中川義久監修：看護師・研修医・臨床工学技士のためのカテーテルアブレーションの治療とケア．メディカ出版，2010．
32) 奥村 謙，沖重 薫：高周波カテーテルアブレーション手技マニュアル．南江堂，2015．

第3章 機械的治療機器

1 吸引器

1. 吸引器の種類と目的

吸引器とは，気管や口腔内などの患者の分泌物や，手術中の出血・洗浄液などの吸引除去，体腔や術野に挿入したドレーンからの持続吸引などのために用いる装置である．強い陰圧で吸引を行う一般用吸引器，胸腔内などからの低圧持続吸引に用いる低圧持続吸引器，携帯型吸引器などに分類される．また，吸引圧を発生させる動力源の種類から，アウトレット式，電動式，手動式などとも分類されている．

2. 一般用吸引器

一般用吸引器は，術野の出血・洗浄液や，気管・口腔内の分泌物などを吸引するために用いられている．吸引ポンプを内蔵した電動式吸引器と，配管アウトレットの吸引端末から吸引圧を得るアウトレット式がある．吸引器は排液瓶，圧力調整器，圧力計，吸引圧を発生させる電気ポンプのほかに，電気ポンプや吸引配管内への吸引物の流入を防止する補助瓶，汚物流入防止装置，フィルターなどから構成される（図3-1-1）．

JIS T 7208-1 では，医療用電動式吸引器の吸引圧について，高吸引圧は-60 kPa 以上の陰圧，中吸引圧は-60 kPa 未満で-20 kPa をこえる陰圧，低吸引圧は-20 kPa 以下の陰圧と規定している．また，バッテリ駆動式可搬型吸引器は-40 kPa 以上の吸引圧を有することを規定している．

電動式，アウトレット式双方とも，吸引器の圧力調整器で目的に応じた圧に調整して使用するが，いずれも排液瓶をこえて電気ポンプ本体や吸引配管本管に吸引物を流入させないように使用することが重要である．

電動式吸引器のポンプとしてもっとも多く使用されているのがロータリーポンプである．これは，羽根をモータで回転させることで吸引圧を発生させるもので，摩擦軽減とモータ冷却のためのモータオイルが入っている．使用前の電源コード，吸引瓶，チューブの破損や亀裂の有無などの確認や，モータ，吸引圧，圧力計の使用前点検とともに，モータ内

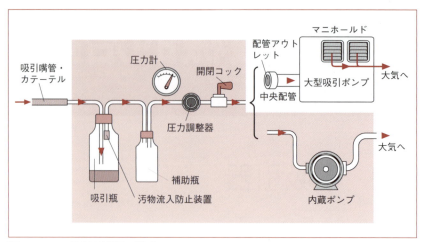

図 3-1-1　一般用吸引器の構成　　　　（ME 早わかり Q&A4. 166, 南江堂, 2002 より）

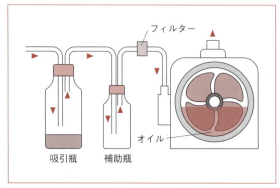

図 3-1-2　ロータリーポンプの原理
（機器保守管理マニュアル　改訂第二版. 276, 南江堂, 2005 より）

のオイル量や汚染の有無の定期的点検とオイルの交換も重要である（図3-1-2）．

3. 低圧持続吸引器

低圧持続吸引器は，開胸手術後の患者や気胸，胸水貯留などの患者に対する胸腔ドレナージに使用されることがもっとも多い．また，腹腔内などの持続洗浄ドレナージなどにも使用されている．

胸腔ドレナージとは，胸腔内に貯留する液体や空気を体外に吸引排出することによって，胸腔内圧の陰圧を維持し，肺の再膨張促進や心臓など臓器への圧迫軽減を図るものである．また，胸腔内に貯留した液体による炎症・感染の治療にも用いられる．

JIS T 7208-1 は「胸腔ドレナージ」用の成人用吸引器について，吸引圧は $-20\,\mathrm{kPa}$ をこえてはならず，$-2 \sim -20\,\mathrm{kPa}$ の範囲で吸引圧を設定できることと規定している．

胸腔内に挿入されたドレーンは通常，$-5 \sim -20\,\mathrm{cmH_2O}$ の陰圧で持続吸引する．吸引回路水封部において，患者側ガラス管を水の中に浸け

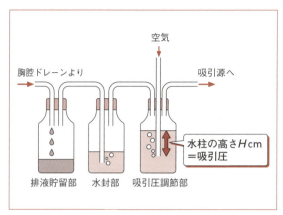

図 3-1-3 胸腔ドレナージ回路の原理

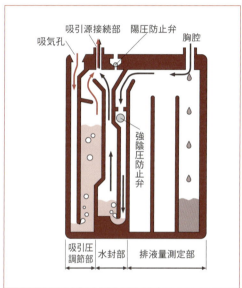
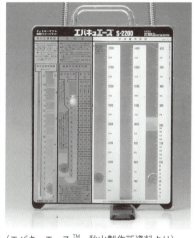

（エバキュエース™，秋山製作所資料より）

図 3-1-4 ディスポーザブル胸腔ドレナージセットの例

る（水封）ことで胸腔内への空気の逆流を防止する．吸引圧は図 3-1-3 に示すように，圧力調節装置内のガラス管の水柱の高さ H cm で調整する．これは，陰圧 − H cm 以上になるとガラス管から空気が流入し，それ以上は吸引圧が増加しないことを利用している．臨床現場において，低圧持続吸引の吸引圧を水柱［cm］の単位で示すのはこのためである．吸引圧調節部と排液ボトルを一体化したディスポーザブル製品も多く用いられている（図 3-1-4）．

　低圧持続吸引器にはダイヤフラム式ポンプも使用される．ダイヤフラム式ポンプとは，膜（ダイヤフラム）に往復運動を与える構造によって吸引圧を発生させるものである．一般のロータリーポンプのような回転部がないので，清音化が実現されているのも特徴である．ダイヤフラム式ポンプを用いた吸引器の場合にも吸引圧を水柱 cm で表示することは同様である．

図 3-1-5　電動式低圧吸引器
(メラサキューム™, 泉工医科工業資料より)

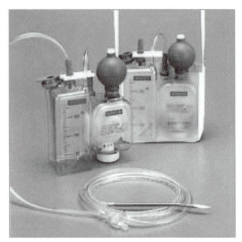

図 3-1-6　バルーンタイプの携帯型持続吸引器
(住友ベークライト資料より)

　胸腔ドレナージは，胸腔内に持続的に陰圧を作成することにより肺を再膨張させることを目的としているので，持続吸引を確実に維持することが管理上重要である．そのためには，吸引器の保守点検管理だけでなく，ドレーンから吸引器までの吸引回路における閉塞や空気漏れなどの防止も必須である．

　吸引器自体は，他の先進医療機器に比べて比較的単純な機器ではあるが，そのトラブルは肺の拡張不良など生命に直結するトラブルに直結する．このため，低圧持続吸引の原理を十分に理解し，とくに患者の体位交換や移動に際しては，ドレーン挿入部から吸引器本体までのドレナージ回路全体に対する注意喚起を，医療スタッフ全体で共有することが重要である（図 3-1-5）．

4. 携帯型吸引器

　電気や吸引配管などが利用できない状況下において，口腔や気管内吸引を行うために手動式の吸引器があり，足踏み式やゴム球などいくつかのタイプが市販されている．また，手術操作部に挿入したドレーンから体液を持続吸引するために，バルーンを用いたディスポーザブルタイプの携帯型吸引器具も広く用いられている（図 3-1-6）．

2 　結石破砕装置

1. 結石破砕装置

この20年間で，結石症に対する治療法は大きな変化を遂げた．本節では，低侵襲的な結石破砕治療法である体外衝撃波結石破砕装置，および内視鏡的結石破砕装置を用いた治療について解説する．

1）体外衝撃波結石破砕術（ESWL）とは

体外衝撃波結石破砕術（extracorporeal shock wave lithotripsy：**ESWL**）は，胆石や尿路結石などの結石に，体外より発生した「衝撃波」エネルギーを照射することで破砕する治療法である．破砕された砕石片は，尿や胆汁とともに体外に排出される．最初の装置は，ドイツのドルニエ社により開発され，1980年に臨床応用された．わが国では1988年に保険適用になり，上部尿路結石の治療では現在広く普及している．

衝撃波の発生源としては水中放電方式，**圧電方式**，**電磁方式**などがある．また，結石への焦点合わせの方法には放射線照射方式と超音波照射方式の2つの方法がある．

ESWLは，低侵襲で安全性が高いとされている治療方法であるが，無侵襲治療ではない．ESWLの禁忌として，妊婦，コントロール不十分な出血傾向患者や動脈瘤などがある．**尿路結石**は，その発生部位から順に，**腎結石**，**尿管結石**，**膀胱結石**，**尿道結石**に分類される（図3-2-1）．腎結石のうち母指頭大以下の結石はESWLが第一選択とされているが，それ以外の腎結石には**経皮的腎尿管結石破砕術**（percutaneous

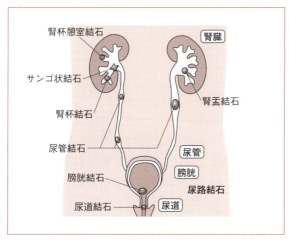

図3-2-1　尿路結石の種類とその発生部位

nephro-ureterolithotomy：**PNL**) が第一選択ともされている．また，腎盂尿管移行部から腸骨稜上縁までの尿管結石が ESWL のよい適応とされている．一方，腸骨稜以下の下部尿管結石や膀胱結石，尿道結石に対しては，後述の**経尿道的尿管結石破砕術**（transurethral ureterolithotripsy：**TUL**) が第一選択とされている．

2) 尿路結石形成の機序と種類

腎臓で結石ができる機序には，尿路感染，代謝異常，食生活，薬剤摂取などがある．尿中に溶けこんでいるカルシウムやシュウ酸，リン酸などのミネラル物質が，何らかの原因で結晶となり，結石が形成される．約8割は原因不明であるが，原因のはっきりしている結石もあり，その1つは現代の食生活が欧米化したことによる「生活習慣病」によるところが大きい．食生活が結石形成に関与する大きな要因は3つあり，動物性食品摂取量の増加（1990年は1955年の約3倍），脂肪の摂取（シュウ酸の増加），砂糖の摂取（尿中 Ca 排泄量の増加）があげられている．また，結石は就寝中（夜）に作られるため，夕食の多量摂取や夕食から就寝までの時間が短いことも結石形成の要因としてあげられている．

部位別では，1965年から上部尿路結石が96％以上を占めており，性別でも1965年頃から男女比はほぼ2.5：1に固定されている．

結石成分に関する2005年のデータでは，上部尿路結石ではカルシウム結石がもっとも多く，男女とも90％以上を占める．一方，下部尿路結石は，上部尿路結石に比べてカルシウム結石の割合が少なく（男性72.0％，女性43.8％），男性では尿酸結石（13.8％）や感染結石（10.1％，リン酸マグネシウムアンモニウム結石など）の割合が，女性では感染結石（49.2％）の割合が多いのが特徴である．

生涯で尿路結石になる割合は，男性が7人に1人（15.1％），女性が15人に1人（6.8％）といわれている．一般的に長期間（10年程度）での再発率は23～40％とされているが，最初の結石発作後4年以内が再発の危険性がもっとも高いといわれている．また初発結石患者と再発結石患者の比は1.7：1で初発結石患者が多い．

3) ESWL の原理

(1) 衝撃波とは

衝撃波（**shock wave**）とは，気体，液体あるいは固体中に蓄えられた大きなエネルギーが瞬間的に解放される時に発生する圧力波を指す（図3-2-2）．身近な例としては，超音速で飛行する飛行機による窓ガラスの振動などがある．人体の結石を破砕する衝撃波は，水中を伝搬する水中衝撃波である．

(2) 衝撃波による結石破砕の原理

衝撃波が，異なった媒質（音響インピーダンスの大きな媒質から小さ

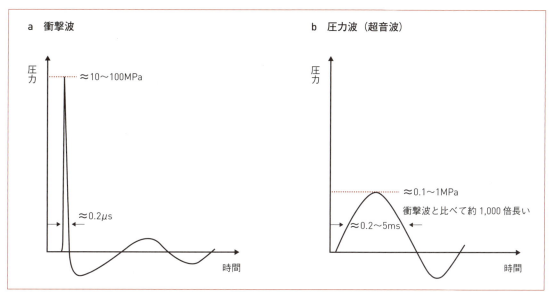

図 3-2-2 衝撃波と圧力波(超音波)との違い　　(カールストルツ・エンドスコピー・ジャパン社資料より)
衝撃波のパルス幅は圧力波と比べて約 1/1,000 と短く,圧力の大きさは約 100 倍大きい.

な媒質)へ入射すると,その境界面で圧力振幅の符号が変わり,逆向きとなって反射する反射波と,進行する透過波が発生する.軟部組織の音響インピーダンスは水とほぼ等しいが,歯,骨,結石などの硬組織の音響インピーダンスは水の 2〜4 倍であるので(表 3-2-1),大きな反射波が発生する.これが結石だけ破砕される理由である.

　一方,粘弾性に富む生体軟組織は,音響インピーダンスも水とあまり変わらないので,衝撃波の通過は無視できる.骨の音響インピーダンスは結石以上に大きいが(表 3-2-1),ESWL の衝撃波の圧力振幅の最大値が結石を破砕する程度であり,骨はそれ以上に硬いので影響されない.一方,液体と気体の音響インピーダンスは大きく異なるので,体内の空気含有臓器(肺や腸)は衝撃波により損傷の危険がある.このため,ESWL 施行時には十分注意が必要である.

　衝撃波が結石中を伝搬する様子を模式化したのが図 3-2-3 である.衝撃波が結石へ入射し(図 3-2-3 の波形 1),内部を伝搬する間は圧縮

 衝撃波について

　衝撃波は,媒質中(気体,液体,固体のいずれも含む)を圧力,温度,密度,速度などの変化が伝搬する圧力波の一種である.衝撃波は変化の過程が不連続であり,媒質中の音速よりも速い速度,すなわち超音速で伝搬する.衝撃波は圧縮波であり,衝撃波の後方では前方に比べて圧力,温度,密度ともに上昇する.衝撃波は媒質中を超音速で移動する物体の周りに発生する.実験的に作製された特殊な衝撃波を除いて,自然界で発生するほとんどの衝撃波は近傍に膨張波を伴っており,伝搬とともに急速に減衰して最終的には音波となる.

表 3-2-1 各種物質の音響特性

物質名	音速 (m/s)	音響インピーダンス (10^6 kg・m^{-2}・s^{-1})	水に対する反射率 (%)
空　　気	330	4×10^{-3}	99.9
脂　　肪	1,450	1.38	0.27
水	1,540	1.53	0
血　　液	1,570	1.61	0.06
筋　　肉	1,585	1.70	0.28
腎	1,561	1.62	0.08
肝	1,549	1.65	0.14
尿 路 結 石（リン酸マグネシウムアンモニウム）	2,730	2.86	32
チョーク	4,225	2.96	33
尿 路 結 石（シュウ酸カルシウム）	6,485	6.25	62
頭　蓋　骨	4,080	7.80	46.0
黄　　銅	4,490	38.0	86

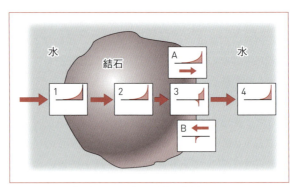

図 3-2-3　衝撃波による結石破砕の模式図

波としての形状を維持する（図 3-2-3 の波形 2）．結石からふたたび水中に抜ける際には，両者の音響インピーダンスの違いにより境界面で一部反射され，波形の位相が反転する（図 3-2-3 の波形 B）．したがって，結石境界面における実際の波形は，A と B が合成されたものになる（図

音響インピーダンスとは

超音波が生体組織中を伝搬する際，伝搬経路にある組織粒子成分が粗密な変化をもつ時，伝搬中各々の点における圧力は下がったり上がったりする．この圧力の差（大気圧からの圧力変動分）を音圧 [Pa] とよぶ．この音圧に対する粒子速度の比を音響インピーダンス（固有音響インピーダンス）といい，$Z = \rho \cdot c$ で表す [Pa・s/m]．ρ は物質の密度，c は音速（伝搬速度）である．とくに平面波の場合の音響インピーダンスは，媒質の密度と音速の積 [kg/m^2・s] により決定される．

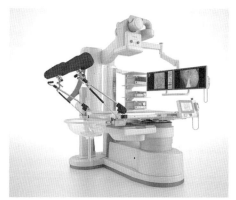

図 3-2-4　結石破砕装置外観
（ストルツメディカル社：モデュリス SLX-F2 connect）

3-2-3 の波形 3）．残りの衝撃波はまわりの水中に抜けていく（図 3-2-3 の波形 4）．実際の結石破砕の原理は物理的に完全には解明されていないが，このように結石境界面で反射した膨張波による引っ張り力が生じ，この力が石の引っ張り強度限界を超えた時に破砕の駆動力となるといわれている．岩石や結石の引っ張り強度は圧縮強度に対して著しく低いため，引っ張り力による破砕が主な駆動力になると考えられている．

4）ESWL 装置の構造

ESWL 装置は，衝撃波発生部とその収束部，生体との接触部，結石の照準装置，患者ベッド，制御装置，モニタなどで構成される（図 3-2-4）．

(1) 衝撃波発生方法および収束方法

衝撃波は，結石の材料力学的な強度（圧縮応力および引っ張り応力）よりも大きい**圧力振幅**として発生させる．ただし，圧力振幅の大きさは生体組織を損傷しない程度であり，衝撃波の持続時間は衝撃波が結石中を伝搬する時間よりも短いことが条件となる．また，生体組織を損傷せずに結石のみを破砕させるために，衝撃波を結石に対して収束させる必要がある．

現在 ESWL で用いられている**衝撃波発生法**と**収束法**を表 3-2-2 および図 3-2-5～8 にまとめた．また，衝撃波発生のメカニズムを図 3-2-9 に示した．

(2) 生体との接触方法

前述のように，衝撃波は媒質に入射すると境界面で反射波が発生し，衝撃波の圧力が失われる．とくに音響インピーダンスの大きい媒質から小さい媒質へ入射すると，大きな反射が生じてしまう．そこで，効率よく衝撃波を生体内部に伝えるため，衝撃波発生部と生体との音響インピーダンスを等しくする必要がある（**インピーダンス・マッチング**）．生体軟組織の音響インピーダンスはほぼ水に等しいことから，弾力性の

表 3-2-2　衝撃波の発生・収束方法とその特徴

衝撃波発生方法	収束方法	特　徴
電極放電方式（図 3-2-5） コンデンサに蓄えられた高電圧のプラグを用い，水中でスパーク放電させる（1980 年～）．	楕円反射鏡	半回転楕円体の金属反射鏡の第 1 焦点（F_1）に電極をおく．16～22 kV の高電圧を 1 μs の間，水中でスパーク放電し，衝撃波を発生させる．反射した波は，第 2 焦点（F_2）へ収束する．人体を動かし，第 2 焦点へ結石を合わせ，結石を破砕する．
圧電方式（図 3-2-6） 複数の圧電素子に高電圧を負荷したことで発生した高振幅超音波が水中に伝搬する間に非線形性質から衝撃波に変化することを利用（1985 年～）．	球面収束方式	圧電素子（チタン酸鉛 $PbTiO_3$）に電圧を加えてひずみを生じさせる逆圧電方式を応用した発生方式．高電圧によって生じた音響振動パルス波（正弦波状）は，水中を伝搬し，非線形性特性により高周波成分が前に進み，次第に波形の立ち上がり分が鋭くなり，衝撃波フロントを形成する．
電磁振動（誘導）方式 高電圧のエネルギーを電磁コイルにパルス状に流すと，電流の変化に伴い磁界が発生し，その電磁誘導により金属振動板に磁界が発生する．これら 2 つの磁界が反発するため，振動板が瞬間的に振動し，衝撃波を発生させる．	平面コイル＋音響レンズ（1985 年～）（図 3-2-7） 円筒型コイル＋パラボラ型反射体（1989 年～）（図 3-2-8）	電磁コイル，金属振動板および音響レンズにて構成．音響レンズ方式の焦点での最大圧力は，電極放電方式よりも小さいが，パラボラ型反射鏡は衝撃波発生面が大きいため，焦点での最大圧力は，電極放電方式よりも大きい．また，反射鏡の口径が大きいため，皮膚通過面の面積が大きく，疼痛が少ない．

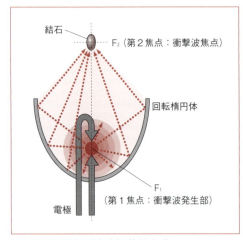

図 3-2-5　電極（水中）放電方式

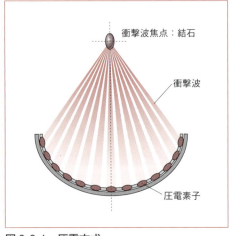

図 3-2-6　圧電方式

ある袋状膜（メンブレンまたはウォータークッション）内に水（脱気水）を満たし，衝撃波をこの水中で発生させ，衝撃波が生体に到達する経路に空気が存在しないように生体へカップリングすると，無駄な反射を起こさずに衝撃波のエネルギーを結石に収束させることが可能となる．

(3) 結石の照準方法

他組織を損傷することなく衝撃波により結石破砕を行うため，結石の正確な位置を知る必要がある．そのため，現在の ESWL は，X 線透視と超音波の 2 種類の**照準方法**を用いることにより，正確な位置決めを実現している（図 3-2-10）．

X 線透視による照準の利点は，尿路結石の約 95％が X 線に写るカル

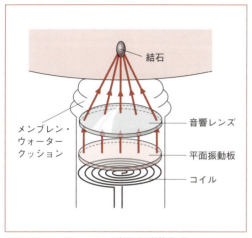

図 3-2-7　平面コイル型電磁誘導方式
（ドルニエ社：リソトリプター SⅡ）

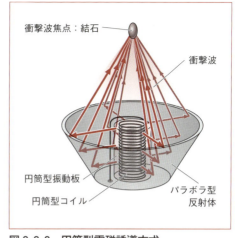

図 3-2-8　円筒型電磁誘導方式
（ストルツメディカル社：モデュリス SLX-F2）

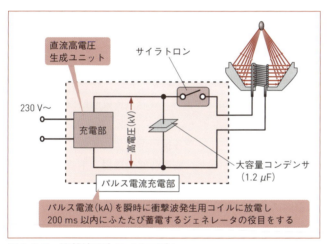

図 3-2-9　衝撃波発生のメカニズム

シウム含有結石のため認識しやすく，また破砕程度が容易に確認できることである．欠点としては，X線被ばくのため観察を常時行うことができず，また部屋にX線防護の設備を設ける必要がある．一方，超音波による照準は，常時観察が可能であり，X線陰影結石（尿酸やシスチン，キサンチン，タンパクなど）も観察可能である利点がある．欠点としては，位置決めの技術習得に時間がかかること，骨盤など骨に重なる尿管結石の描出がむずかしく，砕石の判定が画像上むずかしいことがある．

5) ESWL装置の取り扱いと保守点検

　ESWL装置の構造・原理は，各々のメーカにより異なるため，各施設および各モデルごとに，装置の取り扱いや点検に習熟する必要がある．各装置の取り扱いで共通することは，①準備（ESWL本体，およ

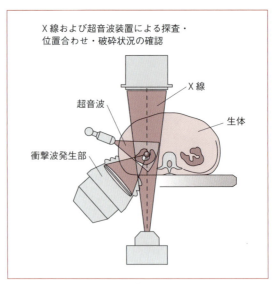

図 3-2-10　結石の照準方法

び各種照準装置の電源 ON の確認と患者テーブルの設置，患者モニタの装着，コントロールパネルスイッチ類の確認，など），②結石位置決め（各種照準装置の位置・モード確認，ウォータークッション密着度の確認，など），③治療開始時の操作・確認（R 波同期機能の確認，焦点・衝撃波発生の確認，エネルギーレベルの確認，など），④終了時の操作・確認（ウォータークッションや各種照準装置の電源 OFF，ウォータークッション内水量のチェック，装置各部の清掃・消毒，消耗品の確認，など）があげられる．以下，ストルツメディカル社の ESWL 装置モデュリスを例に，日常点検と保守点検の要点を述べる．

(1) 日常点検

　ESWL 装置に付随する患者テーブル，ウォータークッション，治療ヘッド，操作パネル，基本ユニットなどの清掃は，爆発しやすい環境を引き起こす揮発性の物質を使わず，各々のモデルに適した洗浄剤や消毒剤を用いることが重要である．また ESWL 装置を内視鏡治療用として利用している場合には，内視鏡手術台衛生基準に従い，また他の診断・治療に用いている場合には，それぞれの衛生基準に従って，洗浄・消毒を行う．患者シートの調整や，消耗品交換としては患者フィルム交換，治療ヘッド（ウォータークッション）内の水量（脱気水）のチェックも必要である．

(2) 保守点検

　メーカの定めた頻度で保守点検を行う．定期的な保守点検を行う場合，次のような安全チェックを行う．

・装置に関係するすべての警告サインの確認
・操作・表示の完全動作確認
・表示部・表示ランプの完全動作確認

- 装置の各部品の損傷の目視確認
- 最大圧力下での水回路（ウォータークッションなど）からの水漏れを目視確認
- 患者フィルムの目視確認
- すべてのケーブル接続の目視確認
- 患者テーブルの衛生状態・絶縁状態の確認
- 水温制御機能の確認
- すべてのスイッチ類の確認
- すべての安全ロック装置の確認
- 電動操作機能（リモコンなどによる）の確認
- 各種照準装置（X線装置，超音波装置），モニタ装置（心電図）を使用している場合は，各装置間のインターフェース機能の確認
- 衝撃波照射エネルギーの自動制御システム・照射頻度の確認
- 緊急停止システムの確認
- すべてのテストプログラムの確認
- 高電圧モニタの確認
- ウォータークッション内脱気システムの確認
- 衝撃波照射のロック・解除機能の確認
- 患者テーブル移動機能の確認
- 漏れ電流，アース線抵抗の確認

6) 内視鏡的結石破砕装置

　現在の結石治療は，腎結石・上部尿路結石に関してはESWLが第一選択となるが，下部尿路結石などには，**経皮的腎尿管結石破砕術（PNL）**（図3-2-11）や**経尿道的尿管結石破砕術（TUL）**（図3-2-12）も選択の対象となる．

　PNLは，1980年代に完成した術式である．ESWLの出現・発展により，サンゴ状結石を除いたPNL適応結石の多くはESWLで治療されるようになった．PNLは経皮的に**腎瘻**（じんろう）を作製し，結石を破砕，排石するものである．内視鏡には硬性鏡，軟性鏡の両方が用いられるが，外径の太いものが選択できるため，超音波破砕装置，電気水圧衝撃波破砕装置，レーザ破砕装置のいずれもが使用可能である．経皮的腎瘻を確保しておけば，容易に繰り返して砕石や排石が行え，サンゴ状結石，水腎を伴う腎盂結石，上部尿管の大きな結石の治療の選択肢となりうる．

　TULとは，経尿道的に内視鏡（尿管鏡）を逆行性に尿管内に挿入し，砕石あるいは排石する手術法であり，尿管結石に対する治療法としてESWLとともに有効な方法として用いられている．尿管鏡には硬性鏡と軟性鏡があり，上部尿管結石に対しては硬性鏡に加え軟性鏡も用いられる．細径化により内視鏡の挿入が容易となり，周辺機器の開発発展により良好な視野が得られるようになった．また，軟性鏡を用いて経尿道

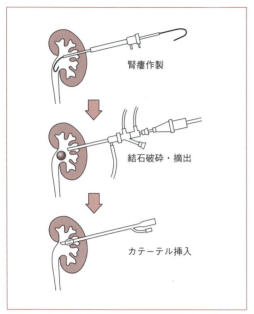

図3-2-11　経皮的腎尿管結石破砕術（PNL）

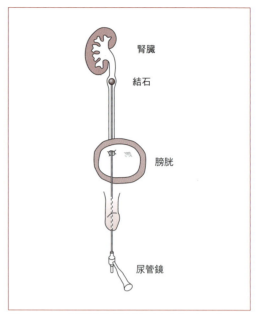

図3-2-12　経尿道的尿管結石破砕術（TUL）

的に腎盂腎杯を観察することも可能になったので，ESWLに抵抗する腎結石に対して単独ないし併用でTULが施行されることもある．

内視鏡下での破砕手段として用いられているレーザや超音波エネルギー，電気水圧衝撃波を用いた結石破砕術について，以下に解説する．

（1）レーザ結石破砕術

レーザ結石破砕の原理は以下のとおりである．レーザ光を結石表面に照射することで，結石の微小部分が高温となり気化し，プラズマが発生する．このプラズマに誘起されて生じる負圧気泡の急激な膨張によって衝撃波を発生させ結石を破砕する（図3-2-13）（第4章参照）．

尿路結石破砕用レーザとしては，従来から波長504 nmの色素レーザや，波長755 nmのアレキサンドライトレーザが使用されてきた．しかし，これらのレーザ光は色素に吸収されやすいという特性があるので，シスチンを含む白色調の結石に対しては一部破砕不能であった．対して，波長2.1 μmの**Ho:YAGレーザ**はシスチン結石も破砕でき，良好な治療成績が報告されているが，組織傷害性が強くなるため，操作上の

経皮的腎瘻造設術

腎実質を通して腎盂内にカテーテルを挿入する方法をいう．PNLでの「腎瘻」とは，瘻孔を通して内視鏡を腎盂内に挿入し，結石摘出その他の腎内操作を行うことを目的に一時的に造設することをさす．従来は手術的に造設されてきたが，最近は超音波ガイドおよびX線透視下に腎を露出することなく，経皮的に穿刺し，それに引き続く拡張法により腎瘻を造設する（経皮的腎瘻造設術）．

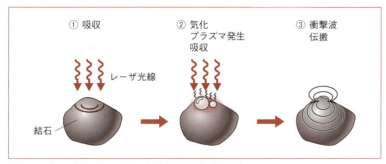

図 3-2-13　パルスレーザによる結石破砕の原理

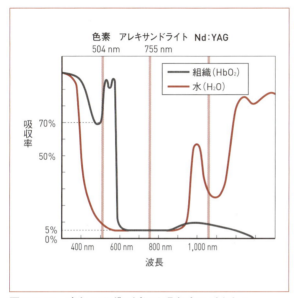

図 3-2-14　水とヘモグロビンの吸収率スペクトル

注意がより必要となる．

波長 504 nm のパルス波色素レーザは水に対する吸収が低く（図 3-2-14），この波長は褐色調の結石における破砕効果は良好であるが，結石の色調によっては十分な破石効果が得られない場合もあった．また，波長 755 nm の Q スイッチアレキサンドライトレーザも用いられてきた（図 3-2-14）．この発振媒質は人工結晶である固形アレキサンドライト（ベリリウムアルミネートに Cr をドープした合成固体）である．このレーザは水に対する吸収が低いだけでなくヘモグロビンに対する吸収率も低く，パルス波色素レーザに比べ尿路組織に対する傷害の危険性が少ないという特徴がある．さらに，ファイバ径が細いため硬性鏡だけでなく軟性鏡にも使用できるが，破砕力は若干劣る．

(2) 超音波結石破砕術

初期の超音波結石破砕装置のプローブは，太い硬性鏡を必要としたので操作性に難があったが，最近では改良され細径のプローブが開発されている．圧電素子により発生した超音波により，機械的振動を金属棒の

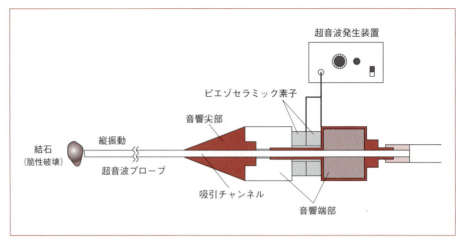

図 3-2-15　超音波プローブの構造

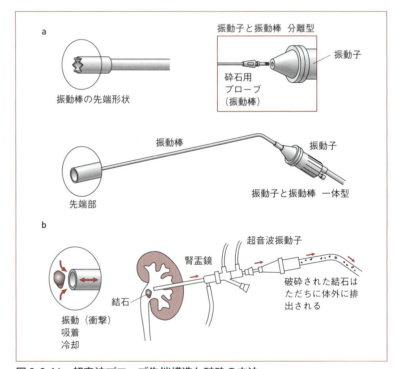

図 3-2-16　超音波プローブ先端構造と破砕の方法

先端に与えることによって，振動エネルギーを結石に伝え破砕するものである（図 3-2-15）．超音波振動子には中空の金属プローブが接続され，この先端を結石に押し当てるとプローブ先端が周波数 25 kHz 前後，30～100 μm で振動する．中空プローブの中には還流液が流れ，プローブ先端を冷却するとともに，破砕された結石片を吸引し体外へと排出する（図 3-2-16）．

特徴としては，レーザや電気水圧による破砕術よりも安全な結石片の吸引除去が可能である．しかし，硬性鏡しか使用できないことや，硬い

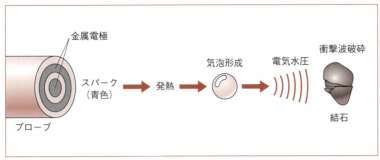

図 3-2-17　電気水圧衝撃波結石破砕装置のプローブ先端構造と砕石の方法

表 3-2-3　内視鏡的破砕装置による結石破砕の特徴

	破砕原理	破砕方法	プローブ種別
レーザ	レーザ（プラズマ誘起衝撃波）	接触・非接触型	軟性（ファイバ導光）
超音波	超音波振動（機械的）	接触型	硬性
電気水圧	電気水圧（水中衝撃波）	非接触型	軟性

結石は割れにくく，とくに細いプローブしか利用できない尿管結石では破砕能力が弱くなるという弱点もある．

(3) 電気水圧結石破砕術

電気水圧衝撃波結石破砕装置のプローブ先端には電極が2個ついている．これに高電圧を印加すると，先端部にスパーク（高圧放電）が発生する（図 3-2-17）．このスパークは非常に狭い範囲で周りの環流液を沸騰させ，その結果気泡が生じ，きわめて速い水流が出現する．これが水中衝撃波となる．装置は本体とプローブからなり，小型で，プローブは軟性鏡でも使用できるのですべての部位の尿路結石に使用できる．結石の破砕力は強力であるが，結石以外の正常組織の損傷も大きく，粘膜損傷や出血などのリスクが存在するという欠点がある．また，プローブの消耗が激しく，1回限りで交換となる．

(4) 各種内視鏡的破砕装置の比較

各種内視鏡的破砕装置を用いた結石破砕についての特徴を表 3-2-3 に示した．

3 心血管系インターベンション装置

1. 心血管インターベンション
1）目的と歴史

　interventional radiology（IVR）とは，X線透視や血管造影検査などの手技を応用し，血管や消化管内から狭窄などの病変を治療することをいう．診断業務が主であった放射線診断医が，種々の画像診断装置と専用の治療器具を用いて，既存の手術に匹敵する治療領域に「介入」していくという意味も込めて，interventional radiology という言葉が使用されるようになった．わが国には interventional radiology に対する正確な訳語は存在せず英語のまま用いられており，「インターベンション」「IVR」と略されることも多い．

　IVR用の診療器材を利用して，狭窄・出血・動脈瘤などの血管病変を治療する手技は，脳神経外科，心臓血管外科，腫瘍外科，外傷外科などの手術の一部を代替できるレベルに到達した．

　IVRの対象は，血管だけでなく消化管や尿路など管腔臓器の狭窄などに対する治療などにも及んでいる．今日のIVRは，X線透視や血管造影装置だけでなく，超音波断層診断装置やCT，MRI なども含めた画像診断装置を利用し，最小限の侵襲下に治療器材を病変部まで誘導して治療する臨床手技を含むようになり，従来の手術では侵襲が過大で手術適応外であった患者への治療法としても確立した．

　IVRは血管や消化管などの管腔臓器や，穿刺などで確保した狭小な空間から治療を行うので，IVRの成否は，病変部への治療機器の正確な誘導と治療状況をモニタする画像診断装置・専用治療機器に大きく依存する．

　また，低侵襲とはいえ，患者の心臓・血管・消化管などに対して従来の手術と同様の効果をもった治療を行うので，放射線科医と診療放射線技師だけでなく，疾患の病態を理解した専門医や医療スタッフの関与が求められる領域でもある．したがってIVRは，放射線診断部門で産声をあげた領域ではあるが，診療放射線技師だけでなく臨床工学技士の関与もこれまで以上に必要とされる学際領域といえる．

2. 冠動脈インターベンション
1）冠動脈インターベンションの臨床

　経皮的冠動脈形成術（percutaneous transluminal coronary angioplasty：**PTCA**）とは，カテーテルを大腿動脈や上腕動脈などから冠動脈の狭窄部位まで挿入し，狭窄部をバルーンで拡張する手技である．

1977年にスイスのGruentzigらにより臨床応用が開始された．PTCA開始当時の冠動脈バイパス手術は，全身麻酔下に胸骨正中切開を加え，人工心肺装置を用いた心停止下に行われるという高侵襲の術式のみであった．これに対しPTCAは，カテーテル穿刺部の局所麻酔下に実施可能という低侵襲性もあって急速に普及した．しかし，虚血性心疾患を有する患者の冠動脈をバルーンで拡張するPTCAの手技自体に，血管損傷，急性冠動脈閉塞，不整脈や術後出血などの合併症のリスクが存在する．これらに対しては，術中・術後の種々の生体情報モニタと循環管理，さらに緊急手術に対応できる心臓外科医や手術部・CCUスタッフなどとの連携体制構築が必須である．

またPTCAの普及に伴い，バルーンによる拡張のみでは冠動脈の再狭窄が発生することも判明した．今日では，再狭窄予防と安全性向上のための手技や機材を活用する冠動脈形成術が実施されており，**経皮的冠動脈インターベンション**（percutaneous coronary intervention：**PCI**）という用語が使用されるようになった．このため，従来のバルーン形成術は**POBA**（plain old balloon angioplasty）とよばれている．

2) PCIの方法と使用器材

PCIは血管造影の手技を用いるので，心臓血管撮影装置が設置された検査室で施行することはいうまでもない．虚血性心疾患の状態悪化，PCIによる心筋虚血をはじめ，全身状態悪化の早期発見のためにも，心電図モニタ，血中酸素飽和度モニタ，血圧モニタだけでなく，ACT（activated clotting time）測定や術中の尿量モニタなども重要である．

PCIの手技は次のように行う．大腿動脈や上腕動脈などを局所麻酔下に穿刺し，穿刺部から目的の冠動脈口まではガイドワイヤを軸として適切な形状のカテーテルを逆行性に挿入する．造影剤を注入し狭窄の位置と程度を診断のうえ，目的部位にバルーンカテーテルを挿入し，バルーンによる拡張を行う．狭窄部を拡張するバルーンは10〜20気圧前後の拡張圧で30〜60秒保持する．拡張圧や時間は症例に応じて適宜変化するが，血管損傷の有無や心筋虚血の状態をX線透視や心電図などで厳重に監視しながら行うことはいうまでもない．ガイドワイヤ，カテーテル，バルーンカテーテルなどは，ディスポーザブル製品としてさまざまな形状や太さのものが市販されている．

バルーンによる冠動脈狭窄部の拡張（POBA）には，拡張部の内膜の断裂，解離部への血栓付着や動脈攣縮による冠動脈の急性閉塞の合併症のリスクとともに，数カ月以内に再狭窄が45％程度の頻度で発生することが判明した．このようなPOBAの欠点を補うために開発された治療手技と器具を，PCI領域ではnew devicesと称した．代表的なnew devicesについて説明する．

(1) 冠動脈内ステント

ステントとは，歯科用矯正具を開発したStent博士にちなんで名づけられたものであるが，現在では血管や消化管などの内腔に留置することにより，狭窄した管腔を持続的に拡張する器具を指すものとして広く用いられている．バルーンとともに狭窄部まで挿入しバルーンによりステントとともに狭窄を拡張するバルーン拡張型と，形状記憶合金などによる自己拡張力を有する自己拡張型などに分けられる．

冠動脈に使用されているステントは，金属（ステンレススチール，コバルト・クロム，プラチナ・クロムなど）を網目状に組み合わせて血管を拡張するもので，さまざまな種類が開発されている．

ステント留置後の血栓形成対策は，冠動脈の再狭窄・閉塞対策として重要である．留置後の抗血栓療法（抗血小板薬，抗凝固薬）の工夫とともに，ステント自体の改良によって血栓閉塞が減少した．薬剤溶出性ステントは，ステントに免疫抑制剤などをコーティングすることで拡張部位の炎症反応を抑制し，ステント留置後の再狭窄を予防するものである．

(2) プラーク切除術

プラーク切除術とは，冠動脈内に挿入した切削器具で冠動脈狭窄部の粥状硬化巣を直接切削するものであり，機械的に粥状硬化巣を切削する粥腫切除術（アテレクトミー）と，レーザ血管形成術などが行われている．ここでは，わが国でも現在一般的に行われているアテレクトミーについて説明する．

①回転性アテレクトミー（rotational atherectomy）

回転性アテレクトミーとは，高速回転する**ロータブレータ**（rotablator）を用いて狭窄部をきわめて微細な砕片に粉砕するものである．ロータブレータ先端は，工業用ダイヤモンドの微細粒子をコーティングした卵円形チップとなっており，毎分14万〜20万回高速回転して硬い動脈硬化組織を切削する．切削後のアテロームは赤血球よりも小さな砕片となって流出する．

②方向性アテレクトミー（directional coronary atherectomy：DCA）

DCAデバイスは，カテーテル先端に毎分2,000回転する切除用カッターを内蔵する円筒状のハウジングを有し，カッターの対側にはバルーンが装着されている．バルーンを拡張すると粥状硬化巣（アテローム）は，カッターを内蔵した開窓部に押しこまれて切除される．方向性アテレクトミー（方向性冠動脈粥腫切除術）とは，このDCAデバイスを用いて狭窄部を切削するもので，切削した粥状硬化巣はDCAカテーテルの先端部に回収される．

その他のnew devicesとして，拡張用バルーンに切開用の刃をつけたカッティングバルーンや，狭窄予防の薬剤を表面に塗布した薬剤塗布バルーン（drug coated ballon：DCB），また操作中に血栓や粥状硬化

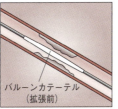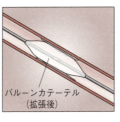

図 3-3-1　PCI の概念図
狭窄部にガイドワイヤを挿入後，バルーンで拡張（径 3 mm 前後，8～12 気圧）．
（Boston Scientific Corporation ホームページより）

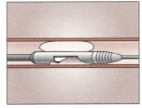

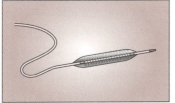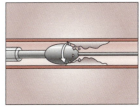

冠動脈用ステント

DCA（Directional coronary atherectomy）
狭窄部をバルーンで拡張するとともに，「窓」に入り込んだ粥状硬化部をカッターで切除．

バルーンカテーテルとステント
Express2 Coronary Stent System
（Boston Scientific 社ホームページより）

ロータブレータ
微小な人造ダイヤモンド粒子で覆われたドリルを 14～20 万回転/分させ，硬い動脈硬化病変のみを粉砕する．

図 3-3-2　冠動脈インターベンションの使用機器

巣の破片による末梢血管での塞栓発生を予防するために，血栓吸引デバイスなども開発されてきた（図 3-3-1，2）．

3. 大動脈と末梢血管に対する IVR

　閉塞性動脈硬化症などの末梢血管の狭窄に対するバルーン拡張や，ステント留置などの IVR 治療は，冠動脈に対する PCI 同様に施行されており，**経皮的動脈形成術**（percutaneous transluminal angioplasty：**PTA**）とよばれている．PTA の対象は腸骨動脈，大腿動脈，腎動脈，頸動脈などさまざまな血管であるが，再狭窄予防のための薬剤溶出性ステントなども使用されている．

　大動脈瘤は放置すると致命的破裂にいたる疾患であり，従来から人工

血管置換手術が行われてきた．しかし，背景に脳血管疾患や虚血性心疾患などを抱えた高齢者が多いこともあり，開胸・開腹などの手術侵襲の大きさは依然として大きな課題である．このようななかで，大動脈瘤に対する低侵襲治療として，ステントグラフト内挿術がIVRの一つとして急速に進歩している．

ステントグラフト内挿術の原理は，末梢動脈から挿入したカテーテルを利用してステントグラフトを大動脈瘤内に挿入するものである．使用するステントグラフトは，金属グラフトをポリエステルやポリテトラフルオロエチレン（PTFE）製の人工血管で被覆したものを細かく折りたたんだものである．これを血管内に挿入し，X線透視下に動脈瘤の中枢側と末梢側の健常部位にステントグラフトを拡張固定する．ステントグラフト留置によって，病変部の血行再建とともに瘤内の血流が途絶され，動脈瘤内は血栓形成とともに器質化されるのである．

腹部大動脈から両側の総腸骨動脈におよぶ病変には，Y型ステントグラフトを用いたステントグラフト内挿術も行われている．胸部大動脈瘤の治療は，これまではきわめて大きな侵襲を伴う大血管外科手術しかなかった．しかしIVRやIVRと開胸手術の組合せによる胸部大動脈瘤ステントグラフト留置が行われるようになり，弓部大動脈瘤への枝付きステント留置術も行われるようになった．近年では心臓血管造影設備を兼ね備えた**ハイブリッド手術室**の整備も進んでいる．

大動脈瘤へのステントグラフト内挿術の合併症には，ステント挿入時の血管損傷や末梢動脈への塞栓症，瘤内の血流残存によるエンドリーク，肋間動脈閉塞による脊髄虚血などがあるが，既存の外科手術の侵襲の大きさを克服する治療法として期待されている（図3-3-3, 4）．

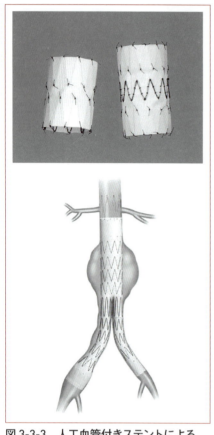

図3-3-3　人工血管付きステントによる大動脈瘤のIVR治療
(Zenith AAA™ (Cook社). 同社ホームページ www.cookmedical.com より)

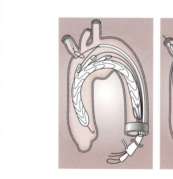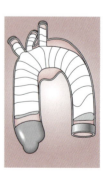

図3-3-4　弓部大動脈への分枝型ステントグラフ留置方法
（井上寛治, 山口 徹：僧帽弁交連切開術（PTMC）の開発. 心臓, 39(1), 66, 2007 より）

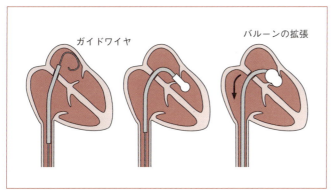
図 3-3-5　PTMC の概念図
（日本 ME 学会 ME 技術教育委員会：ME の基礎知識と安全管理改訂第 4 版. 307，南江堂，2002 より）

4. 心臓内腔からの IVR

(1) 経皮的僧帽弁交連切開術

僧帽弁狭窄症に対する IVR として，バルーンカテーテルを用いた僧帽弁交連切開術がある．これは，経静脈的に挿入したカテーテルを用いて心房中隔を穿刺し，左心房までガイドワイヤを挿入し，このガイドワイヤを用いて拡張用バルーンカテーテルを狭窄のある僧帽弁まで到達させて拡張するもので，**経皮的僧帽弁交連切開術**（percutaneous transluminal mitral commissurotomy：**PTMC**）とよばれている（図 3-3-5）．

(2) 経カテーテル大動脈弁置換術

高齢化社会の進行とともに大動脈弁狭窄症が増加している．大動脈弁狭窄症の原因には加齢変性，リウマチ性，先天性があるが，リウマチ性大動脈弁狭窄症は激減し，加齢変性による大動脈弁狭窄症が大部分を占めるようになった．症状出現後の進行は速く，心不全発生後の生命予後は約 2 年とされ，根治治療としては弁置換術が必要である．しかし，高齢患者のなかには人工心肺を用いた大動脈弁置換術の適応外となる症例も少なからず存在する．

このような背景のなかで，経カテーテル的に人工弁を留置する**経カテーテル大動脈弁置換術**（transcatheter aortic valve implantation：**TAVI**）が 2002 年にフランスで開始され，これまで世界で 30 万人以上の患者に実施されている．日本でも 2013 年の保険収載後，高齢者や外科手術のリスクが高い症例を中心に急速に症例数を増やしている．TAVI は高齢者・高リスク患者以外にも適応を拡大する傾向にある．

TAVI は大腿動脈からカテーテルを挿入し，TAVI 用人工弁を留置するが，腸骨動脈狭窄などで大腿動脈からの TAVI が困難な症例では，開胸して心尖部から留置することもある（図 3-3-6）．

TAVI の合併症には，留置後の弁周囲からの逆流（paravalvular leak：PVL）や弁への血栓形成とともに，術中・術後急性期の弁輪破裂，心室穿孔，冠動脈閉塞，房室ブロックなどがある．このため TAVI

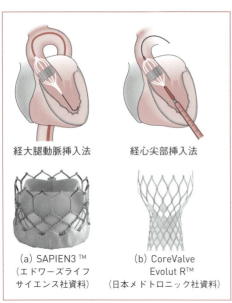

図 3-3-6　TAVI の手法と使用する人工弁
日本で使用されている 2 種類の TAVI 弁．(a) バルーン拡張型，(b) 自己拡張型．

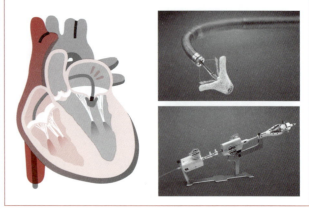

図 3-3-7　MitraClip™ の経カテーテル的僧帽弁閉鎖不全治療
（アボットメディカルジャパン合同会社資料より）

施行中は緊急開心術の準備が必須である．したがって，TAVI には人員・設備双方について施設基準が設けられているとともに，心臓血管造影装置を備え緊急開胸手術が可能なハイブリッド手術室で実施することとなっている[5]．

(3) MitraClip™ による僧帽弁閉鎖不全治療

僧帽弁閉鎖不全に対する新たな IVR として，**経カテーテル的僧帽弁閉鎖不全治療**がある．これは大腿静脈から挿入したカテーテルを心房中隔穿刺により左房まで進め，**MitraClip™** を用いて閉鎖不全状態の僧帽弁を縫縮するものである（図 3-3-7）．

5. 経皮的血管塞栓術

出血性病変に対し，血管カテーテルを用いて血流を遮断する塞栓物質を血管内に注入し止血する手技は，IVR の重要な領域である．塞栓物質としては，種々の止血剤やエタノールなどとともに，糸，油脂，金属コイルなど，血管内の血栓形成を強力に促進する物質が用いられる．

とくに脳動脈瘤に対する血管内治療は，開頭手術によるクリッピングに比べてきわめて低侵襲で，開頭手術では困難な深部の動脈瘤，重症例，高齢者の脳動脈瘤の治療も可能なため急速に普及した．経皮的血管塞栓術は脳外科領域以外にも，外傷・癌・血管奇形などさまざまな疾病や臓器の血管塞栓にも広く用いられている（図 3-3-8）．

6. カテーテルアブレーション

熱を用いて病変を変性・破壊する治療法を**アブレーション**（ablation）という．**カテーテルアブレーション**とは，不整脈の発生源や発生経路の組織を，カテーテルを介した高周波通電によって破壊する治療である．

カテーテルアブレーションは，WPW症候群，房室結節リエントリー頻拍，心房細動，心房粗動，特発性心室頻拍，心室性期外収縮など，限局した頻拍回路が原因となる薬剤抵抗性の頻拍性不整脈がよい適応である．また，肺静脈起源の不整脈に対しては，**高周波アブレーション**とともに**冷凍アブレーション**（cryoablation）も行われるようになった．

現在のカテーテルアブレーション治療では，心臓血管撮影装置・高周波アブレーションカテーテル・高周波発生装置とともに，診断用電極カテーテル・心内電位記録装置・電気刺激装置・3次元マッピング装置などを用いて病変部位診断を行っている．

高周波アブレーションカテーテルに備えられた温度計測用サーミスタ・先端冷却機能（イリゲーションカテーテル）による血栓形成監視・予防機能や，先端可動式カテーテルによる操作性向上などにより，より安全で正確なアブレーション治療が可能となった．カテーテルアブレーション治療時も，心電図・血圧・酸素飽和度などの術中モニタとともに除細動器を含めた救急用器材の準備点検が不可欠である．

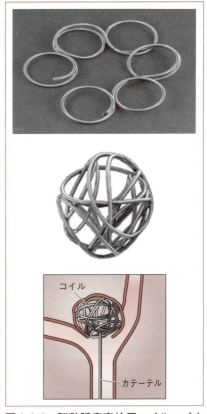

図 3-3-8　脳動脈瘤塞栓用コイルマイクロプレックスコイルシステム（マイクロベンション社，テルモ社ホームページより引用）とコイル挿入の概要

Tips　フローダイバーター

コイル塞栓術では治療が困難であった巨大な脳動脈瘤への治療法として近年開発されたものに，フローダイバーター（flow diverter）がある．これは動脈瘤根部の開口部の血管に，目の細かいステントを留置することで，瘤内への血液流入を減少させ，動脈瘤内に血栓を形成することで，動脈瘤を器質化させるものである．日本でも2015年に一定以上の大きさの脳動脈瘤に対し保険適応となった（図 3-3-9）．

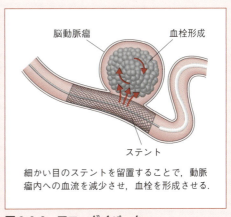

細かい目のステントを留置することで，動脈瘤内への血流を減少させ，血栓を形成させる．

図 3-3-9　フローダイバーター

4 輸液ポンプ

輸液ポンプは，単位時間あたりの設定流量を正確に注入し，安定した輸液量を維持するために用いられる機器である．点滴筒内を滴下する滴数を数えローラクレンメを用いて流量を調節する従来の方法に比べ，流量設定の精度が格段に高いため，高カロリー輸液，高濃度薬剤の投与，化学療法剤の投与のような高い定常性が求められる輸液に適している．また，ダイヤルやボタン操作で簡単に調節できることから，集中治療室（ICU），冠疾患集中治療室（CCU），手術室，一般病棟，外来など広く臨床の場で使用されている．

1. 輸液ポンプの構成と分類

輸液ポンプは，制御部，センサ部，ポンプ部，表示部，電源部より構成される（図3-4-1）．また，送液方式によって表3-4-1のように分類される．

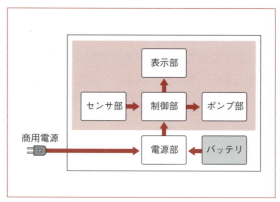

図3-4-1　輸液ポンプの構成

表3-4-1　輸液ポンプの分類

方式		名称	JIS規格改定名称（2018年）*
機械注入方式	ペリスタルティック方式	ローラ型	ボルメトリック型輸液ポンプまたは経腸栄養用ポンプ
		フィンガ型（滴数制御・流量制御）	
	ピストンシリンダ方式	ボルメトリック型	注射筒またはコンテナポンプ
		シリンジ型	
自然滴下方式		輸液コントローラ	ボルメトリック型輸液コントローラ
予圧注入方式		バルーン式インフューザ	携帯型輸液ポンプ
		バネ式インフューザ	

*：JIS T 0601-2-24.

1) 機械注入方式

表3-4-2は，機械注入方式に属する輸液ポンプの特徴を比較したものである．

(1) ペリスタルティック方式

輸液セットのチューブをポンプによって蠕動運動させて薬液を送り出す方式である．安全機構として，流量異常，回路閉塞，液切れ，気泡混入，ドアオープン，電圧低下など，さまざまな異常検出機能が装備されている．

①ローラ型（図3-4-2）

一定方向に回転するローラが，ローラポンプにかけた輸液セットのチューブをしごくことで，チューブ内の薬液を送り出す構造である．チューブの径や弾力性によって流量が変化するので，多くは専用の輸液セットを使用する．そのため，流量の定常性に優れる．また，フィンガ

表3-4-2 機械注入方式の輸液ポンプの特徴

分類	ペリスタルティック方式			ピストンシリンダ方式	
	ローラ型	フィンガ型		ボルメトリック型	シリンジ型
制御方法	ローラポンプ	滴数制御	流量制御	ピストンシリンダ	ピストンシリンダ
使用目的	特殊輸液（大量・輸血など）	通常輸液	通常輸液	通常輸液〜微量輸液	微量輸液
流量精度	普通	薬液粘性影響あり	良	良	最良
操作性	容易	容易	容易	やや複雑	容易
輸液セットの装着	容易	容易	容易	やや複雑	容易
注入確認	点滴筒で落下を確認	点滴筒で落下を確認	点滴筒で落下を確認	不可	不可
長時間大量使用	可	可	可	可	不可
輸液セット	専用	汎用	専用		
滴数セット	設定不要	20滴/mL・60滴/mL	設定不要		
滴下センサ	不要	必要	オプションなど		

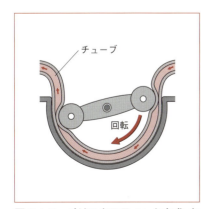
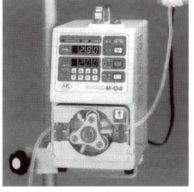

図3-4-2 ペリスタルティック方式（ローラ型） （JMS社製）

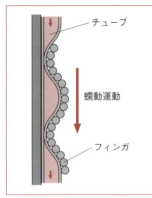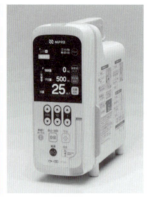

図 3-4-3　ペリスタルティック方式（フィンガ型）
写真左：ニプロ社，写真中央：ジェイ・エム・エス社，写真右：テルモ社．

型よりも高流量が得られ，さらに，ローラポンプの動きが外部からみえるため，チューブのかけ間違いなどを確認できるという特徴がある．

②フィンガ型（図 3-4-3）

　平行に並んだ数十本の円筒型の棒状または板状のフィンガがカムによって動作し，流れ方向にチューブを順次押し潰して薬液を送り出す構造である．汎用の輸液セットを使用する機種では，流量の定常性に劣る傾向も否めない．このため最近では，専用の輸液セットを使用する定常性の優れた機種も出てきた．

(2) ピストンシリンダ方式

　薬液容器の体積を機械的に縮小させて薬液を送り出す方式である．安全機構として装備される異常検出機能は電圧低下などに限定されていたが，回路閉塞などの検出機能を装備した機種も販売されるようになった．

①ボルメトリック型

　ピストン，シリンダ，バルブから構成される専用カートリッジを用いて薬液を送り出すタイプである．カートリッジのピストンが下がるとシリンダ内に薬液が流入し，ピストンが上がるとシリンダ内の薬液が流出する．このピストンをモータで駆動させることによって連続的に送液される．シリンダ容量が決まっているため流量の精度は高いが，カートリッジが高価なことやセットアップに手間がかかることが欠点である．

②シリンジ型（図 3-4-4）

　シリンジ（注射筒）に薬液を充塡し，設定した速度でスライダがシリンジの押し子を機械的に押し込んで薬液を送り出すタイプである．脈流（後述）が生じにくく，流量の精度は低流量でも高いため，微量の薬液を高い定常性で送ることができる．したがって，心血管系作動薬や抗不整脈薬など微量で強力な作用を呈する薬液の投与や，未熟児・新生児への薬液の投与などに用いられる．最近では，プログラム注入やガンマ量注入が可能なポンプも開発されている．

　機種によって使用するシリンジが決められており，指定以外のシリン

---

keyword

ガンマ量

ガンマ（γ）とは $\mu g/kg/$ 分，すなわち，1 分間で体内に注入する体重 1 kg あたりの薬液量を意味する．微量薬剤の注入速度として臨床現場で慣用的に広く用いられている．体重 50 kg の人の場合，1 γ は 50 $\mu g/$ 分となり，同じ値でも体重によって注入速度が異なる．

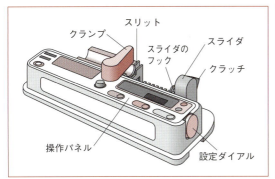
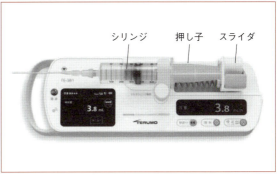

図 3-4-4　ピストンシリンダ方式（シリンジ型）

（テルモ社：テルフュージョンシリンジポンプ 38 型）

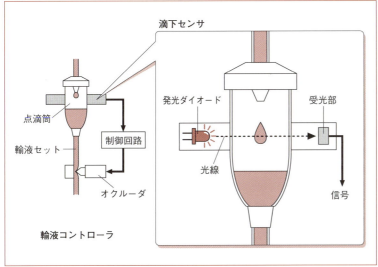
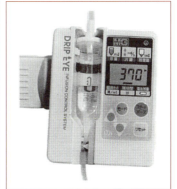

図 3-4-5　自然滴下方式（輸液コントローラ）

（ミユキ技研社製）

ジを使用すると流量の精度が落ちるものもある．最近では，薬物名や濃度などがあらかじめシリンジに記載され，ポンプにセットするだけで使用できるプレフィルドシリンジ製剤も汎用されている．これは薬物の取り違え防止などに有用である．

2) 自然滴下方式（図 3-4-5）

輸液セットの点滴筒に装着して滴下数を検出する滴下センサと，チューブを圧閉するオクルーダからなる小型の輸液コントローラを用いて，滴下数を調節する方式である．滴下センサが検出した滴下数に基づいて，設定した滴下数となるようにオクルーダが圧閉度を調整する．落差圧による逆流に注意する．

3) 予圧注入方式（図 3-4-6）

薬液容器にあらかじめ圧をかけておき，リリース弁の開放によって容

> **臨床とのつながり**
> 新型コロナウイルス（COVID-19）の感染が危惧される昨今，医療施設は，重症患者の適切な治療や，患者と医療従事者間の二次汚染のリスク軽減を目的として，使い捨ての単回注入用エラストマーポンプの使用が増加している．

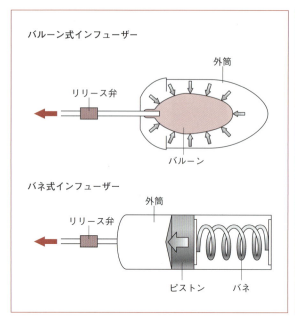

図 3-4-6　予圧注入方式（インフューザー）

（バルーン式インフューザー：ニプロ社製）

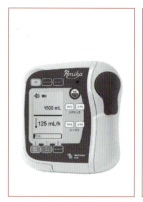

図 3-4-7　経腸栄養用輸液ポンプ
左：ジェイ・エム・エス社，右：ニプロ社．

> **TOPICS**
> エラストマー輸液ポンプは，化学療法，抗生物質，鎮痛剤，麻酔薬などの液体薬剤を，必要な治療法に応じて静脈内投与するために使用される医療機器である．バルーン状の容器に圧力をかけ，薬液を一定速度で安全に送り出すことができる．さらに，在宅医療への移行に伴い，従来の電動ポンプよりも管理がしやすいエラストマー輸液ポンプの汎用が今後見込まれる．

国家試験
経腸栄養用輸液ポンプ
令和3年版臨床工学技士国家試験出題基準では，「その他の薬剤等注入ポンプ」の中項目に「経腸栄養用注入ポンプなどを含む」が含まれている．

器内の薬液を徐々に放出させる方式である．**エラストマー輸液ポンプ**ともよばれる．バルーンで圧をかける**バルーン式インフューザー**と，バネとピストンで圧をかける**バネ式インフューザー**がある．いずれも小型軽量であり，携帯型のディスポーザブルポンプに応用されている．

4）経腸栄養用輸液ポンプ（図3-4-7）

　経腸栄養に用いられる輸液ポンプである．電動のポンプ方式には蠕動式フィンガ（ペリスタルティックフィンガ）方式，容積制御方式（ボルメトリック型）等がある．また，予圧注入方式も以前と比べて多く汎用されている．

2. 輸液ポンプの流量の制御方式
1）滴数制御型
　点滴筒に滴下センサを装着し，検出した滴下数によって駆動源をフィードバック制御しながら流量を制御するタイプである．汎用の輸液セットが使用できる．

2）流量制御型
　ポンプのモータの回転数を変えて流量を制御するタイプである．チューブの径や弾力性によって流量が変化するため，専用の輸液セットが必要である．流量の精度は滴数制御型よりも高い．

3. 滴下センサ（図3-4-5）
　滴下センサは，輸液セットの点滴筒に装着して滴下数を検出する小型の装置である．発光ダイオードと受光部で構成され，これらが点滴筒を挟んで対峙するように装着する．発光ダイオードが発した光は点滴筒を通過して受光部で感知され，点滴筒内で薬液が滴下すると光が遮られて1滴とカウントされる．滴下センサは，輸液コントローラや流量異常・液切れの異常検出機構に用いられる．

　点滴筒内で滴下する1滴の量は諸条件によって変化するため，流量精度の向上には誤差要因の補正が必要である．主な誤差要因には，滴下速度，薬液濃度，点滴筒の傾きなどがあげられる．滴下速度が速いほど，薬液濃度が高いほど，1滴の量は減少する傾向にある．

　また，流量設定には，使用する輸液セットで1 mLの送液に相当する滴下数が必要であり，この値を輸液ポンプにあらかじめ設定しておかなければならない．

4. 輸液セット
　材質はおもに塩化ビニルであり，一般回路，小児回路，定量筒付きなどに分類される．滴下量は，一般回路では20滴/mL（2009年4月〜），小児回路および定量筒付きでは60滴/mLである．

5. 輸液ポンプの使用手順
1）機種選択
　用途にあった輸液ポンプを選択する．

2）使用前の点検
　機器本体，電源コード，電源プラグ，アースなどに破損や汚れがないことを確認する．センサを用いる機種ではセンサの光窓に汚れがないことを，バッテリ内蔵の機種ではバッテリの充電状態を確認する．また，電源スイッチを入れてアラームが正常に動作することを確認する．

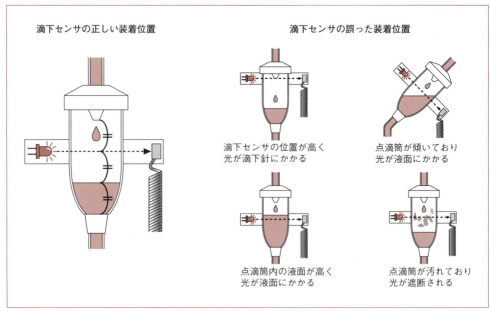

図 3-4-8　滴下センサの取り付け方

3）機器装着

点滴が自然落下によって流れることを確認したうえで，輸液セットに機器本体を装着する．ペリスタルティック方式の輸液ポンプを装着する場合は，ポンプ部にかけたチューブにたるみやかけ間違いがないことを確認する．滴下センサを使用する場合は，センサを点滴筒に適切に装着する．シリンジポンプを使用する場合は，使用するシリンジが機種に指定されたものであることを確認する．

4）作動開始

流量または滴数を設定してポンプを作動させる．

6. トラブルと対応
1）流量異常

流量異常には以下のような原因があげられる．

①チューブの磨耗・変形

ペリスタルティック方式の輸液ポンプで，チューブの同じ部位にローラやフィンガが長期間作用すると，その部位が磨耗・変形して流量が減少し，正確な流量が維持できなくなる．対策として，ローラやフィンガが当たる部位を時折変えたり，輸液セットを定期的に交換したりする．

②滴下センサの不備（図 3-4-8）

発光ダイオードが発する光が点滴筒内の滴下針や液面にかかっていたり，点滴筒や滴下センサの光窓が汚れていたりすると，滴下を感知できなくなる．対策として，点滴筒や滴下センサの光窓をよく磨いたうえ

国家試験

輸液ポンプのトラブルと対応

令和 3 年版臨床工学技士国家試験出題基準では，「輸液ポンプ，シリンジポンプ」の中項目に「事故事例と安全対策を含む」が含まれている．

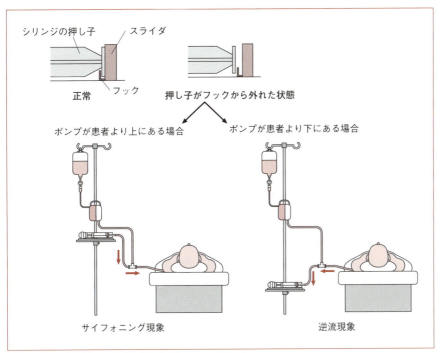

図 3-4-9　サイフォニング現象，逆流現象（シリンジ型）

で，光が針や液面にかからないように滴下センサを点滴筒に正しく装着することが重要である．

③滴数設定の誤り

滴数制御型の輸液ポンプでは，使用する輸液セットに応じた正しい滴数を機器本体に設定しなければ，流量誤差の原因となる．一般的に液粘性の大きいアルブミン製剤やブドウ糖液などが対象となる．その誤差は10%ブドウ糖液で5%，50%ブドウ糖液で10%生じるとされるが，対象機器メーカの使用指針を参考に設定することが重要である．

④サイフォニング現象，逆流現象（図 3-4-9）

シリンジ型の輸液ポンプで，シリンジをセットする際に誤ってシリンジの押し子がスライダのフックから外れていると，ポンプの位置が患者より高い場合には，落差によって薬液が短時間で投与されてしまう．これをサイフォニング現象という．一方，ポンプの位置が患者より低い場合には血液が逆流する（逆流現象）．このような現象を防止するには，シリンジの押し子をフックに確実にセットすることが重要である．また，輸液ポンプと患者との高低差を小さくすることも予防策として重要である．

⑤脈流

ペリスタルティック方式の輸液ポンプで，ポンプの回転ごとに送液されない間隔が生じ，注入流量に変動が生じることをいう．10 mL/h 以下の少流量で管理する薬剤の輸液で問題となる．したがって，少流量で

管理する薬剤の輸液では，脈流の発生がきわめて少ないシリンジ型を使用すべきである．

⑥輸液セットのフィルタの目詰まり

輸液セットに付属するタコ管内のフィルタに不純物が蓄積すると，目詰まりを生じて流量が減少する．このため，輸液セットの定期的な交換が必要である．

⑦フリーフロー

輸液セットを外した際に，輸液ポンプの制御を受けない重力または圧力の影響によって，患者へ意図しない流れが生じる現象．不用意にドアを開けるとフリーフローを生じる可能性がある．ドアを開ける際は，必ずローラクレンメを閉じる．

⑧ボーラス注入

輸液回路の閉塞を開放した際に，過度な回路内圧の状態から急速に患者側に大量の輸液が流れる場合をいう．過度な輸液回路内圧が予測される閉塞アラームの発生時には注意する．

2) 閉塞

輸液回路の閉塞には以下のような原因があげられる．

　　①輸液セットのクレンメの未開放
　　②穿刺針内での血液凝固
　　③チューブの押し潰れや折れ曲がり
　　④三方活栓の向きの不正
　　⑤細径回路の使用
　　⑥高粘度薬液の使用

回路の内圧が上昇したまま閉塞解除すると，その直後に設定量以上の薬液が一時的に送液される可能性がある．したがって，閉塞を解除する際には，輸液セットやシリンジをいったんポンプから外すか，過剰な内圧を三方活栓で大気中に解放した後，閉塞を解除して輸液を再開する．高粘度薬液や細径回路が原因の場合は，太いチューブに交換するか，流量を下げることが必要となる．

3) 気泡発生

輸液回路内の気泡発生には以下のような原因があげられる．

　　①点滴筒内部で薬液が滴下する際に雫がはねて発生
　　②回路内で微小泡が結合して発生
　　③ポンプの熱によって薬液が加温されて溶存酸素が気化して発生
　　④気体透過率が高い材質（シリコンなど）の輸液セットを使用している

気泡が発生したら，ただちに送液を停止し，回路内の気泡を除去する．ペリスタルティック方式では，ドアを開けて輸液セットをポンプか

表 3-4-3 吸着・収着の報告がある薬物

ニトログリセリン，イソソルビド，ジルチアゼム，ニカルジピン，ヒドララジン，ミコナゾール，シクロスポリン，桂皮酸，インスリン，セクレチン，G-CSF，ワルファリン，レテノール類
ベンゾジアゼピン系薬物 　ジアゼパム，フルニトラゼパム，ミダゾラムなど
フェノチアジン系薬物 　クロルプロマジン，クロミプラミン，プロメタジン，レボメプロマジンなど

G-CSF：顆粒球コロニー刺激因子．

ら外し，チューブを叩いて気泡を点滴筒内に上げて取り除く．ドアを開ける際，クレンメを開いたまま開けると急速に送液される可能性があるので，かならずクレンメを閉じてからドアを開ける．シリンジ型ではプライミング（輸液回路内に薬液を満たして気泡を除去すること）によって気泡を除去する．シリンジ型では気泡アラームがないので，とくに注意が必要である．

4）防滴

ペリスタルティック方式の輸液ポンプでは，ポンプが薬液ビンの下に位置するため，漏れた薬液がチューブを伝ってポンプ内部に入る場合がある．したがって，電気回路で構成されるポンプ内部は防滴性に優れていなければならない．また，滴下センサやフィンガ・ローラ部は，着脱かつ洗浄が可能である必要があり，防滴性は不可欠である．

5）薬液の吸着，収着（表3-4-3）

薬液が輸液バッグ，チューブ，シリンジなどの表面に付着することを吸着といい，これらの素材に溶け込んでいくことを収着という．薬液や素材の種類により，吸着や収着の特徴が異なる．

ニトログリセリン製剤は，一般に輸液セットの素材として用いられる塩化ビニル（具体的には可塑剤として含まれているジメチルヘキシルフタレート）とシリコンに収着するので，ポリエチレン，ポリプロピレン，ポリブタジエンなどの材質による専用輸液セットを用いる必要がある．

6）電磁干渉トラブル

輸液ポンプの内部は電子回路であるため，電磁波障害による異常動作が生じる場合がある．輸液ポンプが他の機器に障害を与える場合もある．メーカによる機器へのノイズ対策に加え，電気メス，電気毛布，携帯電話，電灯線などによる強力な電波をポンプに近付けないなど，使用者が安全な使用を心がけることも重要である．

7) 電池トラブル

バッテリ駆動時に電圧が低下すると機器が使用できなくなる．したがって，使用後はかならず充電を行う．また，定期点検でバッテリ寿命を確認することも重要である．

7. 輸液ポンプの補助機能

輸液ポンプにはさまざまな補助機能が装備され，その内容は機種によって異なる．一般的な補助機能は以下のとおりである．

1) 輸液セット選択機能

流量制御型の輸液ポンプで，輸液セットの種類による相違を補正して，流量の精度を向上させる機能である．

2) 輸液量補正機能

滴数制御型の輸液ポンプで，薬液の粘性による滴下誤差を補正して，流量の精度を向上させる機能である．

3) 誤操作防止機能

開始ボタンを押して確認後，もう1回ボタンを押してはじめて送液が開始される安全機能である．

4) KOR (keep open rate) 機能

送液の積算量が予定量に達した後も，穿刺針が血栓で閉塞しないように，規定値流量（最低流量）で送液を継続する機能である．予定量を設定していない場合，この機能は作動しない．

5) 異常検出機能（アラーム）

(1) 自己診断機能

電源投入時に，電気回路などを自動的に点検し，異常があればアラームを作動させる機能である．

(2) 流量異常検出機能

設定値に対する流量の異常を検出してアラームを作動させる機能である．

(3) 閉塞検出機能

輸液回路の閉塞による回路の内圧上昇を検出し，設定圧をこえるとアラームを作動させる機能である．一般に設定圧は0.4～1.3 kgf/cm^{2}程度であり，設定圧を調節できる機種もある．

ペリスタルティック方式の場合，機器本体より上に輸液セットのクレンメがあると，クレンメが誤って閉じられていても回路内圧は上昇しないため閉塞アラームが作動しない．したがって，機器本体はクレンメよ

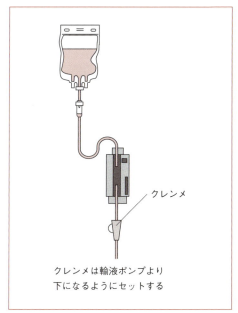

図 3-4-10　クレンメの正しい位置

り上に位置するように装着する（図3-4-10）．

(4) 液切れ検出機能

滴下センサが滴下を検出しなくなった場合にアラームを作動させる機能である．点滴筒内に輸液が残っていない場合は輸液終了であり，継続する場合は輸液を追加する．輸液が残っている場合は以下の原因があげられる．

　①機器本体より上でクレンメが閉塞
　②滴下センサの汚れや装着不備

クレンメが機器本体より上で閉塞している場合は，下になるように再装着して，クレンメを開放する．滴下センサの汚れが原因の場合は，水かぬるま湯に浸したガーゼなどで清拭する．滴下センサの装着不備が原因の場合は，正しく装着し直す．

(5) 気泡混入検出機能

ペリスタルティック方式の輸液ポンプに装備され，気泡センサにより輸液セットのチューブ内にある気泡を検出してアラームを作動させる機能である．一般に直径 0.5 mm 程度の気泡から検出可能である．指定以外の輸液セットを使用している場合にもアラームが作動する．

気泡センサの汚れや装着不備はアラームの誤作動に直結する．気泡センサは水かぬるま湯に浸したガーゼなどで清拭し，輸液セットのチューブが当たるように気泡センサを正しく装着する．

(6) ドアオープン検出機能

ペリスタルティック方式の輸液ポンプに装備され，本体機器のドアの開放または不完全閉鎖を検出してアラームを作動させる機能である．

表 3-4-4 おもな消毒薬の例

消毒薬（例）	商品名（例）
クロルヘキシジングルコン酸塩	5%ヒビテン液
	マスキン液（5 W/V%）
ベンザルコニウム塩化物	オスバン消毒液 10%

消毒液の選択と使用濃度は対象機器の添付文書に従う．

(7) 電圧低下検出機能

バッテリ駆動時に電圧低下を検出してアラームを作動させる機能である．アラームが作動してもただちに送液は停止しないが，速やかに電源ケーブルをコンセントに接続するべきである．アラームが作動した時点での電圧残量は機種によってさまざまであり，残量が表示される機種もある．

8. 保守・管理

輸液ポンプは使用頻度が高いだけにトラブルの発生頻度も高い．そのため，日常点検や定期点検が重要である．

1) 日常点検

(1) 外観点検

本体，センサ部，パネル部，電源コード，プラグなどの破損の有無を確認する．

(2) 機能点検

①表示器の輝度の確認
②押しボタンなどの動作確認
③電源投入時のセルフチェックの動作確認
④異常検出機能の動作確認（液切れ，ドアオープンなど）

(3) 消毒

本体は消毒薬（表 3-4-4）をガーゼに浸して軽く拭いた後，消毒薬を拭き取り，水かぬるま湯を浸したガーゼで拭き直す．着脱可能かつ防滴性のある滴下センサやフィンガ・ローラ部は，消毒液に浸した後，水洗いし，十分に乾燥させる．ただし，本体への接続用のジャック部を濡らすと故障の原因になるので注意する．

2) 定期点検

(1) 流量の精度確認

輸液ポンプから送り出された薬液をメスシリンダで集めて設定値と比較する．市販の輸液ポンプ解析装置（チェッカ）を用いれば，即時流量，平均流量，積算量などを簡単に測定でき，流量ムラなども確認できる．

〈輸液ポンプの流量精度〉

　JISでは，輸液ポンプの流量精度の信頼性と再現性の達成のために，スタートアップカーブとトランペットカーブを提案している．すなわち，以前のJIS規格では流量精度は設定値の±10%としていたが，2005年度以降は規定されず，使用者は用量効果とポンプ精度を考慮して輸液ポンプを選択する必要がある．

①スタートアップカーブ

　ポンプスタート時の流量変化を確認できる．ポンプスタート直後から120分間までに送り出された液の質量を30秒間間隔で測定し，平均流量を求める．つまり，30秒間の平均流量をグラフ化し流量変化を明確にしたものをスタートアップカーブという．

②トランペットカーブ

　一定時間内で得た流量誤差百分率（％）の最大値と最小値を求め，グラフ化したものをトランペットカーブという．つまり，トランペットカーブは，短時間観測では流量の拍動状態が，長時間観測では流量安定後における全体誤差百分率（％）が確認できる．具体的には，ポンプスタート60分後から120分までの60分間に送り出された液の質量を30秒間隔で測定し，2分，5分，11分，19分および31分間の平均流量を求め，グラフ化する．

(2) 異常検出機能の動作確認（気泡混入，回路閉塞など）

　実際に異常状態を再現して，異常検出およびアラーム動作の確認を行う．

　気泡検出器を装備する機種では，チューブ内に気泡を混入させ，気泡混入アラームの発生と輸液の停止を確認する．

　閉塞検出器を装備する機種では，ローラクレンメや三方活栓などを用いて回路を閉塞させ，回路の内圧を上昇させて，アラーム発生と輸液停止を確認する．市販の輸液ポンプ解析装置（チェッカ）を用いれば，閉塞検出器が作動する内圧の実測値を測定できる．

(3) バッテリの充電

　バッテリの寿命は，機種，充電時間，使用年数，設定内容によって異なるが，一般に1〜2年である．バッテリの種類はNi-Cd（ニッケル-カドミウム）が主流であるが，現在では環境問題から世界基準のリチウムイオンに切り替わりつつある．一般的には約5時間以上の連続使用が可能であり，電源切状態で交流電源により約8時間以上の充電を要する．また，サブバッテリとしてNi-MH（ニッケル金属水素化物）を備えた機種もある．

(4) 患者漏れ電流測定

　年1回を目安に患者漏れ電流測定などの電気的測定を行う．

参考文献

1) Endourology, ESWL による結石治療の評価基準. 日本泌尿器科学会雑誌, **80**(4)：505～506, 1989.
2) 日本生体医工学会 ME 技術教育委員会監修：ME の基礎知識と安全管理改訂第 7 版. 南江堂, 2020.
3) 日本循環器学会, 日本心臓血管外科学会：安定冠動脈疾患の血行再建ガイドライン（2018年改訂版）. 金原出版, 2019.
4) 井上寛治, 山口　徹：僧帽弁交連切開術（PTMC）の開発. 心臓, **39**(1), 66, 2007.
5) 柳澤　亮, 林田健太郎：TAVI とは何か？. 日本医事新報, 4850, 26～32, 2017.
6) JIS T 0601-2-24　医用電気機器―第 2-24 部：輸液ポンプ及び輸液コントローラの基礎安全及び基本性能に関する個別要求事項. 2018.

第4章 光治療機器

1 レーザ手術装置

1. レーザの発明と治療への応用

　レーザとは，自然界には存在しない「人工光」であり，光の**誘導放出**によって増幅や発振を行う装置，またはその光の総称を指す．レーザの生みの親の一人といわれているチャールズ・タウンズは，1953年に軍事用レーダの性能改良を目的として，マイクロ波発振器を開発した．タウンズらは，それまで研究してきたメーザ（microwave amplification by stimulated emission of radiation：誘導放出によるマイクロ波増幅）を応用させ，1957年にレーザ開発の研究を始めた．**レーザ**（**laser**）は，"light amplification by stimulated emission of radiation（放射の誘導放出による光の増幅作用）"の頭文字をとって，1959年に当時コロンビア大学の大学院生だったゴードン・グールドによって名付けられた．その後，1960年セオドア・メイマンが，アメリカのヒューズ研究所にて世界初のレーザ発振（ルビーレーザ）を成功させた．

　レーザ発見の翌1961年には，Arイオンレーザが網膜剝離に眼科応用された．1964年にはゴールドマンによって赤アザの治療が行われ，1968年には現在広くレーザメスとして使用されているCO_2レーザが発明され，わが国には1975年に導入された．

2. レーザ治療を理解するための基礎
1）レーザ光の物理的な特徴

　レーザ光は**電磁波**の一種である．したがって，電磁波と同様にレーザ光の波長（λ）は，真空中の光の速さ（電磁波の速さ：c）を光の周波数（電磁波の振動数：ν）で除した値となる（図4-1-1）．たとえば，携帯電話として利用されている2 GHzの電磁波の波長15.0 cmと，手術装置で利用されているCO_2レーザの波長10.6 μmを比較すると次のようになる（図4-1-2）．

$$\lambda = \frac{3.0 \times 10^8 \,[\mathrm{m/s}]}{2 \times 10^9 \,[\mathrm{Hz}]} \approx 15.0\,[\mathrm{cm}] \gg 10.6\,\mu\mathrm{m}$$

　レーザ光のもつ物理的な性質は，通常の光と同じように，直進性，反

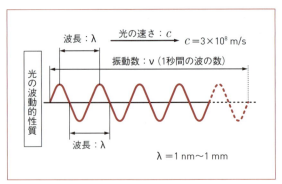

図 4-1-1 電磁波の波長と周波数の関係

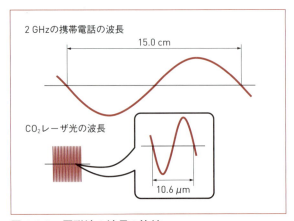

図 4-1-2 電磁波の波長の比較

射(散乱を含む),吸収,透過,回折がある(図4-1-3).各々の特徴のなかで,身の周りで起きている現象例(直進性,回折)を示すと図4-1-4のようになる.

人工光であるレーザ光の特徴は,通常の光(太陽光やランプ)と違い,①**単色性**がよい,②**指向性**がよい,③**集光性**がよい,④**干渉性**がよい,などがあげられる.

自然光である太陽光は,プリズムを通してみると赤から紫までの多数の色に分かれる(図4-1-5).レーザはそのうちの1色だけの光(単色光=単波長)を増幅させて取り出している(単色性がよい).また,太陽光は360°すべての方向に拡散するが,レーザ光は1点に絞り込まれた線状の光線で,拡散することなく,理論的には無限の距離まで到達可能である.たとえば,波長633 nm,光径1 mmのHe-Neレーザ光を10 m離れた壁に向かって発振すると,壁での光径は約13 mm程度しか広がらない(指向性がよい).レーザ光は凸レンズを用いて,レーザのもつ光エネルギーを1点(きわめて小さい焦点)に集光させることで大きなエネルギーを生み出すことができる(集光性がよい.原理的には発振波長程度の光束までしか集光できない).たとえば,レーザポインタなどで使われている1 mWという出力の小さなレーザ光でも,0.1 mm^2

keyword

白色光と単色光

スリットを通った太陽光は図4-1-5のように,プリズムの入射面と出射面とで屈折角が光の波長により異なるため,連続的に異なる光(色)に分けられる.これを分散(連続)スペクトルといい,太陽光のような光を「白色光」という.人間の眼には赤(長波長)から紫(短波長)までが色として認識され,「可視光」とよんでいる.

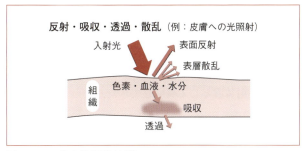

図 4-1-3　光の物理的特徴

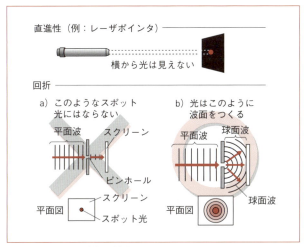

図 4-1-4　レーザ光の特徴
(谷腰欣司：図解レーザのはなし．日本実業出版社，2000 より)

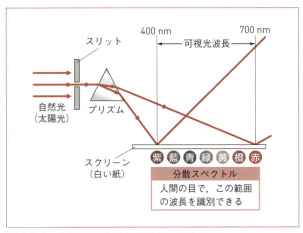

図 4-1-5　自然光の分散と分散スペクトル
(谷腰欣司：図解レーザのはなし．日本実業出版社，2000 より)

の面積に集光された場合，照射強度（後述）は 12.7 W/cm² にもなる．

このように，レーザ光と自然光との違いを具体的にみるとその特性に大きな差があることがわかるが，これらの特性によってレーザ光はきわめて干渉しやすい特性をもつ．この干渉しやすい性質のことをコヒーレ

keyword

スペクトル幅

レーザ光は，そのスペクトル幅が非常に狭く，1つの波長の光のみが出力されているので，「線スペクトル」をもつという．

TOPICS

レーザ光はどのくらいのスポットまで小さく絞れる？：光径 d のレーザ光を焦点距離 L のレンズで集光した場合，焦点に生じるスポットの直径 d_0 は，$d_0 = \dfrac{4\lambda L}{\pi d}$ で表される（λ：レーザ波長，L/d：レンズの F 値（F ナンバー））．

keyword

コヒーレンス

コヒーレンスには，1つの光源から発振された2つの波の到達時間に差がある場合の時間的コヒーレンス（光波が単色光で正弦波）と，有限の拡がりをもつ光波の可干渉性の空間的コヒーレンス（指向性・集光性がよい）という性質の2つがある．

ンスといい，レーザ光は**コヒーレント光（可干渉光）**，自然光はインコヒーレント光（非干渉光）という．

このような光エネルギーの強度の調整や，レンズを用いてガラスファイバに集光・伝送が可能というレーザの利点を活かし，レーザ発見当初から生体への治療用装置として発展してきた．

2）レーザ治療に必要な物理的基礎知識
(1) 照射強度と照射フルエンス

連続レーザの照射条件は，**照射強度**（またはパワー密度）と照射時間の2つである．照射強度 [W/cm^2] はレーザパワー [W] を照射面積 [cm^2] で除したものである．パルスレーザでは，パルスの波形を示すために，**パルス幅**，**ピークパワー** [W]，1パルスあたりのエネルギー [J]，**繰り返し周波数** [Hz] などを用いる．矩形のパルス波形の場合は，パルス幅にピークパワーを乗じたものになる．パルスレーザ光の生体作用は，単位面積に一発のパルスでどの程度のエネルギーが照射されたかを示す**照射フルエンス** [J/cm^2] を用いる．パルスエネルギーに繰り返し周波数を乗じた値を**平均パワー** [W] と称して，光の生体作用の総量を見積もる時に用いる．

(2) 光深達長と吸収係数

光は組織に入ると急激に減衰する．この現象は，Lambert-Beerの法則で表すことができる．表面での入射光強度を I_0 [W/cm^2]，深さ x [cm] の強度を I [W/cm^2] とすると，その関係は

$$I = I_0 e^{-ax}$$

と表される（図4-1-6）．a は**吸収係数** [cm^{-1}] であり，吸収と散乱による減衰を含んでいる．近赤外域の0.75〜1.5 μm の波長領域を除けば，散乱よりも吸収による減衰がはるかに大きいので，a を組織の吸収係数と考えてよい．この吸収係数の逆数を**光深達長**（penetration depth）：d [cm] とよぶ．組織中へ光が透過・浸透する距離の目安となり，

$$d = \frac{1}{a}$$

と表す．

生体で重要な光吸収体は水とヘモグロビンである．図4-1-7に水，**ヘモグロビン**および皮膚吸収で重要な**メラニン**の吸収スペクトルをまとめて示す．波長1 μm 以上の赤外領域では水の吸収が大きい．また，可視領域ではヘモグロビンの吸収が大きい．紫外領域では水や芳香族アミノ酸の吸収が大きい．

生体組織における光吸収の例として，2つの波長において吸収係数と光深達長を比べた（表4-1-1）．生体組織への光深達が最も深い波長1,064 nm の Nd:YAG レーザ光でも最大5 mm までであり，とくに紫外

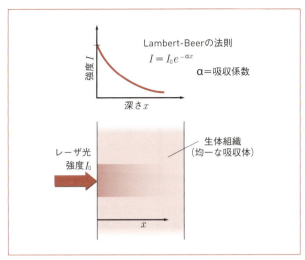

図 4-1-6　生体組織内でのレーザ光の吸収
　　　　（Lambert-Beer の法則）

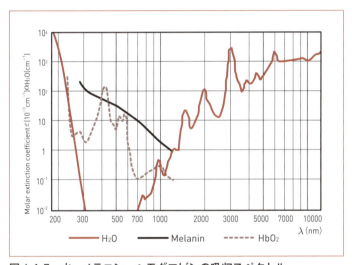

図 4-1-7　水，メラニン，ヘモグロビンの吸収スペクトル
（光産業技術振興協会編：レーザ安全ガイドブック（第4版）．アドコム・メディア，2006 より）

表 4-1-1　生体組織における吸収係数と光深達長の比較

レーザ種類（波長）	吸収係数（cm⁻¹）	光深達長（μm）
Nd:YAG（1,064 nm）	13.8	724
Ar（488 nm）	29.9	335

領域や赤外領域の光では，入射表面近傍のみで作用することがわかる（図 4-1-8）．

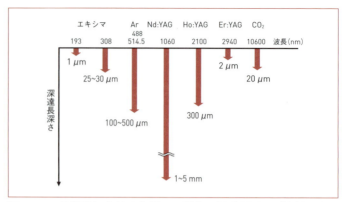

図 4-1-8 軟組織における各種レーザ光の深達長深さ（比例尺度ではない）　（小原　實，他：レーザ応用光学．共立出版，1998 より）

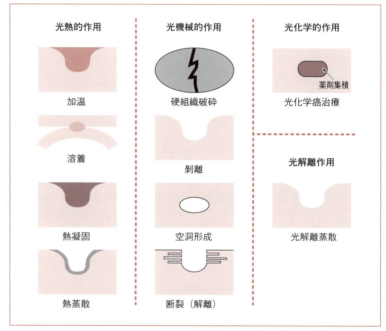

図 4-1-9　レーザ光による各種生体作用機序模式図
（日本生体医工学会 ME 技術教育委員会監修：ME の基礎知識と安全管理改訂第 6 版．南江堂，2014 より）

3. レーザ光の生体に対する物理的作用と治療形態例

これまで述べてきたレーザ光の物理的な特徴，および治療に必要な物理的基礎知識をもとに，レーザ光が生体に及ぼす物理的作用（図 4-1-9）と，その治療形態例について記す．

1) 光熱的作用（photo-thermal effect）
　―レーザ光が生体へ与える主作用

生体にレーザ光が吸収されると熱が発生し，数 ns 以内（1 ns は 1 s

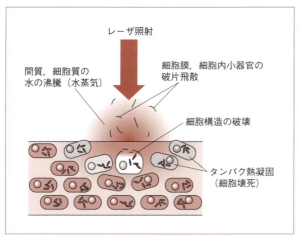

図 4-1-10　連続レーザ光による熱蒸散
（小原　實，他：レーザ応用光学．共立出版，1998 より）

の 10^9 分の 1）には熱化して組織温度が上昇する．この作用を**光熱的作用**とよぶ．レーザ光が生体軟組織に吸収された場合を考えると，水の沸点が 100℃ であるから，連続的に組織温度を 100℃ に近づけるようにレーザ照射を行えば，次々に組織・細胞中の水分（＝電解液）が水蒸気となり，体積が急増し，細胞膜，細胞内小器官は断片となって水蒸気と一緒に放出される（**蒸散**）．レーザの照射強度［W/cm²］と吸収係数 a［cm⁻¹］の積が組織表面の加熱速度［W/cm³］を表すが，この速度が組織を蒸発させるのに十分なほど高いと，組織は蒸散（ablation：**アブレーション**）される（図 4-1-10）．この条件でレーザ光を一直線上に照射すると切開となり，面状に走査すると二次元的な除去となり，1 点で集中照射すると組織を穿孔することが可能である．

このような急激な温度上昇を表層で得るために，生体組織に対して光深達長（d）の短い CO_2 レーザ（$d=20\,\mu m$）や Er:YAG レーザ（$d=2\,\mu m$）が有用である（図 4-1-7，図 4-1-8）．たとえば，蒸散を誘起させるのに十分な加熱速度で Er:YAG レーザ（$2.94\,\mu m$）を照射すると，光深達長 $2\,\mu m$ 程度の組織層が急速に加熱・蒸散されるため，μm オーダー以下での精密な組織除去が可能となる．また，短時間の照射で深い蒸散を得るためには，光深達長が Er:YAG レーザより少し長い CO_2 レーザが適している．蒸散による切開や面状除去は，レーザ治療の典型的な形態であり，いわゆるレーザメスや組織除去用として用いられている．蒸散による穿孔治療の例としては，CO_2 レーザによる**経心筋レーザ血管再生術**（transmyocardial revascularization：TMR）とよばれる治療が 1998 年 8 月に FDA で認可を受けている．

一方，吸収係数が非常に小さい，つまり Nd:YAG（$1.064\,\mu m$）のような光深達長が長い（数 mm）レーザ（図 4-1-7，図 4-1-8）は，光エネルギーが空間的に分散されてしまうため蒸散には適さないが，組織凝

TOPICS

生体軟組織の水分含有率：生体軟組織（軟骨，骨，石灰化病変を除く）は，約 60～70 重量％が水分である．したがって，光から生体軟組織を見た場合，ほぼ「水（電解液）」の物理的特性をあてはめることができる．

keyword

TMR

おもに，難治性心筋症，および冠動脈のバイパス手術が不可能な左室自由壁の虚血患者において，心外膜面から CO_2 レーザを照射して心筋内に多数の細導管のネットワークを作製し，心内腔の動脈血によって心筋の灌流を行う方法．

表4-1-2 レーザ照射による組織温度，生体作用および組織構造の比較

相	I-a	I-b	II	III	IV	V
組織温度（℃）	37〜42	42〜60	60〜65	90〜100	100以上	
生体作用	生体内物質の活性化 受容器の刺激	加熱	タンパク質の変性 凝固開始	水分蒸発	炭化	燃焼，気化，蒸散
組織構造	変化なし		不可逆的崩壊	乾燥，収縮	分子構造崩壊	組織の消失

(光産業技術振興協会編：レーザ安全ガイドブック（第4版）．アドコム・メディア，2006より)

固には適する．この組織凝固の機序は，生体組織を60〜70℃にすると構成タンパク質が不可逆的な変性を起こし，収縮・硬化することによる（表4-1-2）．これをタンパク質の**熱変性**とよび，このような状態ではタンパク質活性は失われ，細胞はただちに壊死する．また，組織が収縮するので，これを利用して出血している血管断端を閉じて止血することができる（レーザ止血）．タンパク質の熱変性は一種の化学反応であり，進行速度は加える温度と時間に関係する．十分な止血作用を得るために，Nd:YAGレーザや半導体レーザのような数mmの光深達長が必要である．レーザによる熱変性作用の一例として，約60℃になると軟化する膠原線維（コラーゲン）に富む組織を接着する技術（生体熱溶着）が血管吻合に応用されている．また，あざの治療はこの組織凝固過程を利用している．

光熱的作用による治療には連続レーザが使用されることが多いが，最近では高繰り返しのパルスレーザも使用されている．

2）光音響的（衝撃波）作用（photo-acoustic effect）
—硬組織に有効な作用

物質は，音圧が大きい方が伝搬速度（音速）が速いという音響非線形性をもっている．この特性から，音波（音，超音波）の振幅（音圧）が大きい時は，波形が伝搬するにつれ次第にパルス幅が狭く音圧が大きい単一のパルスに収束する．この波動を**衝撃波**（**shockwave**）とよぶ．たとえば，ピークパワーの高いパルスレーザ照射では，生体組織内できわめて短時間に熱が発生するので音波が発生し，また組織の音響非線形性により，大きい音圧波は数百 μm から数mm伝搬すると，正音圧のみの伝搬速度が速い衝撃波となる．この作用を**光音響的作用**とよび，生じる衝撃波を積極的に利用したのがレーザ結石破砕（尿路結石治療）やレーザ歯科治療（う蝕除去）などの硬組織破砕・蒸散である．結石に高強度の短パルスレーザ光を照射すると，アブレーションと結石の急速な加熱が起き，衝撃波（膨張波）が発生する．その衝撃波が結石を通り抜ける時，一部反射する波が圧縮波として結石内部に働き，結石が破砕さ

keyword
衝撃波
衝撃波は音速より速い波動（圧縮性流体中を超音速で伝搬する波）なので，音波とはよばない．衝撃波の特徴は，波面の前後，たとえば，音速を超える速度で飛行する物体の周囲に生じる音速を超える空気の流れと，音速以下の空気の流れの間に生じる薄い空気の層の部分で物理量（流速，圧力，温度，密度など）が不連続的に変化することである．腎結石の治療に利用されている現象である．

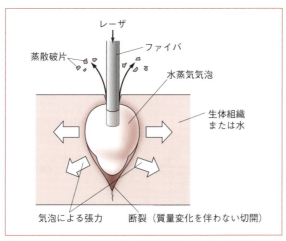

図 4-1-11　パルスレーザの生体組織（水中）照射による
ファイバ先端に生じる水蒸気気泡
（小原　實，他：レーザ応用光学．共立出版，1998 より）

れると考えられている．

　近赤外の短パルスレーザを眼球内（吸収が少ない）で集光し小さい
レーザ誘起プラズマを作ると，このプラズマの膨張によって微小な空洞
を形成することができ，これが眼球内の治療法として検討されている．
Ho:YAG レーザのような，パルス幅が比較的長く（200 μs），水に対す
る吸収係数が 10～100 cm^{-1} と中程度のレーザを組織に穿刺したファイ
バから照射すると，組織内に**水蒸気気泡**ができて，組織の機械的に弱い
ところを解離する現象がみられる（図 4-1-11）．現在は副作用として報
告されているが，これを治療作用とすることも将来的には可能であろ
う．一方，強い負音圧の発生で，表面付近が剝離する現象も確認されて
いる．

3) 光化学的作用 (photo-chemical effect)
―癌治療に有効な作用

　光化学的作用とは，生体内に吸収された光エネルギーが化学的な反応
（エネルギーのやりとり）を経て，熱を主作用としない過程を指す（図
4-1-12）．たとえば，病変部に特定波長のレーザ光を照射し，光化学反
応を誘起することにより病変組織を死滅させるものである．**光感受性物
質**と組織溶存酸素から，酸化力の強い励起一重項酸素を発生して腫瘍組
織へ取り込ませ，腫瘍組織に吸収の大きいレーザを選択的に照射すると
いう，癌治療を目的とした**光線力学的治療**（photodynamic therapy：
PDT）が代表的な治療である．

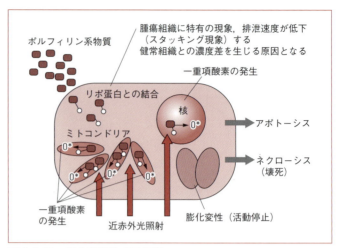

図 4-1-12　光化学癌治療の原理
（小原　實，他：レーザ応用光学．共立出版，1998 より）

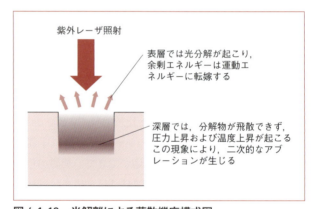

図 4-1-13　光解離による蒸散機序模式図
（小原　實，他：レーザ応用光学．共立出版，1998 より）

4）光解離作用（photo-decomposition effect）
─短波長紫外域レーザ光が生体に与える作用

　紫外レーザによるアブレーションには，主として光熱的作用が寄与しているとされているが，200 nm 以下の短波長紫外レーザ照射では，組織分子の結合を紫外光のエネルギーで直接切断する**光解離作用**も寄与していると考えられている（図4-1-13）．たとえば，ArF エキシマレーザ（波長 193 nm，パルス幅 10 ns）を角膜に照射すると，熱損傷がほとんど生じない精密なレーザ蒸散が起こる．紫外パルスレーザによる精密な蒸散を利用した治療が，角膜表面の形成術（近視治療）である．前述の ArF エキシマレーザを用いてアブレーションすることにより，角膜表面を精密加工し，屈折力の制御（矯正）を行うもので，**LASIK**（laser in situ keratomileusis）という治療法として行われている．

　以上述べてきたレーザ光の生体に対する物理的作用が治療過程のなか

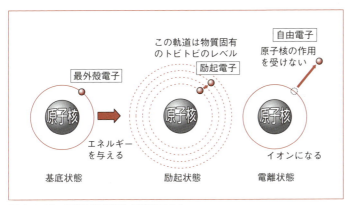

図 4-1-14　原子の励起と電離モデル

でどのような割合で寄与しているかは正確に解明されてはいない．ここで述べた分類は，あくまで現時点で主要な作用機序として理解されているものである．

4. レーザ装置の原理・構造

　レーザを発振するための基本原理の1つとして，誘導放出（stimulated emission）と呼ばれる光の発光があり，LASER の名前の由来にもなっている．レーザを発振するための要素は，

- ①**レーザ媒質**：レーザ発振の元になる媒質（気体，液体（色素），固体結晶，半導体）．
- ②**励起源**：レーザ媒質にエネルギーを与える仕組み．レーザ媒質のエネルギーを高めることから，ポンピングともいわれる．
- ③**共振器**（鏡・レーザミラー）：発生した光をためて誘導放出を起こさせる．

の3つがある．これら3つの要素をもとに，誘導放出によって生じるレーザ光発振の原理について以下に述べる．

　レーザ光は，レーザ媒質の原子内部にある電子の性質を利用して作られる．原子内部にある電子は，物質固有のエネルギーをもつ電子殻（K，L，M…殻）に入っている．最外殻電子は原子核から遠いため，外部からエネルギーを与えると，これを吸収してさらにエネルギー準位の高い外側の軌道へ移動する（図 4-1-14）．この現象を励起といい，元の電子が存在していた殻の準位（基底準位）に対して，励起した軌道における電子がもつエネルギーの大きさを励起準位とよぶ．この励起した電子は不安定な状態にあるため，熱や光などのエネルギーを放出して元の準位（基底状態）に戻る．これを自然放出といい（図 4-1-15），ネオン管や蛍光灯などの発光の原理となっている．自然放出では，ある励起準位（E_1）の原子の数（n_1）とその上位の励起準位（E_2）の原子の数（n_2）は $n_1 > n_2$ となっており，これを熱平衡状態という．

　一方，レーザ媒質をある特定の条件にしてエネルギーを与え続ける

keyword

特定条件

レーザ媒質をある特定条件にして反転分布を起こさせる理論についての詳細は成書に譲るが，レーザ媒質が気体（ガス）の場合は，そのガス分子の濃度，固体（結晶）の場合は，母材結晶原子に混ぜる不純物分子の濃度などが条件となる．

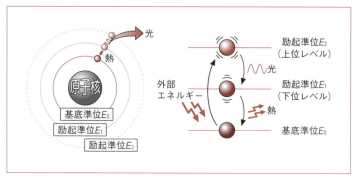

図 4-1-15　自然放出の原理

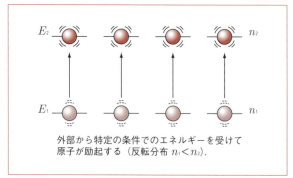

図 4-1-16　反転分布のエネルギー準位モデル

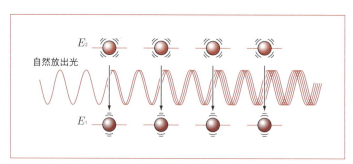

図 4-1-17　反転分布による光増幅模式図

と，E_2 レベルの原子数が E_1 レベルの原子数を上回る（$n_1 < n_2$）**反転分布**という現象が起こる（図 4-1-16）．この状態で，上位準位 E_2 と下位準位 E_1 のエネルギー差に相当する光（もともと自然放出によって放出された光）を当てると，励起原子はこの自然放出光によって刺激（誘導）されてから光を放出して落ちる（図 4-1-17）．この現象では，もともとの自然放出光と誘導されて出てくる光は同じ波長，位相をもっているため，2 つの光は重なり合って振幅が大きくなる（2 倍）．これを誘導放出という．反転分布状態の物質中では上位準位 E_2 レベルの原子が多いので，最初の自然放出光を元に，倍々と連鎖的に**誘導放出**が起こり，E_2 レベルから E_1 レベルに放出される光が大きく増幅されることになる（図 4-1-17）．これが誘導放出光の原理である．

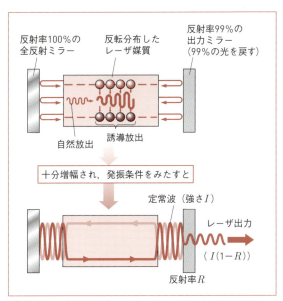

図 4-1-18　光共振器の構造とレーザ光発振の仕組み
（小林春洋：トコトンやさしいレーザの本．日刊工業新聞社，2002 より）

レーザ光を発振させるためには，反転分布したレーザ媒質の中で誘導放出された光を強めなければならないため，レーザ媒質の両端に精度の高い反射鏡を置き，誘導放出された光を閉じこめ，何度も媒質の中に戻す（反射鏡の中を往復させる）必要がある．この反射鏡が共振器であり，身近に使っている鏡とは異なる特殊な鏡が用いられている．共振器は，一端に反射率100％の全反射ミラー，他端に反射率99％（透過率1％）の部分反射（出力）ミラーを置き，光を往復させ閉じこめながら増幅を行いつつ，わずかな光（1％）を出力（レーザ光）として取り出す（図4-1-18）．共振器は，光学ガラスを高度に研磨し，その鏡面上にレーザ波長の1/4の厚さで誘電体物質を薄膜として多層構造に蒸着したものが用いられる．この全反射と部分反射ミラーとの距離は，誘導放出された光の定常波を作るため，レーザ波長の1/2の整数倍に設計されている．共振器によるレーザの発振条件としては，媒質の増幅率 A と共振器に用いられている部分反射ミラーの反射率 R が，$AR>1$ となる（図4-1-19）．

レーザ光の発振形態は，レーザ媒質の種類によりガス（気体），固体，半導体，液体（色素）の4種類に分けられるが，前者3種類のレーザ媒質について，媒質と励起源（励起方法）をもとに表4-1-3にまとめた．

5. レーザ治療装置（臨床応用例と光伝送路）

レーザ光の治療効果は，前述したように，切開，蒸散，凝固・止血，光組織破砕，光化学的作用など多彩で，CO_2，Nd:YAG，Ar イオン，ArF エキシマなど，多種類のレーザ治療装置が臨床に用いられている．

keyword

レーザの周波数

発振するレーザの周波数 ν（振動数）は2つのエネルギー準位の差で決まり，次式で表される．

$\nu = (E_1 - E_2) h$

ここで，h はプランク定数（$h=6.62\times10^{-34}$ J・s）である．

keyword

1/4 波長

共振器やレーザ光伝送用反射ミラーやレンズなどには，「1/4 波長」がよく用いられる．目的のレーザ光波長を得るために，その共振器やミラー上での損失をおさえ，光の干渉を利用するために，1/4 波長の厚さの多層膜を用いる．1/4 波長にすると，入射と反射で1/2 波長となり，位相が反転して損失が弱められるためである．

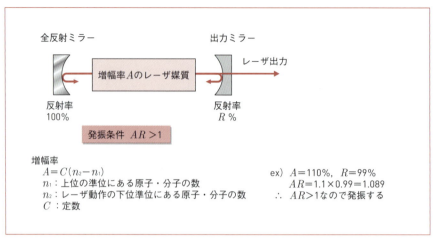

増幅率
$A = C(n_2 - n_1)$
n_1：上位の準位にある原子・分子の数
n_2：レーザ動作の下位準位にある原子・分子の数
C：定数

ex) $A = 110\%$, $R = 99\%$
$AR = 1.1 \times 0.99 = 1.089$
∴ $AR > 1$ なので発振する

図 4-1-19 レーザ光の発振条件

表 4-1-3 各種レーザ装置の励起方法の比較

レーザ種類	レーザ名称	レーザ媒質	励起源（励起方法）	励起の概念
ガスレーザ	CO_2	気体	プラズマ内電子衝突	
	Ar イオン			
	ArF エキシマ			
固体レーザ	Nd:YAG	固体（結晶構造）	光照射（選ばれた波長の光）	
	Ho:YAG			
	Er:YAG			
半導体レーザ	Ga-Al-As	半導体	電流（接合部に流す電流）	

（小林春洋：トコトンやさしいレーザの本．日刊工業新聞社，2002 より）

表 4-1-4 おもなレーザ治療装置の種類・標準的仕様とその適用（波長順）

レーザ種類	分類	波長[nm]	発振方式	励起方法	平均出力or 単発エネルギー	パルス幅[s]	繰り返し[Hz]	照射形態と雰囲気	ファイバ伝送可否	おもな適用
ArFエキシマ	気体	193	パルス	PD	200 mJ	10 n	50	非接触	×ミラー導光	角膜切除術（PTK），角膜形成術（PRK）
XeClエキシマ	気体	308	パルス	PD	30〜60 mJ/mm^2	125〜200 n	25〜40	接触（血管内）	○	動脈硬化治療（冠動脈・下肢末梢動脈疾患等）
Ar	気体	514.5	連続	D	1 W	—	—	非接触	○	網膜凝固
Nd:YAG第2高調波	固体	532	連続パルス	LD SHG	0.6〜2 W	—	—	非接触	○	眼科（網膜剥離，虹彩切除術，線維柱帯形成術）
Dye	色素	590〜630	パルス	XeCl	8 mJ	10 n	40	非接触（拡散）	○	PDT（光線力学的療法），血管系あざ治療
Ruby	固体	694	Qスイッチパルス	FL	2 J	30 n	0.8	非接触	○	色素性皮膚病変治療
アレキサンドライト	固体	755	Qスイッチパルス	FL	150 J/cm^2（最大）	0.25〜100 m	10	非接触	○	長期減毛，色素性疾患用
AlGaInP系	半導体	630〜680	連続パルス	C	25〜60 W	—	—	非接触（穿刺）	○	PDT，低レベルレーザ治療，ガイド光
AlGaAs系	半導体	800〜900	連続パルス	C	1 W	20 m	5	接触	○	低レベルレーザ治療，内視鏡外科手術
Nd:YAG	固体	1,064	連続パルス	AL	50〜100 W	—	—	非接触・接触	○	凝固止血，小切開（接触）
Ho:YAG	固体	2,100	パルス	FL	1 J	200 μ	20	穿刺・非接触	○	硬組織切開，内視鏡外科手術，副鼻腔手術　尿路結石破砕，前立腺肥大症治療
Er:YAG	固体	2,940	パルス	FL	0.5 J	200 μ	20	非接触・接触	△中空導波路	歯科治療（う蝕除去，色素沈着除去，歯肉切開・切除，歯石除去）
CO_2	気体	10,600	連続パルス	PD	10〜100 W	—	—	非接触	×多関節マニピュレータ	切開，腫瘍蒸散，皮膚疾患，鼓膜切開，歯科治療

[励起方法（略記号）] PD：パルス放電励起，FL：フラッシュランプ励起，XeCl：XeClエキシマ励起，C：電流励起，AL：アークランプ励起，D：連続放電励起，LD：半導体励起，SHG：非線形光学結晶による高調波発生．
（日本生体医工学会 ME 技術教育委員会監修：第 1 種 ME 技術実力検定試験テキスト．182，一般社団法人日本生体医工学会 ME 技術教育委員会第 1 種 ME 技術実力検定試験テキスト編集委員会，2014 改変）

これら現在用いられているレーザ治療装置を中心に，その仕様と臨床応用例および光伝送路（ファイバ伝送の可否）について，波長順にまとめた（表 4-1-4）．

図 4-1-20　CO_2 レーザ手術装置（一般外科用）

グンゼメディカル社
波長：10.6 μm
動作モード：CW・パルス
先端出力（最大）：30 W
導光システム：7関節マニピュレータ
電源・容量：100 V，800 VA

図 4-1-21　CO_2 レーザ手術装置（歯科用）

タカラベルモント社
波長：10.6 μm
動作モード：CW・パルス
先端出力（最大）：15 W
導光システム：中空ファイバ
電源・容量：100 V，400 VA

1）ガスレーザ

(1) CO_2 レーザ手術装置（切開・凝固用）（図 4-1-20）

　波長 10.6 μm の遠赤外光である **CO_2 レーザ手術装置**は，切開を中心とした運用を行うので，通称レーザメスとよばれている．この治療装置は，創面の熱凝固層が電気メスよりも薄いので，止血能は後述の Nd：YAG レーザより少し低くなるが，創傷治癒が早い特性をもっている．連続の出力が一般的であるが，これにパルス波形を重畳させたタイプや，スーパーパルスとよばれている繰り返しパルス波形をもつタイプなどがある．これらのパルス波形を発生させる CO_2 レーザ手術装置では，連続波形よりも周囲熱損傷が少ない精密な切開が可能である．波長 10.6 μm の CO_2 レーザ光は，赤外光による熱損失が大きく石英系ガラスファイバで伝送できないため，金鏡の反射を利用した**多関節型マニピュレータ（ミラー屈折伝送方式）**や中空導波路が使用されている．

　また，フレキシブルな伝送路の実用化により CO_2 レーザ手術装置の操作性が飛躍的に向上し，口腔のような狭い術野や，内視鏡下治療に適用が拡がってきた（図 4-1-21）．ガス供給・排気系が必要ない封じ切りレーザ管が主流となり，保守の手間が大幅に軽減された（図 4-1-22）．

伝送路

　波長 2 μm 以上の赤外波長域には CO_2 レーザや Er：YAG レーザなど，医療・工業加工の分野において有用なレーザ光源があるが，石英ガラス系光ファイバは伝送路として使用できない．近年，フレキシブルな赤外レーザ光伝送用中空ファイバ（中空導波路）が開発されている．レーザ光が導光するコア領域が中空であるため，端面の損傷閾値が高く，高出力のレーザエネルギー伝送路として適している（図 4-1-40 → p.160 参照）．目に見えない赤外レーザ光だけでなく，ガイド光（可視レーザ光）も重畳したり，内部にエアを導入することもできる．この中空導波路により，従来のミラーとアームからなる多関節型の屈折伝送方式と比較して，操作性に優れたマニピュレータシステムを構築することができるようになってきた．

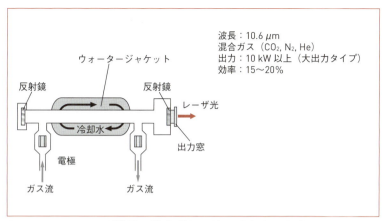

図4-1-22 CO₂レーザ装置の構成（放電励起・冷却水還流型）
（小林春洋：トコトンやさしいレーザの本．日刊工業新聞社，2002 より）

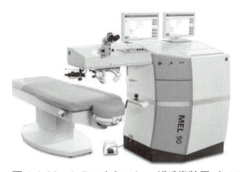

カールツァイス社
波長：193 nm
動作モード：パルス（250/500 Hz）
先端出力（最大）：1.00 mJ±0.15 mJ
導光システム：ミラー導光
電源・容量：100 V，1,750 VA

図4-1-23 ArF エキシマレーザ手術装置（LASIK 用）

また，外来に設置できる小型装置が出現している．封じ切り管の寿命は，使用状況で異なるが3,000時間程度である．

(2) ArF エキシマレーザ装置（角膜切除・角膜形成術用）（図4-1-23）

紫外光の波長193 nm の **ArF エキシマレーザ**は，角膜表面の形状を精密蒸散で変化させ，眼の屈折力を矯正する装置である．この治療を **PRK**（photorefractive keratectomy）という（現在は **LASIK** による

keyword
LASIK

レーザ角膜屈折矯正術（laser in situ keratomileusis）の略称．LASIK は視力を改善するために使用される一種の眼科手術であり，PRK との違いは，角膜表面にフラップ（薄い蓋）を別のレーザ（おもにフェムトセカンド CO₂ レーザ）で作成し，その下の角膜組織の形状を ArF レーザで変えることにある．角膜形状を変化させることで，光が正しく網膜に焦点を結ぶようになり，視力が改善される．現在，LASIK 手術は，近視，遠視，乱視の矯正に使用されている．

エキシマ

エキシマレーザ（excimer laser）とは，希ガス（アルゴン，クリプトン，キセノン）にハロゲン（フッ素，塩素）などを混合してレーザ光を発生させる装置である．工業用として利用されていたが，最近では視力矯正手術においても利用されている（図4-1-23）．一般にエキシマレーザは，混合ガス中でのパルス放電によって生成する励起状態の希ガス原子とハロゲン原子によってごく短時間（〜数 ns）だけ形成されるエキシマ分子（excited dimmer：励起二量体）からの放射光によってパルス発振する（図4-1-24）．代表的なエキシマレーザの発振波長は ArF（193 nm）の他に，KrF（248 nm），XeCl（308 nm），XeF（353 nm）がある．エキシマの基底準位は解離状態になっているため，基底分子密度は常に0であり，その意味で大変よいレーザ媒質とされている．

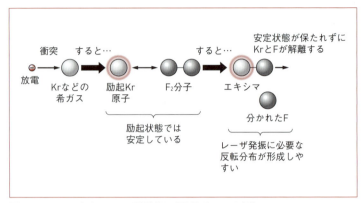

図 4-1-24　エキシマレーザ励起の原理（KrF の例）

屈折矯正術が主流）．レーザ照射 1 パルスあたり 0.2 μm 程度の厚みで，角膜の中央部の直径 4.5〜6.0 mm を蒸散するきわめて精密度の高い治療である．この治療は自動手術装置となっており，術者による手動操作がほとんど必要ないのも特徴である．近視治療が主体であるが，遠視，乱視の矯正も可能である．さらに，ほとんど同じ装置を用いて角膜の実質表層にできる病変（角膜ジストロフィ）の蒸散治療（photo-therapeutic keratectomy：**PTK**）も可能である．

　ArF エキシマレーザは，励起源ガスとしてハロゲン化物である F_2 を含んだ混合ガスを使用しているため（図 4-1-24），ガス配管などの取り扱いには厳重な注意が必要である（後述の「6. レーザ装置の安全管理」，p.159 参照）．精密蒸散の目的のため，ビーム内強度分布を均一化させたり，可変絞りなどの機構をもち，当初のプログラム通りに半自動的な蒸散を行う．最近の装置では，眼球の動きにレーザビームを追従させるシステムや，眼球検査時に集光レンズの色収差をなくすような解析機能が内蔵されているタイプが用いられている．

(3) XeCl エキシマレーザ装置（冠動脈形成術等）（図 4-1-25）

　紫外光の波長 308 nm の **XeCl エキシマレーザ**は，**冠動脈形成術（PTCA）**（第 3 章-③, p.110 参照）の一種である血管内照射（intravascular radiation：IVL）や，下肢末梢動脈治療用などに使用されるレーザ装置である．

　PTCA は，冠動脈の狭窄部位にバルーンカテーテルを使用して拡張する治療法であり，XeCl エキシマレーザは，IVL において狭窄部位にレーザ光を照射することで，狭窄部位を拡張する役割を果たす（ELCA：excimer laser coronary angioplasty）．XeCl エキシマレーザ光照射による蒸散では，組織に対する光深達長が浅く周囲組織への熱発生が少ないという特徴を活かし，周囲の血管組織を傷つけることなく，狭窄部位の血管壁を蒸散させ，拡張させることを可能としている．XeCl エキシマレーザは，ほかの PTCA 治療法と比較して，以下のような特徴をもつ．

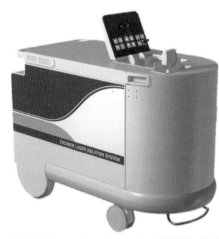

Philips 社
波長：308 nm
動作モード：パルス
先端出力（最大）：60 mJ/mm²
導光システム：ファイバ導光
（カテーテル内）
電源・容量：200 V，16 A

図 4-1-25　XeCl エキシマレーザ装置（血管形成術用）

- 狭窄部位にダメージを与えることなく，狭窄部位を拡張することができる．
- カテーテルを介して狭窄部位に照射するため，手術による切開が不要である．
- 治療時間が短いため，患者への侵襲が少ない．
- 拡張後に再狭窄が起こりにくいため，再治療の必要性が少なく，長期的な治療成績が良好である．

下肢末梢動脈疾患は，下肢の血管に血流障害が生じる病気で，狭窄や閉塞が原因となって足の痛みや潰瘍，壊死などの症状を引き起こす．治療には薬物治療（血管拡張薬の投与）や外科的治療（血管バイパス手術）などの方法があるが，近年，XeCl エキシマレーザ装置による治療が認可された．この治療では，冠動脈形成術と同様，動脈血管の狭窄部位にカテーテルを挿入し，XeCl エキシマレーザ光照射により血管内壁を蒸散，および血管内腔を拡張することで血流を改善させる．

このように XeCl エキシマレーザ装置は，血管内部に蓄積した血栓を分解する治療法に用いられている．照射により蓄積した血栓を照射することで，血栓内の血液成分を破壊し，血栓を解消する．蒸散により，狭窄病変はガスや水分および赤血球（5〜7 μm）と同程度の微小片に分解され，最終的に血流により末梢血管から吸収されるため，末梢血管部位で塞栓が起こる可能性が低く，安全な血管形成を可能としている．

XeCl エキシマレーザ装置による治療は，これら血管形成術のほか，植込み型ペースメーカや植込み型除細動器などのリード抜去時に，リード周辺に癒着している瘢痕組織を蒸散させる目的にも用いられている．

2）固体レーザ

(1) Nd:YAG レーザ装置（一般手術，内視鏡外科手術用）（図4-1-26）

Nd:YAG レーザは，1964 年，アメリカのベル研究所で開発された．

シネロンキャンデラ社
波長：1,064 nm（KTP：532 nm）
動作モード：パルス
先端出力（最大）：1.19 GW（1,064 nm）
ガイド光：半導体レーザ（630 nm）
導光システム：ファイバ導光
定格電源：200 V，30 A

図 4-1-26　Nd:YAG レーザ装置

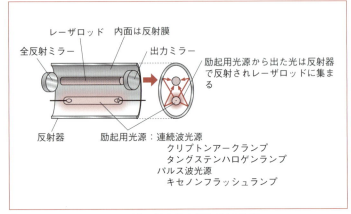

図 4-1-27　Nd:YAG レーザの代表的な発振器の構造
（小林春洋：トコトンやさしいレーザの本．日刊工業新聞社，2002 より）

固体レーザとして世界で最初にパルス光として発振したルビーレーザ（赤色光：波長 694 nm）の 4 年後である．波長 1,064 nm の Nd:YAG レーザは，**YAG**（Y：イットリウム・Al：アルミニウム・G：ガーネット，$Y_3Al_5O_{12}$）結晶に，希土類元素の Nd^{3+} をドープした（混ぜた）レーザロッドが用いられている（図 4-1-27）．石英ガラスファイバで伝送可能なため，内視鏡外科手術を含め多くの臨床科で使用されている．とくに，接触照射法の開発によって小規模ながら組織切開ができるようになり，強力な凝固・止血能と相まって臨床で使いやすい機能をもつに至った．従来は，励起源であるフラッシュランプによる発熱をおさえるために冷却水の配管を必要としたため運用上の制約があったが，50〜60 W 級の装置では冷却器を内蔵した装置が開発され，搬送運用が便利になった．Nd:YAG レーザ装置は，Ho:YAG/Er:YAG レーザ装置（後述）と同様に，ランプ励起のタイプ（図 4-1-27）の他，**Q スイッチ**を用いた高ピークパワーのパルス光（ns オーダー）を発振するタイプもあり（図 4-1-28），色素性疾患治療に用いられている（図 4-1-26）．

keyword
Q スイッチ
Q スイッチとは，レーザ光の発振を止めるシャッターのような装置で，1 億分の 1 秒の速さで作動する．エネルギーをためることにより，短時間で高出力を可能にしている．フラッシュランプの発光中はレーザ光の発生をおさえ，発光が終わると同時に作動させ，光が媒質を通過できるようにして，急激にレーザ光線を発生させる仕組みとなっている．

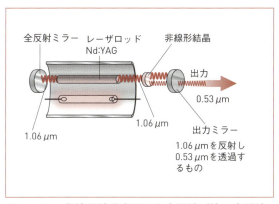

図 4-1-28　非線形結晶を用いた高調波（第 2 高調波：SHG）発振の原理模式図

keyword
高調波（図 4-1-28）

高出力のレーザ光をある種類の結晶に入射すると，入射光周波数（f）の整数（n）倍となる周波数（nf）をもつ光（光高調波）が発生する．この結晶を非線形結晶という．Nd:YAG レーザの第 2, 第 3 高調波用素子として，KTP 結晶（$KTiOPO_4$）などが用いられており，とくに第 2 高調波（$2f$）への変換効率は大きく，532 nm の SHG レーザ（optical second harmonic generation）として実用化されている．

ドルニエメドテック社
波長：2.08 μm
動作モード：パルス
先端出力（最大）：30 W
導光システム：ファイバ導光
電源・容量：115 V，2.6 kVA

図 4-1-29　Ho:YAG レーザ装置

（2）Ho:YAG レーザ装置（内視鏡外科手術，尿路結石破砕用）（図 4-1-29）

波長 2.1 μm の中赤外光である **Ho:YAG レーザ**は，YAG 結晶に希土類元素の Ho^{3+} をドープしたレーザロッドが用いられている．生体の吸収係数が約 20 cm^{-1}（光深達長 0.5 mm）であり，Nd:YAG レーザよりも 1 桁以上大きく，切開用途としても使用できる．Ho:YAG レーザを水中，あるいは組織内へ照射した場合に，ファイバ先端に水蒸気気泡（cavitation bubble：縦 4 mm×横 3 mm 程度）が生成され，この気泡による力で組織を裂くように切開することができる（図 4-1-30）．ファイバ先端を 5 mm 以上離すと組織への影響はほとんどなくなる．

組織に接触すれば切開，約 2 mm 程度から照射すれば蒸散，約 3～4 mm 程度で凝固（止血）作用をもつため，組織とファイバ先端との距離により，切開，蒸散，凝固をコントロールすることが可能である．硬組織に非接触照射した場合，表面近傍の水分の瞬間的な沸騰により，組織内部に大きい圧縮波を発生できるので，破壊したり切開したりできる．すなわち，軟組織と硬組織両方の切開治療に使用できる特徴がある．この性質は，整形外科，耳鼻咽喉科，口腔外科などの手術に有用で

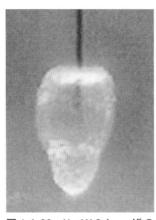

モリタ製作所社
波長：2.94 μm
動作モード：パルス
先端出力（最大）：250 mJ/pulse
導光システム：ファイバ導光
電源・容量：100 V，1.5 kVA

図4-1-30　Ho:YAGレーザの水中照射によるファイバ先端での気泡発生の様子

図4-1-31　Er:YAGレーザ装置

ある．Ho:YAG レーザの波長はフレキシブルな石英ガラスファイバに導光できるもっとも長い波長であり，結石などの硬組織破砕，鏡視下手術などに応用されている．

　臨床応用されている装置は，泌尿器科領域での前立腺肥大症の切除や尿路結石破砕治療などの他，整形外科領域での経皮的レーザ椎間板減圧術（percutaneous laser disc decompression：PLDD）や内視鏡外科手術，耳鼻咽喉科領域での鏡視下鼻内手術（慢性副鼻腔炎手術）などに用いられている．

(3) Er:YAGレーザ装置（歯科用）（図4-1-31）

　波長 2.94 μm の中赤外光である **Er:YAG レーザ装置** は，前述の Nd:YAG，Ho:YAG レーザ装置と同様，YAG 結晶に Er^{3+} をドープしたレーザロッドが用いられている．CO_2 レーザ手術装置と同様に石英ガラスファイバでの伝送率が悪いため，**中空ファイバ（中空導波路）** を用いた伝送方式を用いているが，新しく開発されたフッ化物ガラスファイバにより治療用レーザ装置としての重要性が高まった．Er:YAG レーザ光は，生体組織の水分に対する吸収が大きいため（CO_2 レーザの吸収係数が 866 cm^{-1} に対して，Er:YAG レーザが 11,850 cm^{-1}），生体組織の蒸散能力が高く，照射表面に炭化層を生じさせにくく，周囲の組織への熱的な影響が少ないという特徴がある．わが国では，CO_2 レーザに続いて歯科・口腔外科領域の治療用装置の主流である．CO_2 レーザなどでは，熱が原因と考えられる歯髄への影響や組織炭化がみられたが，Er:YAG レーザを歯牙組織に照射した場合，歯牙組織に含まれる水分にレーザ光が吸収され瞬時に蒸散することで，炭化を伴わない蒸散が可能となっている．う蝕の治療などではう蝕の部分だけを取り除くことができるため，健全な部分を多く残すことができる利点がある．現在，脳外科領域などでも臨床応用が期待される装置である．

ルミナス・ビー社
波長：532/577/659 nm
動作モード：パルス
先端出力（最大）：2,000 mW（532 nm）・
1,500 mW（577 nm）・800 mW（659 nm）
導光システム：中空導波路
電源・容量：100 V，10 A

図 4-1-32　半導体励起固体レーザ装置（網膜凝固用）

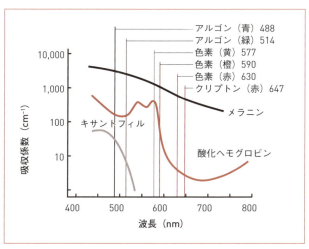

図 4-1-33　凝固波長域吸収スペクトルにおける各種色素の
　　　　　吸収係数
（光産業技術振興協会編：レーザ安全ガイドブック（第4版）．アドコム・
メディア，2006 より）

(4) 半導体励起固体レーザ装置（網膜凝固用）（図 4-1-32）

近年，網膜凝固用装置として Ar イオンレーザや Ar 励起色素レーザ（アルゴンダイレーザ）に代わり用いられているのが，**半導体励起固体レーザ装置**である．これは，グリーン（532 nm），イエロー（577 nm），レッド（659 nm）の 3 色を発振する装置で，半導体励起の Nd:YAG レーザからその高調波として 3 種類（装置によっては 4 種類）の波長を出力する（図 4-1-28）．眼内各種色素の吸収係数と発振波長との関係を図 4-1-33 に示す．黄斑網膜にはキサントフィルが含まれているため，黄斑部の毛細血管瘤などを凝固するにはキサントフィルに吸収の大きい黄色の波長を選択し，網膜表層の出血をきたす網膜中心静脈閉塞症にはヘモグロビンに吸収されにくい赤色の波長を選択すると治療効果があることがわかる．また，波長により網膜への光深達度が異なるため，短波長ほど凝固部位が浅く，長波長ほど凝固部位が深くなる特性を利用し，

レーザ手術装置

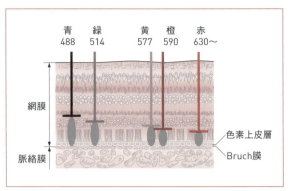

図4-1-34　各凝固波長における網膜組織への光深達度
(光産業技術振興協会編：レーザ安全ガイドブック(第4版). アドコム・メディア, 2006より)

白内障や硝子体混濁などには長波長(黄色から赤色)のレーザ光を用いて治療を行う(図4-1-34).

3)半導体レーザ(内視鏡外科手術用,PDT,LLLT用)(図4-1-35)

波長810 nm付近で発振する**AlGaAs系の半導体レーザ**(図4-1-36)は,近年長寿命発振が可能となり,種々のレーザ治療装置に広く使用されている.従来から低出力のタイプが疼痛治療に用いられているが,30 W以上の大出力半導体レーザ装置も出現してきた.その特徴は,小型,軽量,安価であることで,装置構成も単純である.半導体レーザチップから出射されるレーザ光は拡がり角が大きいため,低いNAファイバへ入射させるには,特殊な結合光学系が必要となる.AlGaAs系の810 nm付近の発振波長の生体作用は,水や色素(ヘモグロビンやメラニン)に対する吸収が少ないため,近赤外光のNd:YAGレーザ同様,組織深く(数百μm〜2 mm近く)まで透過することができる.低出力タイプ(〜数百mW程度)の半導体レーザは,痛み・疼痛緩和を目的とした**低出力レーザ治療**(**LLLT**)として用いられている.低出力レーザ光の生体への作用機序は物理的にすべて解明されていないが,神経の異常興奮を制御する,刺激伝導を制御する,局所血流を改善する,筋緊張を緩和する,発痛物質の代謝を促進するなどの作用があるとされており,関節周囲炎や腰痛症,帯状疱疹後神経症や術後創部痛などの治療に用いられている.また近年,半導体レーザは,癌治療の1つである**PDT**(photo dynamic therapy：**光線力学的治療法**)にも用いられている.664 nmに大きい吸収をもつ光感受性物質(色素)タラポルフィンナトリウム(商品名：レザフィリン®)を利用して,化学放射線療法または放射線療法後の局所遺残再発食道癌や早期肺癌を対象とした治療が保険適用となり,半導体レーザによる治療の有効性が認められてきている(図4-1-35).

PDTの治療原理は,光吸収により**活性酸素**(一重項酸素)を発生し,

---

keyword

NA
レンズの開口数(numerical aperture)のことで,レンズの分解能を求めるための指数である.NAは,物体から対物レンズに入射する光線の光軸に対する最大角度をθ,物体と対物レンズの間の媒質の屈折率をnとすると,
　$NA = n \cdot \sin\theta$
で表すことができる.

LLLT：low level laser therapy,低出力レーザ治療.

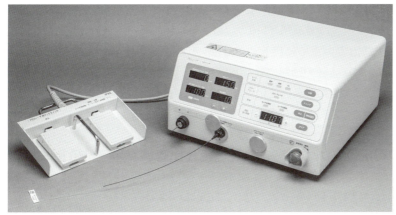

図4-1-35　半導体レーザ装置（PDT用）

Meiji Seika ファルマ社
波長：664 nm
動作モード：CW
先端出力（最大）：500 mW
導光システム：ファイバ導光
電源・容量：100 V，240 VA

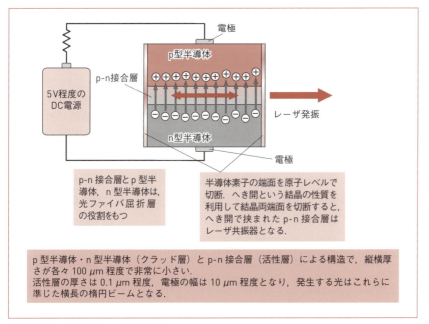

図4-1-36　半導体レーザの構造

癌細胞を死滅させる作用を有する**腫瘍親和性光感受性薬剤**（例：レザフィリン）を静脈注射により患者に投与し，この光感受性薬剤に吸収されやすい波長のレーザ光（例：664 nm）を照射して癌細胞を死滅させるものである．PDTは，従来の癌治療法との併用あるいは代替により初期の表在性癌（肺癌，食道癌，胃癌，子宮癌など）に対して治療効果があることが判明している．治療効果の特徴として，①正常細胞の障害を最小限におさえて癌細胞を破壊できる，②治療後の臓器などの機能保持が可能で治療後QOLが保たれる，③必要に応じて別療法などによる再治療が可能，④体力の衰えた患者にも適用できる，などがある．治療のデメリットとして，治療後の光感受性薬剤の体外への排泄が遅く，約1カ月の遮光が必要なことがあげられる．また，励起波長より治療有効

深度が浅い（3〜5 mm）ことも欠点とされる．現在用いられている第2世代の光感受性薬剤（レザフィリン等）など新しいPDT用の薬剤では，深部治療のために従来の630 nmからより生体吸収の小さい長波長650〜700 nmの励起に移行しており，排泄速度も向上している．加齢性黄斑変性症，動脈硬化症の治療など，癌以外の治療への応用も拡がりつつある．

4）液体（Dye）レーザ（皮膚良性血管病変治療，PDT，あざ治療用）

使用する色素が液体のため，**Dyeレーザ**は液体レーザに分類される．色素はアルコールに溶かして使われ，液体中の色素は炭素と水素を成分とする高分子でレーザ発振を行う．現在レーザ発振が確認されている色素は500種類ほどあり，発振波長は300〜1,200 nmである．1つの色素から発振される波長域は50〜100 nmほどで可変波長レーザである．励起源としては，フラッシュランプやピークエネルギーの高いNd:YAGレーザ，エキシマレーザなどを用いる．

治療用として，波長590 nm（または595 nm）のフラッシュランプ励起式パルスDyeレーザが主として皮膚良性血管病変の治療に用いられている（図4-1-37）．PDT用として波長630 nmのエキシマレーザ励起Dyeレーザが用いられてきたが，近年は小型の半導体レーザが用いられることが多くなった（本章「5-3）半導体レーザ」，p.156参照）．Dyeレーザ装置の注意点としては，使用されている色素には発癌性が認められている物質も含まれるため，取り扱いにあたっては手袋やマスク，保護眼鏡などの着用が必要となる（後述．表4-1-7参照）．また有機溶剤の揮発に対しては，火気に注意するとともに換気を行うことが重要となる．

> **Tips　エキシマレーザ励起Dyeレーザ**
>
> 通常レーザ光を発振させるためのエネルギー源には，一般的なガスレーザ（CO_2レーザやArイオンレーザ）は『放電励起』，固体レーザ（Nd:YAGなど）は『フラッシュランプ励起』が用いられている（表4-1-4参照）．このレーザ光発振のための励起源として，放電やフラッシュランプなどのエネルギーを使うのではなく，別のレーザ装置から発振されたレーザ光を，励起させたいレーザ光媒質へ入力させる方法があり，『○○レーザ励起△△レーザ』とよばれているレーザ装置がこれにあたる．色素レーザも別のレーザを励起源とするレーザ装置であり，QスイッチのArイオンレーザ励起の色素レーザ装置（アルゴン色素レーザ）や，パルス波のエキシマレーザ励起の色素レーザ装置（エキシマ色素レーザ）などが開発されてきた．現在のPDT治療用には，種々の色素（光感受性物質）の吸収に合った波長のレーザが発振可能で，低価格・小型である半導体レーザを励起源として用いて，620〜670 nmの範囲の出力光の装置が主流である．

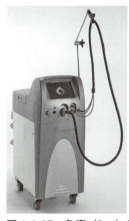

シネロンキャンデラ社
波長：595 nm
動作モード：パルス
先端出力（最大）：15 J/cm^2
導光システム：ファイバ導光（レンズ結合型）
電源・容量：200 V

図 4-1-37　色素（Dye）レーザ装置（皮膚良性血管病変治療用）

5) 光伝送路

　治療用レーザ装置に用いられる光伝送路は，通信用と異なり伝送距離は 2 m 前後でよいが，屈曲性能は厳しく要求される．また，内視鏡下などで体内に挿入するものは溶出物試験などが必要である．レーザ光の代表的な伝送路としては，CO_2 レーザ用の金鏡の反射を利用した**多関節型マニピュレータ（ミラー屈折伝送方式）**と，Nd:YAG レーザなどに**石英ガラスファイバ**（図 4-1-38）が用いられている．最近は，ハロゲン化銀（AgCl/AgBr）のコアクラッド構造をもつ本格的な細径赤外光ファイバが開発されている（図 4-1-39）．伝送路の外径は 2 mm 以下，最大伝送パワーは 15 W であり，内視鏡治療や歯科治療に使用されている．これより曲げ特性は劣るが（屈曲径が大），大容量の伝送路として誘電体を内装した**中空導波路**（金属導波管）があり（図 4-1-40），外科用治療器，歯科用治療器などに使用されている．半導体レーザはビームの拡がり角が大きいため，NA の大きい石英ガラスファイバが用いられている．

6. レーザ装置の安全管理

　レーザ光が生体に照射されると，熱作用によるタンパクの変性や，細胞組織と光化学反応および衝撃波による組織破壊が起きる（本章「3. レーザ光の生体に対する物理的作用と治療形態例」，p.138 参照）．このような生体作用は，レーザ光の波長，出力，出力形態（連続波またはパルス波）などによって異なる．一般に，皮膚よりも眼の方が，重篤で不可逆的な変化を生じる．レーザ光の特性を上手に活かせば，レーザ治療装置として便利な機器となりうるが，逆に安全を考慮せず，レーザ光を制御できなければ，治療の対象である患者のみならず，使用者を含めた周囲の医療従事者に対しても重大な危険をもたらす．また，被加工物や装置周辺の他の物体を照射して起こる有害物の発散などによる二次的障害にも留意する必要がある．したがって，レーザ治療装置の使用者・管

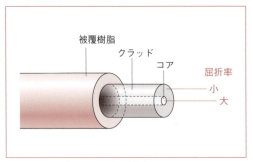

図 4-1-38　光ファイバの構造

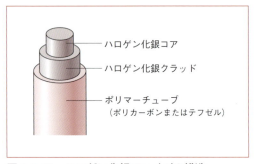

図 4-1-39　ハロゲン化銀ファイバの構造

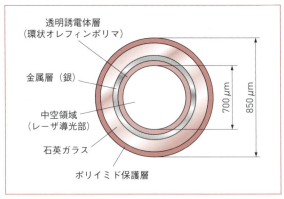

図 4-1-40　中空導波路の構造

理者は，レーザ光に対する十分な安全管理対策の責任が課せられる．

　レーザ光照射の対象が患者であり，かつ患者以外の医療従事者が周囲に存在するという特殊性を考慮すると，レーザ治療装置の安全対策として，まずレーザ光による眼や皮膚への直接的障害に留意する必要がある．また，直接的障害以外にも，レーザ運転に付随する空気汚染の問題や，装置自体の漏れ電流など電気的な問題にも十分な配慮が必要である．したがって，これらの理由からも，レーザ治療，および装置の管理に携わる医療従事者は，一定水準の安全管理に対する知識をもっていることが大切である（本章「6-6）安全教育講習会・安全教育試験」，p.165 参照）．

1）レーザ光による障害（眼，皮膚に対して）

(1) 眼障害

　現在使用されているレーザには，100 nm 程度の短波長のものから，mm 域に及ぶ長波長のものまであるが，いずれも生体に対する透過力は低く，レーザ光の人体に与える影響は眼または上皮組織に限られる．**眼障害**のうち，もっとも深刻なものは網膜損傷など眼底に及ぶものであり，400 nm から 1,400 nm の波長域の可視光または近赤外光により誘発される（たとえば Ar イオンレーザや Nd:YAG レーザなど）．この波長の光は単に眼球を透過するばかりではなく，水晶体のレンズ作用により

集光されるため，眼底に大きな影響を及ぼす．400 nm より短波長の紫外光や，1,400 nm より長波長の赤外光は，ほとんどのエネルギーが角膜表層に吸収されるため，角膜障害の原因となりうる（CO_2 レーザなど）．

短パルスの高ピークパワーで放射する Q スイッチ Nd:YAG レーザ，CO_2 レーザなどでは，衝撃波により網膜火傷，眼底出血などが起こり，しばしば高度の視力低下を伴う．

(2) 皮膚障害

皮膚にレーザ光を照射した場合の障害として，熱反応と非熱反応がある．熱反応は，レーザのエネルギーにより皮膚温度が上昇し，皮膚に発赤や炭化などの反応，すなわち火傷が生じることがある．非熱反応は，温度上昇を伴わないもので，紫外線照射による色素沈着などがこれに含まれる．また，320 nm 以下の波長の光は発癌性をもつと考えられている．

(3) その他の障害

レーザ装置には，一般に高圧電源が用いられているので，感電などの電気的障害が起こりうる．また，レーザ媒質としてエキシマレーザにはハロゲンガスが，色素レーザには有害な有機物質が用いられているため，これらの有害物質の取り扱いにも十分な注意が必要である．

2) レーザ装置使用時の危険性

レーザ装置を使用する際に付随的に発生する各種の危険について，とくに医療用レーザ治療装置に関して解説する．

付随する危険性は，レーザ装置そのものに起因する場合と，周囲の環境に起因する場合とに大別できる．医療現場での使用を考えると，手術室や集中治療室など，電気メスによる火花放電の発生，引火性物質・ガスの使用，高圧ガスボンベの使用，治療に伴って生じる生体組織蒸散による室内空気の汚染などがある．以下にこれらの危険性と安全対策を示す．

(1) 医用電気機器としての安全

レーザ治療装置は，医用電気機器に要求される安全対策（JIS T 0601-1：2023）が考慮されなければならない．なかでも漏れ電流と電磁波障害は重要である．もし，レーザ治療装置から規定以上の**漏れ電流**が患者に流れた場合には，**マクロショック**（心室細動）を引き起こす可能性がある．また，レーザ治療装置から発生する電磁波によって，ペースメーカが誤作動するようなことがないよう注意する必要がある．

(2) 高電圧の感電およびショートによる爆発対策

一般にレーザ装置は，高電圧発生装置を内蔵している場合が多い．普通の使用状態においては，レーザ装置の使用者がこれら高電圧に接触し感電する機会は皆無といってもよいが，保守点検中などでは十分にその

危険性があるため，高電圧部分を絶縁物でカバーするなどの配慮が必要である．また万一，高電圧部分が筐体部に接触し，火花を生ずるような故障においても，それが爆発に至らないような材料の選択が設計段階で十分考慮されていなければならない．

(3) 爆発性部品の対策

大きな容量のコンデンサ，または高電圧のかかるコンデンサは，規定以上の条件で使用すると爆発する危険性を有するものがある．これらの部品を使用する場合には，耐圧など十分余裕をもったものでなければならない．

(4) 紫外線などの放射線障害への対策

一般にガスレーザでは，レーザ管内の放電に伴って紫外線，またはもっと波長の短いX線を副次的に放出するものがある．これらの放射線は人体に害を及ぼす可能性があるため，遮蔽を十分に行い，外部に漏れないようにする．

(5) 引火性ガスや薬品の使用とその対策

治療用レーザ装置を使用する場合には，引火性の強い麻酔ガスや薬品は使用しないよう注意が必要である．気管支にチューブを挿入した状態でレーザ光を照射するような場合には，不燃性のチューブを使う必要がある．

(6) 生体物質の蒸散に伴う室内空気の汚染

レーザ手術・治療のもっとも重要な使い方として，切開と蒸散，焼灼・凝固があるが，いずれもこれらの行為に付随して，生体組織が蒸散・蒸発する．これらは放置すれば飛散し，室内の空気を汚染するため，発生部近傍で速やかに吸引し取り除くことが必要である．

3) レーザ治療装置の安全使用に必要な事項

レーザ治療装置による事故報告から安全対策の方法を解析すると，2つのケースに分けられる．

まず，使用者側の不注意に基づくものとしては，
①不適正な器具類の使用
②レーザ光の誤った方向への照射
③不適正な**保護眼鏡**の着用，または保護眼鏡の不着用
④レーザ照射を行う際の補助者などへの注意を促す警告の不履行

などの例がある．①と②の場合は火災の発生となり，③は眼に永久的に残る障害が生じたケースもある．④は保守調整中に発生したもので，複数の人が関与している場合に，他人への警告なしにレーザ照射をして事故になった例がある．

次に装置の故障や誤作動によるものとしては，
①装置の誤動作による偶発的レーザ照射
②フットスイッチの故障による照射中レーザの停止不能

③設定したレーザ出力値を大きくはずれたレーザパワーの照射
④光ファイバがはずされているレーザ装置の光ファイバ接続口からのレーザ照射

などの例がある．いずれも一歩誤ると重大な人身事故になりかねない危険性を有しており，安全対策の慎重な履行が要求される．

4）レーザ製品のクラス分け

これまで述べたように，ヒトに及ぼすレーザ光照射の危険度はレーザの種類によってまったく異なり，レーザ共通の安全基準が適用できる1つのグループとしてみなすことは不可能である．したがってJIS規格（**JIS C 6802：2018**）では，本質的に安全なクラスから，眼にとっても皮膚にとっても危険なクラスまで，レーザ製品を8つの概括的なクラスにグループ分けしている（**表4-1-5**）．この分類は，眼に生理学的障害を生じるレーザ光の波長，放射持続時間に応じた各クラスに対する最大被ばく放出レベル，すなわち"被ばく放出限界（accessible emission limit：AEL）"を規定している．医療用レーザ製品のクラス分けは，このJIS C 6802のクラス分けに準じる．

JIS C 6802：レーザ製品の安全基準

5）レーザ治療装置の安全対策

(1) 安全予防対策

レーザ安全管理者とは，「レーザの危険性の評価と管理をするに足りる知識を持ち，レーザ装置の使用者を指定し，教育を行う等の管理を行う者」であり，レーザ機器の取り扱い，およびレーザ放射による障害の防止について，十分な知識と経験を有する者のなかから選任され，次の6項目を任務としている．

①レーザ放射による障害防止対策に関する計画の作成および実施
②レーザ管理区域の設定および管理
③レーザ機器を作動させるためのキーなどの管理
④保護具の点検，整備およびその使用状況の監視
⑤労働衛生教育の実施およびその記録の保存
⑥その他レーザ放射による障害を防止するために必要な事項

レーザ製品のクラス分けに従って，使用者が行わなければならない安全上の予防策および管理基準についてはJIS C 6802：2018に規定されている．

使用者への指針：JIS C6802：2018 附属書JA（参考）p.97～105参照

(2) 治療用レーザ装置の安全対策

治療用レーザ装置は，一般用・工業用レーザ装置と異なる環境で使用されるために，それらを考慮した諸規定が追加されている．レーザの安全な運用に関する一般的な注意事項（**表4-1-6**）の他に，治療用レーザ装置として追加される安全項目を記す．

①レーザ出力

表 4-1-5　JIS C 6802：2018 におけるレーザ装置のクラス分け

クラス分け	危険評価の概要	必要とする各種ラベル内容	表示ラベル例
クラス1	直接ビーム内観察を長時間行っても，観察用光学器具（以下，ルーペまたは双眼鏡）を用いても安全であるレーザ製品．	警告ラベル：不要 説明ラベル：クラス1レーザ製品 開口ラベル：不要	警告ラベル
クラス1C	医療，診断，手術，または脱毛，しわ取り，にきび取りのような美容への用途として，皮膚または体内組織にレーザ光を直接照射することを意図したレーザ製品．レーザ放射が当該目標に接触させて用いる場合，クラス1に同じ．	警告ラベル：必要 説明ラベル：レーザ放射／製品の取扱説明書に従うこと／クラス1Cレーザ製品 開口ラベル：不要	
クラス1M	裸眼で直接ビーム内観察を長時間行っても安全であるレーザ製品．光学器具を用いて観察すると，特定の条件でMPEを越え，露光による目の障害が生じる可能性がある． レーザの波長領域：302.5 nm～4,000 nm（光学器具に用いられているほとんどの光学ガラス材料をよく透過するスペクトル領域）	警告ラベル：必要 説明ラベル：レーザ放射／望遠光学系の使用者を露光しないこと／クラス1Mレーザ製品 開口ラベル：不要	
クラス2	400～700 nmの波長範囲の可視光を放出するレーザ製品であって，瞬間的な被ばくの時は安全であるが，意図的にビーム内を凝視すると危険なレーザ製品．	警告ラベル：必要 説明ラベル：レーザ放射／ビームをのぞき込まないこと／クラス2レーザ製品 開口ラベル：不要	説明ラベル
クラス2M	可視のレーザビームを出射するレーザ製品であって，裸眼に対してだけ短時間の被ばくが安全なレーザ製品．光学器具を用いて観察すると，ある条件で露光による目の障害が生じる可能性がある．	警告ラベル：必要 説明ラベル：レーザ放射／ビームをのぞき込まないこと，また，望遠光学系の使用者を露光しないこと／クラス2Mレーザ製品 開口ラベル：不要	
クラス3R	放射出力のレベルが，直接のビーム内観察条件に対してMPEを超えるものの，AELがクラス2のAEL（可視），またはクラス1のAEL（不可視）のわずか5倍であることから，障害が生じるリスクが比較的小さいレーザ製品．	警告ラベル：必要 説明ラベル：レーザ放射／目への直接被ばくを避けること／クラス3Rレーザ製品 開口ラベル：レーザ放射の出口	
クラス3B	目へのビーム内露光が生じると，偶然による短時間の露光でも，通常危険なレーザ製品．拡散反射光の観察は通常安全．AEL近傍では，軽度の皮膚障害，または可燃物の点火を引き起こす可能性がある．	警告ラベル：必要 説明ラベル：レーザ放射／ビームの被ばくを避けること／クラス3Bレーザ製品 開口ラベル：レーザ放射の出口	開口ラベル
クラス4	ビーム内の観察および皮膚への露光は危険であり，また拡散反射の観察も危険となる可能性があるレーザ製品．しばしば，火災の危険性が伴う．	警告ラベル：必要 説明ラベル：レーザ放射／ビームや散乱光の目または皮膚への被ばくを避けること／クラス4レーザ製品 開口ラベル：レーザ放射の出口	

MPE：最大許容露光量，AEL：被ばく放出限界．

②ガイド光
③ビームシャッタ
④フットスイッチ
⑤導光路がはずされる時の安全

表 4-1-6 レーザの安全な運用に関する一般的な注意事項

① 患者,術者,および周囲の補助者は,眼球保護のために保護眼鏡を着用する.
② 照射部位以外の術野を適宜保護する.
③ 術野での反射を防ぐため,反射率の高い金属無垢の鉗子などの使用を避ける.
④ レーザの照射は,1人の術者が操作しなければいけない.
⑤ レーザの出射端は,術者の目の高さよりも十分に下げた位置とする.
⑥ レーザの出射方法は打ち下げとし,水平,あるいは打ち上げてはいけない.
⑦ 照射部位に目を過度に近づけず,適当な距離を確保する.

(日本生体医工学会 ME 技術教育委員会監修:MEの基礎知識と安全管理改訂第7版.南江堂,2020 より)

⑥規格および試験方法
⑦表示事項(規格および試験方法に含む)
⑧使用上の注意について(添付文書記載事項)
⑨製造業者または販売業者の遵守事項
⑩その他

6) 安全教育講習会・安全教育試験

これまで述べてきたように,レーザを用いた治療は,レーザ光の特徴から,その使用法を誤ると患者や使用者に危険を引き起こしてしまうことがある.そこで,学会((特非)日本レーザー医学会安全教育委員会)主導で,2001年から安全教育講習会と安全教育試験を毎年開催し,専門医制度を始めるとともに,安全教育が最重要性課題として取り組んできた.安全教育講習会では,光とレーザの基礎知識,医用レーザ装置の基礎知識,レーザの生体への安全性と JIS 規格,レーザ治療の実際と安全対策について講習を行っている.

7) レーザ治療装置の保守点検

表 4-1-7 に各種レーザ治療装置の保守点検,整備法についてまとめたものを記す.レーザ装置が安全に作動するように,電源,冷却系,ガス吸・排気系などを点検する.多くの種類のレーザが使用されているので,保守点検,整備法は各々異なってくるが,重要な点は,消耗物品の確認である.CO_2 レーザは,最近レーザ管を封じ切りとしたものが多いが,ガスを流している形式ではレーザガスが消耗物品となる.封じ切りのガスレーザは,Nd:YAG レーザなどの固体レーザと同程度の整備性をもつ.半導体レーザ装置は消耗物品がないので(レーザ光伝送路は除く),保守点検,整備がもっとも容易である.

術野で規定通りのレーザ出力およびビーム品質が発揮されるように,レーザ装置本体の出力を確認するとともに,伝送路の透過率を確認する.大型の機種では,伝送路先端(出射端)でのレーザ出力を確認できるパワーモニタを装備している場合もあるが,最近のレーザ手術装置では省略されていることが多く,出射端での出力確認は重要である.レー

表 4-1-7　各種レーザ治療装置の保守点検，整備法

	点検場所	点検項目	保守と点検方法
①電源系 （すべての装置に共通）	アース 交流電源	規格，接続 規格，容量	アース規格，接続を確認． 電源の規格，容量，接続法を確認．
②冷却水系 （水道水を冷却に使用するレーザ．旧式の Nd:YAG レーザに限られる）	冷却水道水 冷却水道水配管 一次冷却水	冷却水流量 漏れ 冷却水量	水圧ないしは排水量が規定以上か． ホースと継手の接続部． 蒸留水を規定体積充填．汚れていないか確認．
③冷却機 （冷却機を備えたレーザ）	冷却系	作動状況	作動させて冷却系の警報機能で確認．
④ガス吸気排気系 [一部の CO_2 レーザ，RK 用 ArF レーザ，XeCl レーザ（色素レーザ励起用）]	ガスボンベ 圧力調整器 レーザガスバルブ 排気ポンプ 排気トラップ	ガス残圧 圧力調整機能 バルブ漏れ ポンプオイル トラップ寿命	圧力調整器一次圧力計検針．交換時期の決定． 二次圧力計の安定，調整弁設定のトルク． 操作トルク，ガタ，閉止時の締め付けトルク． 量，色調を確認．規定使用時間で交換． 規定使用時間で交換．
⑤色素レーザ媒質 （PDT 用色素レーザ，あざ取り用色素レーザ）	色素媒質	劣化	規定時間ごとに交換．出力減少でも交換．
⑥励起用ランプ （Nd:YAG レーザ，Ho:YAG レーザ，Er:YAG レーザ）	励起用ランプ	劣化	規定時間ごとに交換．出力減少でも交換．
⑦レーザ発生器本体 （すべての装置に共通．ガス，色素，ランプなど，消耗部分のあるレーザはそれを交換したのちに行う）	レーザ装置	出力	規定に達しない場合，レーザ装置補修・交換．
⑧関節鏡式導光路 （大出力 CO_2 レーザ，Q スイッチ Nd:YAG レーザ）	導光路 集光レンズ 導光路総合	清潔 透過率 出射パターン バランス 関節可動部分 レンズ汚れ 集光性能	清潔/不潔境界の設定．滅菌カバー取付け． 内蔵または外部のパワーメータで計測． 円形・均一かどうか感熱紙などで確認． カウンターウェイト調整． 可動部分軸受のガタ確認． 確認しクリーニング． アクリルブロックなどの蒸散で確認．
⑨導光路 （ファイバまたは中空導波路を備えたレーザ装置）	導光路 先端チップ/ファイバ	清潔 透過率 出射パターン 汚れ，溶融	清潔/不潔境界の設定．滅菌カバー取付け． 内蔵または外部のパワーメータで計測． 円形・均一かどうか感熱紙などで確認． 炭化物の付着の有無．掃除．切断・研磨，交換．

　ザ治療装置本体で出射端での出力確認ができない場合は，別にレーザパワーメータを装備する必要がある．もっとも頻繁に発生する不具合は，伝送路の透過率低下による出射端出力の低下である．とくに光ファイバ伝送路は，狭い術野で照射野に近接して使う機会が多いので，先端の汚れや，汚れを原因とする溶融などが頻繁に発生するため，常に確認する必要がある．

　CO_2 レーザ手術装置の場合は，アクリルブロックなどに蒸散して出射端での集光状態を確認する．また，あざ治療装置では，出射端でのビームの光強度分布を着色紙などに蒸散させて確認する．

　伝送路は術者が取り扱い，術野にいたるので，清潔領域として取り扱うが，レーザ手術装置は不潔領域となる．すなわち伝送路中に，清潔・

不潔の境界があるので注意が必要である．光ファイバは柔軟だが，バネのような弾性があり，取り扱いに注意しないと撥ね飛んで清潔領域が汚染されることもある．ファイバ伝送路の場合は，伝送路ごと滅菌をする．間接導光路の場合は清潔なカバーを適宜取り付ける．

参考文献

1) 日本生体医工学会 ME 技術教育委員会監修：ME の基礎知識と安全管理改訂第 7 版．南江堂，2020．
2) 小原　實，他：レーザ応用光学．共立出版，1998．
3) 小林春洋：トコトンやさしいレーザの本．日刊工業新聞社，2002．
4) 医用レーザー臨床応用安全指針．日本レーザー医学会，日本医科器械学会，1988．
5) 光産業技術振興協会編：レーザ安全ガイドブック（第 4 版）．アドコム・メディア，2006．
6) 谷腰欣司：図解レーザのはなし．日本実業出版社，2000．
7) 日本生体医工学会 ME 技術教育委員会監修：第 1 種 ME 技術実力検定試験テキスト．182，2014．
8) 特定非営利活動法人　日本レーザー医学会　安全教育講習会
   http://www.jslsm.or.jp/main/seminar/index.html
9) 日本レーザー医学会安全教育委員会編：レーザー医療の基礎と安全．アトムス，2016．
10) JIS C 6802：2018「レーザ製品の安全基準」

第5章 超音波治療機器

1 超音波吸引手術装置

1. 超音波の性質

音源が振動すると，まわりの空気が圧縮と膨張を繰り返すので，空気中を**疎密波**（縦波）が伝わる．これが音波である．音波は波の進む方向と媒質の運動の方向が同じであり，これを**縦波**という．音が伝わるためには媒質が必要であり，空気のない真空中では音は伝わらない（同じ波動現象である電磁波は**横波**であり，真空中でも伝搬する）．空気やそれ以外の気体，水などの液体，固体も音を伝える媒質となり，その時の音速は媒質により異なる（固体＞液体＞気体の順に速い）．

人間が聞くことができる音の振動数（可聴周波数）は，およそ20～20,000 Hzである．20 Hz以下の音を超低周波音とよび，20 kHz（20,000 Hz）以上の音を**超音波**とよぶ．音波（超音波）の波長は，周波数を f，音速を c，波長を λ とすると，$\lambda = c/f$ より求めることができる．たとえば，空気中を伝搬する1 kHzの音波の波長は約34 cmだが，20 kHzの超音波の波長は約1.7 cmとなる（音速を340 m/sとした場合）．この両者の波長の違いは**指向性**の違いとなって現れる．指向性とは，音波が拡散しないで直進する性質のことであり，音波は短波長になるほど指向性がよくなる．

指向性は，音波の回折現象に関与する．音波（音）は障害物の裏側でも聞くことができ，これを回折とよぶ．回折は障害物の大きさには関係なく，音波の波長が関係する．波長の長い音波は回折が起こりやすいが，波長の短い超音波は回折が起こりにくく，直進性が強く，指向性がよい．

音波（超音波）は波動現象であり，光（電磁波）と同じように反射や屈折などの性質がある．図5-1-1のように，可聴域の波長の長い音波では球面波として伝搬するので，音源から離れるほど音波は周囲に拡散し，その反射波はどの物体からのものかは判断できない（指向性が悪い）．しかし，超音波は平面波として伝搬し直進するので，細いビームにして一点に集中させることができ，反射体の位置を正確に知ることができる．

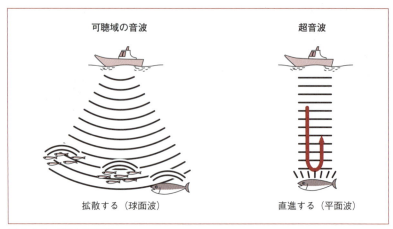

図 5-1-1　音波の原理

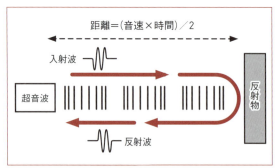

図 5-1-2　超音波の原理

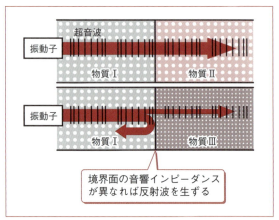

図 5-1-3　音響インピーダンス

　超音波の進む方向に2つの物体（反射体）が並んで存在する時に，その反射エコーより2つの反射体を正しく識別できる最小距離のことを**距離分解能**という．同様に超音波の進む方向に直交して並んだ2つの物体を識別可能な最小距離を**方位分解能**という．距離分解能，方位分解能のどちらも，周波数が高い（波長が短い）ほどよい．

　また，超音波は周波数が高く波長が短いので，振動の持続時間の短い，いわゆるパルス状の音波を作ることができる．図 5-1-2 は，潜水艦のソナーや魚群探知器の原理であるが，超音波のパルス波を発射し，対象物からの反射波が戻ってくるまでの時間を計測すれば，物体の位置と物体までの距離がわかる．これを**パルス反射法**（パルスエコー法）とよび，超音波診断装置の基本原理となっている．

　この反射波が生ずる現象には法則があり，図 5-1-3 のように，音波は音響的な性質が一様な媒質中では直進するが，音響的な性質が異なる媒質の境界面では入射波の一部は反射して戻り，残りは屈折，透過して進行する．この時の反射率は**音響インピーダンス**の違いにより決定される．音響インピーダンス $[kg/m^2 \cdot s]$ とは，媒質の密度 $\rho\ [kg/m^3]$ ×

keyword

魚群探知機とソナー

漁業では魚群探知機（魚探）が船の真下を探知するのに対し，周囲方向を探知するものをソナーと称している．

音速 c [m/s] で表される値であり，この音響インピーダンスの差が大きい媒質の境界ほど強く反射され，逆に両媒質の音響インピーダンスの差がなければ音波は反射しない．

2. 超音波の発生法

ある種の結晶・材料に機械的応力（歪み）を加えると電圧を発生し，逆に電圧を加えると機械的歪みを生じる．前者を**圧電効果**，後者を**逆圧電効果**とよぶ．または，両効果を総称して**ピエゾ効果**とよぶ．このピエゾ効果が生じる材料を圧電素子（圧電材料）とよぶ．つまり，圧電素子とは，電気エネルギーを機械的振動に変えることにより超音波を発生させる，または逆に機械的振動を電気エネルギーに変えることにより超音波を受信するトランスデューサの一種である．

1880年，キュリー兄弟（フランス）が，天然水晶が圧電特性をもつことを発見した．この天然水晶は形状が小さいため，水中を伝搬しやすい数 kHz～数十 kHz の低周波の発信がむずかしく，また音圧レベル（エネルギー）が小さい欠点があった．そこでフランスの物理学者ランジュバンは，強力な超音波の発生に**共振現象**を利用することに着目した．つまり，共振により特定の周波数で振動振幅を大きくすることができる．共振周波数は物体の寸法や形状で定まるため，小さな天然水晶の両側に2枚の厚い金属板を取り付けることで全長を長くした．その結果，固有振動数が小さくなり低い周波数での共振が可能となって，エネルギーの大きな強力な超音波を発生させることに成功した．この構造体の振動子をランジュバン振動子とよぶ．今日では，天然水晶や人工水晶に代わって圧電セラミックスが使われ，2つの金属ブロックを貫通ボルトで締め付けたボルト締めランジュバン振動子が使われている（図5-1-4）．圧電セラミックスには，強誘電体であるチタン酸バリウムや，チタン酸ジルコン酸鉛（PZT）などが使用されている．PZT は酸化ジルコンと酸化チタン，および酸化鉛の粉末原料に添加物を加えて加圧機で整形し，1,200℃前後で焼成する．

また，圧電セラミックスは引っ張り力に弱いが，両側を金属で挟みボルトで締め付けることで強度が増し，大きな振動振幅に耐えることができる．図5-1-4のように，圧電素子2つを電極板3枚でサンドイッチ状に挟み，真ん中の電極を共通端子として，個々の圧電素子に共振周波数の電圧を加えると長軸方向に振動する（圧電素子が伸びたり縮んだりする）．

さらに，ランジュバン振動子の端部は金属であり，そこにボルトを締結することでいろいろな他の金属体を接続できるため，超音波振動を利用した各種の応用装置が実現できる．たとえば，金属ブロックの先端にナイフを装着すれば超音波ナイフに，砥石を取り付ければ超音波砥石になる．医療においては，金属棒（ホーン）を取り付けた超音波吸引手術

keyword

共振現象
物体のもつ固有振動数と同じ周波数の振動を外部から加えると，加えた振動の大きさよりも大きな振動が発生する現象のこと．

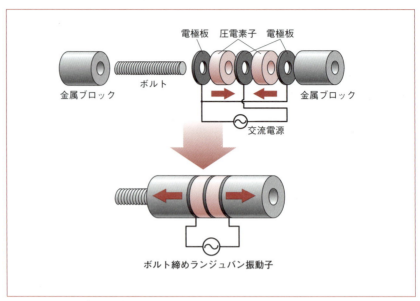

図 5-1-4　ランジュバン振動子

装置や，シザーズ型プローブやフックなどを取り付けた超音波凝固切開装置，針金状の細長い金属を取り付けた結石破砕装置として応用されている．

3. 超音波の医療への応用

　超音波の医療への応用は，通信的（情報的）応用と動力的応用に大別される．前者は心臓・腹部などの画像診断を目的とした超音波画像診断装置であり，組織の境界面からの超音波の反射波を画像化するパルスエコー法を測定原理とする（図 5-1-3）．工業界では水中ソナーや魚群探知機（測深機），探傷計（非破壊検査装置）などに利用されている．

超音波振動子の開発

　1880 年，キューリー兄弟（フランス）が，天然水晶が圧電特性をもつことを発見した．1919 年には，フランスの物理学者ランジュバンが，師であるキューリー兄弟の圧電現象の研究を受け，共振現象を利用した強力な超音波の発生を可能にしたランジュバン振動子を考案した．その後，水晶にかわって，チタン酸バリウムや PZT（チタン酸ジルコン酸鉛）などの圧電セラミックスが使われるようになり，電歪型振動子といわれる．

　また 1847 年，ジュール（イギリス）が磁性体であるニッケル棒に巻いたコイルに電流を流すと，ニッケル棒がわずかに縮むことを発見した．これを磁歪型振動子という．しかし，ニッケルや鉄などに交流電流を流すと，材料中に渦電流が発生して，エネルギー損失が大きくなる．1930 年代に日本の加藤与五郎と武井武によって発見された磁性フェライト（セラミックス）は，画期的な発明となった．金属と違って電気抵抗が大きく，渦電流によるエネルギー損失をおさえることができるため，発熱が少なく，冷却も不要であるという特徴をもつ．

後者は超音波の振動を機械的な振動系に伝え，その先端部を生体に接触させ力学的な作用を利用するもので，治療目的に応じて各種の装置がある．腎内・尿管結石の破砕装置，水晶体を破砕・吸引する白内障手術装置，肝実質や脳腫瘍組織を破砕・吸引する超音波吸引手術装置，内視鏡手術において小血管などを切離・凝固する超音波凝固切開装置などがある．歯科では超音波スケーラーに利用されている．スケーリングとは歯石を除去することをいい，超音波振動を利用することで多量の歯石を短時間に除去できる利点がある．工業界では超音波洗浄器，超音波加湿器，超音波溶接器，超音波モータなどの応用がある．

また，これらの超音波は数十 kHz 帯が使用されるが，MHz 帯超音波を利用した装置もあり，超音波を集束させることで特定の部位を選択的に加温することができる（温熱効果）．おもに変形関節症や慢性関節疾患などに鎮痛を目的として利用されたり，**ハイパーサーミア**（癌に対する温熱療法）にも使用される．

超音波ネブライザはエアロゾルの粒子が 0.5〜5 μm と細かく均一であり，気道末梢まで有効に到達する特徴がある．その動作原理は，超音波振動により槽内の薬液を噴水状に盛り上げ，この頂上部が霧状化し噴霧される．

超音波は治療・計測機器以外でも利用されている．強力な超音波が液体中に発射されると，その疎密波に応じて正圧と負圧が周期的に生じるが，この負圧により気泡を発生する現象を**キャビテーション**（空洞現象）という．このキャビテーションにより発生した気泡が壊れる瞬間に非常に大きな圧力を生ずる．これにより物質の汚れを落とすのが超音波洗浄器であり，医療器具の洗浄に利用されている（メガネ用洗浄器も同じ原理）．

4. 超音波吸引手術装置の構造と原理

一般的な装置のハンドピース構造を図 5-1-5 に示す．ハンドピース部のグリップ部分には超音波振動子が内蔵され，ホーンが直結されている．また，ホーンの先端部には生体と接触するチップが取り付けられている．

超音波振動子とは，電気エネルギーを超音波の機械振動に変換する素子である．超音波振動子に電圧を加えると，逆圧電効果により約 20〜36 kHz で発振し，それは機械的な振動となりホーンに伝達され，さらに先端のチップが長軸方向に振動して組織を破砕する．たとえば，超音波振動子の発振周波数が 23 kHz の場合，これは 1 秒間に 23,000 回の振動をチップ先端に伝えることになる．しかし，この超音波振動子の振動振幅は数 μm〜数十 μm にすぎず，生体組織を破砕するには十分ではない．そこでホーンの共振現象を利用し，振動振幅を増幅している．その結果，ハンドピース先端の最大ストローク幅は，23 kHz で 350 μm,

keyword

ハイパーサーミア

腫瘍を電磁波で体外から加温する治療．マイクロ波（2,450 MHz）は浅在性腫瘍に，RF 波（8 MHz）は深在性腫瘍に使用される．

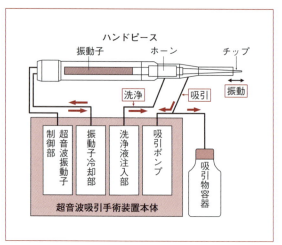

図 5-1-5　ハンドピースの構成図

36 kHz で 210 μm 程度となる．このように，振動の振幅幅は 0.2〜0.35 mm と小さいが，振動周波数が高いので機械的な加速度は大きく，含水量の多い脆弱な組織などを破砕するには十分な大きさとなる．この振動による機械的エネルギーを組織に加えると，脆弱組織である実質性組織（肝臓実質，脳腫瘍など）は破砕されるが，血管，神経，線維性結合組織などの弾力に富む組織は振動を吸収するため損傷されない．したがって，選択的に組織を破砕・吸引することができ，出血量の少ない手術が可能となる．

　ハンドピース部には，超音波振動子制御部，洗浄液注入部，吸引ポンプ，振動子冷却部が接続される．ハンドピース部分にスイッチはなく，操作はフットスイッチにより行う．ハンドピース先端は中空構造となっており，この部分には吸引用チューブが接続され，本体の吸引ポンプに接続されている．破砕された組織片はハンドピース先端口や側孔口より吸い出され，本体の吸引物容器に貯留される．さらに，先端には洗浄液注入チューブが接続されており，チップを覆っているプラスチック製カバーの周囲から洗浄液（滅菌生理食塩水）が術野に流れ出る．この洗浄液はチップ先端の摩擦熱を冷却すると同時に，破砕した組織片に生理食塩水を混ぜることで乳化させ，吸引を容易にしている（図 5-1-6）．さらに組織に洗浄液を混ぜることで，音響キャビテーションの発生が容易となる．したがって，組織には機械的振動による破砕力に加え，キャビテーションの衝撃波による破砕力が加わる．

　操作パネルにより振幅，組織選択，吸引，洗浄の設定を行い，術野の状況に合わせ適宜変更する．ハンドピース内蔵の超音波振動子には，**電歪型振動子**と**磁歪型振動子**の 2 種類がある．電歪型振動子は強誘電体である PZT を使い，その両側を金属ブロックで挟んだ構造となっている（図 5-1-4：ランジュバン振動子）．この PZT は交流電圧を加えるとその長さが伸び縮みする性質をもつため，この印加交流電圧の周波数を超

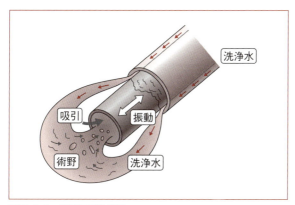

図 5-1-6　吸引の模式図

音波領域の周波数にすれば，高速な機械振動を得ることができる．

　磁歪型振動子は，ニッケル，鉄，磁性フェライト，その合金などの強磁性体物質に交流磁場を加えると，その長さがわずかながら伸び縮みする性質を利用している．これを**磁歪現象**とよぶ．1847 年，ジュール（イギリス）が，ニッケル棒に巻いたコイルに電流を流すとニッケル棒が縮むことにより発見した．図 5-1-7 のように，棒状のニッケルにコイルを巻き付け，そのコイルに超音波領域の交流電流を流すと交流磁場が発生し，ニッケルが高速で振動する．しかし，これらの金属材料中には渦電流が発生して，エネルギー損失が大きくなる．しかも，この渦電流は周波数に比例して増加する．このため，これらの金属材料を超音波振動子とするには，薄板状にした金属を何枚も重ね，渦電流によるエネルギー損失を少なくするための工夫がなされている．さらに，この磁歪型振動子は発熱が大きいので冷却する必要があり，図 5-1-5 のように，ハンドピースには振動子冷却用チューブが接続され，蒸留水が循環している（電歪型振動子は冷却の必要はない）．また，セラミックスである

 キャビテーション

　キャビテーション（cavitation）は，19 世紀末に船のプロペラの不具合により発見された．液体の圧力が飽和蒸気圧以下に低下すると泡が生じる，一種の沸騰現象である．圧力が高くなると泡は消滅する．流体中において流速が増すと，圧力が低下する（ベルヌーイの定理）．その圧力低下がその液体の飽和蒸気圧まで低下すると，非常に短時間で発泡する．したがって，液体を高速で流す場合，あるいは物体を液体中で高速に運動させる場合に，キャビテーションは発生する．

　このとき，非常に高い衝撃圧が局所的に発生し，ポンプやプロペラにおいて騒音，振動，壊食（erosion）が生じ問題となる．壊食により近傍の金属などが徐々に欠損する．超音波吸引手術装置はキャビテーションによる壊食が組織を破砕する有効なパワーとなる．超音波凝固切開装置は周囲組織に副損傷が起こるが，その原因の一つがキャビテーションであるという報告もある．壊食はいつも起こる現象ではなく，ごく特殊な環境下で，しかもごく特定の箇所にのみ発生すると考えられている．

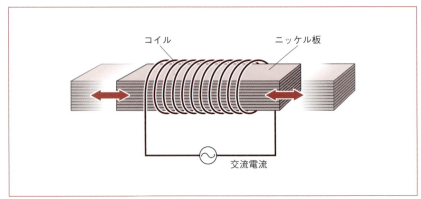

図 5-1-7　磁歪型振動子

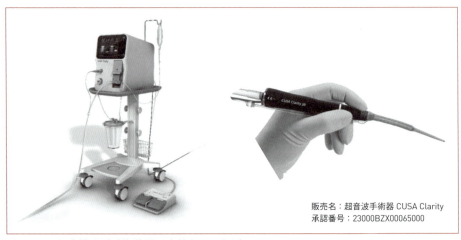

販売名：超音波手術器 CUSA Clarity
承認番号：23000BZX00065000

図 5-1-8　超音波吸引手術装置の本体とハンドピース　　（Integra LifeSciences 社製）

　磁性フェライトは金属と違って電気抵抗が大きいので，渦電流によるエネルギー損失をおさえることができるため，発熱が少なく水冷の必要はない．

　超音波振動子制御部では，治療中のチップ先端の機械的な負荷が常に変動するため，振動子とホーンを含めた振動系の共振周波数，および振動振幅を一定に保つような制御が行われている．また，ホーンとチップは超音波振動による金属疲労を生じるおそれがあるため，引っ張り強度に強いチタニウム合金で作られている．使用中にハンドピースのチップを術野のステープル，クリップなどの他の金属と接触させると破損するおそれがあるため注意する．

　図 5-1-8 は Integra LifeSciences 社製 CUSA® Clarity である．装置は本体とハンドピース部から構成される．本体には吸引用回路，洗浄液注入回路，フットスイッチが備わっている．超音波振動子は電歪型のため冷却回路が不要であり，ハンドピースが従来機より軽量化されている．発振周波数は 23 kHz（422 μm）と 36 kHz（210 μm）が用意されており，超音波振動の長さと周期の組合せにより，破砕効果を 4 段階で

調節可能である．先端のチップは長さ，直径別にさまざまな種類があり，一般外科，脳外科などの用途にあわせて選択できる．手術直前の清潔区域において，専用のレンチでハンドピースにチップを取り付ける．使用前のセットアップは，タッチスクリーン上に表示されるガイドに従い簡単に実施できる．

5．適応と対象疾患

　超音波吸引手術装置は，アメリカ Cavitron 社が白内障手術装置として開発した CUSA® が最初であり，その後，脳腫瘍などの外科手術に利用できるように改良が加えられた．現在では脳腫瘍の摘出，肝臓などの実質臓器の部分的切除，リンパ節郭清，腹腔鏡下手術での各種臓器の剝離・切除などに使用されている．そのためハンドピース先端のチップは用途に応じた各種形状が用意されている．

　この超音波吸引手術装置は超音波メスとよばれることもあるが，いわゆる一般的なメス＝切開を可能とした装置ではない．電気メスやレーザ装置は熱エネルギーにより組織を蒸散することで切開し，同時に周辺組織内の毛細血管からの出血を熱凝固によりおさえることができる．これに対し超音波吸引手術装置は，超音波振動を組織に加え，脆弱な実質性組織（肝臓実質，腫瘍，脂肪組織など）は超音波が起こしたキャビテーション効果により破砕される．しかし，血管，神経，線維性結合組織などの弾力に富む組織は振動を吸収してしまうため損傷を比較的受けにくい．したがって，太い血管は損傷を受けにくくそのまま温存される（毛細血管などの微小血管はチップ先端の摩擦熱により凝固される可能性がある）．この時，残った血管は結紮（手術用糸で縛る）するか，チタンクリップを用いて離断する．近年，細い血管であれば結紮に替わり，超音波凝固切開装置やシーリングデバイスを用いて処理している．したがって，出血傾向にある肝臓実質の切除や，増殖血管に富む脳腫瘍の摘出において，出血量をおさえた手術が可能となる．たとえば，肝臓切除術において電気メスのみを使用した場合には，門脈，肝動静脈，胆管などの脈管の剝離がむずかしく，出血量は非常に多くなるが，超音波吸引手術装置では脈管のみを残した切除が可能であり，出血量は非常に少ない．このように，超音波吸引手術装置の用途は特定の手術に限定され，胃・腸などの消化管の切除や，皮膚切開などは不可能である．しかし，その操作はいたって簡単であり，誤接触による副損傷の危険性は少ない．欠点としては，電気メスなどに比べ作用時間を必要とするため，手術時間が多少長くなる．

　眼科においては，白内障の手術（白内障破砕吸引術）に利用されている．白内障とは，何らかの原因により水晶体が白濁し視覚障害を起こす疾患である．先天性，後天性，老人性に分けられる．術式は角膜輪部に小切開を加え，そこから超音波吸引手術装置により水晶体の中身（核お

よび皮質）だけを破砕・吸引除去し，残っている水晶体囊に人工の眼内レンズを移植する．

また，Integra LifeSciences 社ではチップ先端の周縁部に鋸歯状の加工を加えた特殊なチップがあり，ヤスリをかけるように骨を削り取ることができる．これは大腿骨や肋骨を切断するような用途ではなく，脳外科において頭蓋骨に開けたドリル小孔の周辺を削る目的で使用される．

2 超音波凝固切開装置

1. 超音波凝固切開装置の構造と原理

超音波凝固切開装置とは，超音波振動の摩擦力により切離や凝固を行う治療機器であり，数社から販売されている．図 5-2-1 はジョンソン・エンド・ジョンソン社のハーモニックジェネレータである．装置は本体（図 5-2-1）とデバイス（プローブ）から構成される．内視鏡外科手術（後述）に用いるプローブには，シザーズ型とフック型がある（図 5-2-2）．また，開腹手術時などの手持ちに適した従来のハサミ状のものもある．

シザーズ型プローブの先端構造は，高速で振動するアクティブブレード部分とパッドから構成される．図 5-2-3 のように，この部分で組織を把持する（挟み込む）とアクティブブレードだけが振動し，**摩擦熱**により血管の凝固，組織の切離を行うことができる．フック型はアクティブブレードのみの構造であり，フック部分を組織に接触させたり，圧迫したり，引っかけたりすることで，組織の剝離を行う．シザーズ型は組織を把持する時間が長いほど作用効果が強く現れるため，切離・凝固のコントロールがしやすく，また鉗子として使用することで，把持や剝離

図 5-2-1　超音波凝固切開装置本体
ハーモニックジェネレータの例．
（ジョンソン・エンド・ジョンソン社製）

図 5-2-2　シザーズ型とフック型

（ジョンソン・エンド・ジョンソン社製）

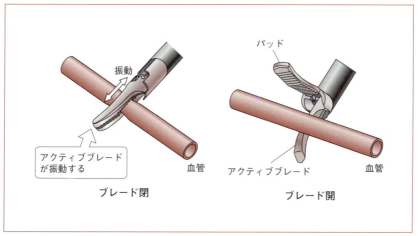

図 5-2-3　治療原理

も可能である．

　プローブには超音波振動子が内蔵されており，この振動子（トランスデューサ）によって，電気エネルギーを超音波振動の機械的エネルギーに変換する．先端のアクティブブレードは 45～55 kHz の周波数で振動し，長軸方向に 50～100 μm の幅で往復運動を繰り返す（現在製品化されているものは 55.5 kHz，あるいは 47 kHz）．このブレードの振幅（ストローク幅）は本体の出力で調節可能である．

　凝固の作用機序は，図 5-2-3 のように，シザーズ型プローブの把持部で組織を挟み込むと，そのブレードの超音波振動による摩擦熱が発生し，その熱は組織中のタンパク質を変性させ，**コアギュラム**（凝固塊）という粘着性の物質を作る．このコアギュラムは糊のような働きがあるため毛細血管は溶着され，さらに大きな血管や管腔状の組織をシールする．このとき，タンパク質の変性は約 63℃で始まり，凝固は 80～100℃前後で完了するといわれており，超音波凝固切開装置により低温（約 100℃前後）での組織凝固が可能となる．したがって，手術に伴う組織の熱的ダメージが少なく，術後の創の回復が早いことや，術野周辺の正常組織へのダメージが少なく安全であるという特徴がある．

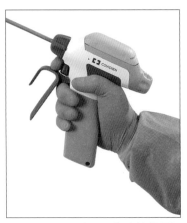

図 5-2-4 コードレス超音波凝固切開装置
（コヴィディエンジャパン社製）

切離の作用機序は、振動するブレードの把持力を強くすることで、組織は弾性限界以上に繰り返し伸展され、その機械的擦過力により、ついには離断される。このときの切離の程度はブレードに加わる力、つまり術者のグリップを握る把持力の加減によりコントロールできる。また、組織はこの機械的擦過力に加え、摩擦熱との相乗効果により凝固しながらの離断が可能となる。

この凝固・切離は手技的な要素により使い分けができ、シザーズ型プローブではグリップを強く握るほど切離作用が強く現れ、ゆるく挟めば凝固の作用が強くなる。フック型プローブでは、ブレードを強く組織に圧迫すると切離が、弱く圧迫すると凝固しながらの切離が可能となる。また、フックの部分を組織に引っかけるように操作すればより鋭利な切離が可能となる。このとき、組織が接触している時間が長くなるほど、凝固・切離ともその効果が強く現れやすくなる。

このように超音波凝固切開装置は、出力レベル、作動時間、プローブに加える力、組織にかける緊張などによりその作用効果が異なるため、この装置を上手くコントロールするためには若干の慣れと経験が必要となる。

近年、コードレス超音波凝固切開装置が開発された。図 5-2-4 はコヴィディエンジャパン社の装置であり、先端のシャフト部分（ダイセクタ）は単回使用であるが、ジェネレータとバッテリは 100 回まで滅菌して使用できる。超音波振動子の周波数は 55.5 kHz を使用し、出力は高・低出力の切換ができる。

最大の特徴はコードレスなため術中の取り回しがよく、術野周辺のコード類と絡まることもない。またセットアップも簡単であり、素早く用意できる。適応は従来機と同様に、一般外科、および内視鏡外科手術における血管の凝固、切離に使われる。

また，一本のシザーズ型プローブでありながら，超音波エネルギーと高周波電流（エネルギー）を同時に出力可能なデバイス（装置）も開発されている（オリンパス社）．超音波出力により組織の切離・剥離を行い，またその把持部に高周波電流を流し，バイポーラ凝固を行う．そのため一つのデバイスにより，血管のシール処置，止血，組織の切離，剥離操作を行うことができ，効率的な手術が可能となる．

2. 適応と対象疾患

外科手術は近年，多くの診療科において**内視鏡外科手術**が行われるようになった．術者はテレビモニタをみながら腔内の手術を実施し，狭い空間の中での器具操作が要求される．この動きを制限された手術操作において，組織の剥離・切離に伴う出血に対して安全に，かつ確実に止血しなければならない．従来より内視鏡外科手術では電気メス，マイクロ波メス，超音波吸引手術装置などが使用されているが，そのなかでも比較的多用されている電気メスでは，動脈の切離操作は十分な止血効果が得られないため，通常は血管断端をチタンクリップで処理する．しかし，超音波凝固切開装置では血管離断面がコアギュラムの形成によりシールされるため，安定した，かつ十分な止血効果が得られる．したがって，超音波凝固切開装置の使用により，頻回かつ煩雑な血管のクリッピング処理が省略でき，手術時間の短縮につながる．

また，電気メスはジュール熱により切開・凝固を行うため，組織温が300℃前後と比較的高くなり，周辺組織に対して熱的な損傷を与えてしまう．しかし，超音波凝固切開装置は約70〜100℃と組織温が低く，周辺の正常な組織にはほとんど熱的な損傷を与えず，創の治癒も早い．とくに神経に近接している組織の処置には，電気メスと比較すると副損傷の少ない超音波凝固切開装置の方が安全である．

しかし，逆に静脈血管ではその壁の薄さから，ときに超音波凝固切開装置では十分なコアギュラムが形成されず止血ができないことがある．一方，電気メスはジュール熱により血管壁を収縮させるため，静脈血管に対しては比較的簡単に止血できる．したがって，超音波凝固切開装置

keyword
内視鏡外科手術
術野を露出しない手術法であり，侵襲性が低く，手術創は美容的に優れている．他方，狭い空間のモニタをみながらの手術となり，術者の経験や特殊な器具が要求される．

Tips　高密度焦点式超音波治療（high intensity focused ultrasound：HIFU）

HIFUは超音波による治療であり，前立腺肥大，子宮筋腫，骨転移の疼痛緩和，本態性振戦が保険診療となり，その後，早期の限局性前立腺癌への治療も行われている（自費診療）．

前立腺の治療では，肛門へプローブを挿入し，100Wを超える強力な超音波を凹レンズにより小さな領域に集め，焦点での温度を約100℃にさせて前立腺癌を死滅させる．従来の根治的前立腺摘出術と比べ，HIFUの最大の特徴は低侵襲なことであり，腰椎麻酔下で実施できる．また入院期間が短く，合併症も少なく，何度でも繰り返し治療を行うことができる（第7章-②，p.208参照）．

と電気メスはその時々の状況に応じて使い分ける方が，出血量を最小限におさえることができる．

超音波凝固切開装置の長所をまとめると，①切離と凝固を同時に行える，②止血能力に優れ手術中の出血量が非常に少ない，③電気メスと比べて周辺組織への熱損傷が少ない，④術野に煙が発生しない，などがあげられる．また，電気メスは対極板部の熱傷，および高周波分流による熱傷の危険性があるが，超音波凝固切開装置や超音波吸引手術装置ではその危険性はない．

逆に短所としては，電気メスと比べて切離，凝固操作に若干時間がかかること，および血液や洗浄液が多い術野ではプローブ先端の振動によりミスト（エアロゾル）が発生して視野が悪くなることがある．発生したミストには発癌性や感染性のある物質を含む可能性もあり，保護メガネや濾過マスクを使用する．さらに，脂肪組織を処置したときに発生するミストに電気メスを使用すると燃焼する危険性も指摘されている．

操作上の注意点としては把持部，およびプローブ先端部が目的部以外の周囲組織に接触した状態で操作（出力）すると，周囲組織に穿孔や出血，熱傷などの副損傷を与えることがある．さらに超音波を連続的に出力すると，プローブの表面温度が過度に上昇し，把持部で熱傷を引き起こす危険性がある．したがって，プローブを操作するときは十分な視野が確保された状態で，適切な操作に留意する必要がある．その他，操作時の注意点としては，プローブが金属クリップや，他の金属製手術器具に接触すると，プローブの摩耗や破損の原因となることがある．

超音波凝固切開装置は内視鏡外科手術以外の一般外科手術にも使用され，その臨床応用例としては，外科（腹腔鏡・胸腔鏡下手術全般，その他各種臓器手術），心臓外科（冠動脈バイパス術），泌尿器科（腹腔鏡下手術全般，腎，膀胱，前立腺の手術），産婦人科（腹腔鏡下手術全般，子宮筋腫などの手術），耳鼻咽喉科（聴神経手術，扁桃腺手術，耳下腺などの手術），その他に口腔外科，整形外科，形成外科，脳神経外科などで使用される．

電気メスの作用機序

電気メスの作用機序は，高周波電流を抵抗（生体）に流したときに発生するジュール熱である．その電流波形をみると，切開は連続正弦波，凝固は断続減衰波（バースト波）である．切開時はその大きなエネルギー量により細胞が一瞬のうちに高温となり，気化・蒸散する．凝固の場合は断続的に電流が小さくなるため，細胞に与えるエネルギー量が小さく，組織は乾燥し，タンパク変性により凝固作用が起こる．両者の切り替えはモード切替スイッチにて選択する．また，両者の中間的な作用をもつ混合モードもある（第2章-①，p.12参照）．

第6章 内視鏡

1 内視鏡

1. 内視鏡の歴史と概要
1) 目的と歴史
　体内の空間を観察する**内視鏡**（endoscope）は，19世紀のヨーロッパで製作された膀胱や胃の内腔に硬い細管を挿入して観察する硬性内視鏡を起源とする．20世紀後半には，ファイバスコープの開発によって挿入と観察の性能が大幅に向上しただけでなく，内視鏡を用いた組織採取，超音波診断，拡大観察，特殊光観察，病変の切除・止血・拡張など，より広範な診断と治療が低侵襲に行えるようになった．内視鏡の種類は硬性鏡，胃カメラ，ファイバスコープ，電子内視鏡などに分類される．現在，臨床で幅広く用いられているのは，電子内視鏡と硬性鏡である．

2) 硬性鏡
　硬い細管を消化管，尿路，気管などに挿入して観察するもので，最初に開発された内視鏡である．当初は先端に装着したランプで対象物を照明していた．これまで胃鏡，膀胱鏡，直腸鏡，気管支鏡，関節鏡などに使用されてきた．現代の**硬性鏡**では，導光用ファイバによる照度向上やCCDカメラによる解像度向上がもたらされている．文字通り「硬い」管で柔軟性がないので，患者の苦痛や臓器損傷のリスクも大きく，消化管や気管支などへの挿入には限界が存在した．ファイバスコープによる軟性内視鏡が実用化された現在でも，膀胱鏡，関節鏡，腹腔鏡，内視鏡外科手術用硬性鏡などとして診断と治療に広く利用されている．

3) 胃カメラ
　照明付きの小型カメラをつけた軟性の細い管を胃内に挿入し，盲目的に胃内を撮影するものとして，1950年にわが国で実用性のある試作機が製作された．早期胃癌や胃潰瘍の診断に貢献した．直視下に観察しながら撮影することが可能となったのは，観察用ファイバスコープ付き「胃カメラ」が出現してからである．

4) ファイバスコープ

1960年代に出現したグラスファイバには，片端から入った光を全反射を繰り返しつつ反対側に伝える機能がある．ファイバスコープは，1本 8 μm 程度のグラスファイバを数万本以上束ねたものを，画像と照明光の伝達に使用するものである．ファイバスコープの出現により体内を直接観察できるようになったので，消化管内腔の動的観察，直視下の撮影，組織採取や治療が可能となった．ファイバスコープの画像が向上し，接眼部に装着する撮影用カメラでも十分な画質の撮影が可能となったことにより，胃内に小型カメラを挿入する胃カメラの時代は終焉を遂げた．ファイバスコープの実用化によって，胃，十二指腸，大腸，胆管，気管支などさまざまな部位への安全な内視鏡挿入が可能となった．ファイバスコープの多くは電子内視鏡で代替されたが，現在でも涙道鏡や血管内視鏡など先端に CCD を搭載できない細径内視鏡に用いられている．

5) 電子内視鏡

1980年代半ばに登場した**電子内視鏡**とは，内視鏡の先端に組みこんだ CCD (charge coupled device) や **CMOS** (complementary metal oxide semiconductor) などの撮像素子でとらえた画像を電気信号に変換，画像プロセッサで信号処理し，ビデオ信号に変換した画像をテレビモニタに映し出すものである．

面順次方式と**同時方式**があるが，面順次方式とは赤，緑，青の3原色のフィルタを順番に回転し照明することで得た画像信号を，白黒用撮像素子で順次電気信号に変換するものである．同時方式とは，3原色のフィルタをつけた3種の撮像素子からの信号を，**NTSC信号**として送る方式である．

面順次方式は画素数が少ない場合でも解像度が高く，色再現に優れている．同時方式では，1つの色を出すために複数の画素が必要となるという欠点があるが，回転フィルタ機構が不要なので色ずれが少なく，保守が容易であるという特徴がある．

電子内視鏡の出現により，モニタ上の内視鏡画像を多人数で観察することが可能となっただけでなく，電子的画像処理機能を用いた拡大観察，鮮鋭度や色彩の調整，特殊光観察など，従来のファイバスコープにない観察が可能となった（表6-1-1）．

2. 内視鏡の原理と構造

内視鏡は，生体内に直接挿入される内視鏡本体と，周辺機器に分けられる．ここではもっとも頻用されている消化管用電子内視鏡を例に説明する．

---

keyword

NTSC

National Television Standards Committee（米国国家テレビ標準化委員会）が制定したアナログテレビジョン方式の標準規格．

表 6-1-1 内視鏡の歴史と種類

	年代	構造		今日の臨床的位置付け
硬性鏡	19世紀	照明	硬性の筒の先端に照明を取り付けて体内を観察	
	1950年頃	ライトガイド／光源／棒状レンズ	ライトガイドファイバなどで体外から照明光を送る．組み合わせたレンズで観察	膀胱鏡，関節鏡，腹腔鏡などとして活用．とくに内視鏡外科手術では広く用いられている．
軟性鏡	1930年頃	レンズ	短焦点のレンズを多数組み合わせ，屈曲しても観察可能な軟性鏡	
胃カメラ	1950年	小型カメラ	先端に小型カメラと照明をつけた管で盲目的に胃の内部を撮影した	ファイバスコープとして発展的に解消した．
ファイバスコープ	1960年頃	ライトガイドファイバ／光源／イメージファイバ	グラスファイバをライトガイドファイバとイメージファイバとして，照明光と内視鏡画像の伝達用に利用	消化器内視鏡，気管支鏡などさまざまな内視鏡として利用されている．電子内視鏡では電子的な画像処理も可能になった．CCDの小型化により電子内視鏡の細径化も進んでいる．
電子内視鏡	1983年	CCDカメラ／光源／モニタ	先端のCCDで撮像した画像を電気信号に変換．モニター上に表示	

(日本ME学会：第一種ME技術検定試験講習会テキスト．252〜267，学会事務センター，1999より)

1) 内視鏡本体（図6-1-1）

　内視鏡本体は，画像および照明光の伝達経路，送気・送水用経路と送気・送水用ボタン，吸引および鉗子用経路と吸引ボタン・鉗子口，先端を屈曲するためのワイヤおよびアングル機構などからなる．

　電子内視鏡本体の先端には，光源装置から導光用ファイバを介して照明光が伝えられる照明窓と，対物レンズに隣接する撮像素子（CCDやCMOS）がある．従来のファイバスコープでは，撮像素子の代わりに画像伝達用のグラスファイバによって，対物レンズから接眼部まで画像を伝達した．また先端部には，送気・送水用チャンネルと鉗子用チャンネルが開口している．内視鏡の先端はリング状の部品が連結され，操作部のアングルノブに接続されたワイヤにより，上下・左右に屈曲可能となっている．

　一方，内視鏡操作部は，送気・送水ボタン，吸引ボタン，内視鏡先端を屈曲させるアングルノブ，シャッタ・フリーズ・画質変更などの画像用スイッチ，生検鉗子などの処置具を挿入する**鉗子口**などがある．従来のファイバスコープの操作部には観察用の接眼部が設けられているが，電子内視鏡では画像は電気信号として画像プロセッサに送られ，モニターに映し出される（図6-1-1，図6-1-2）．

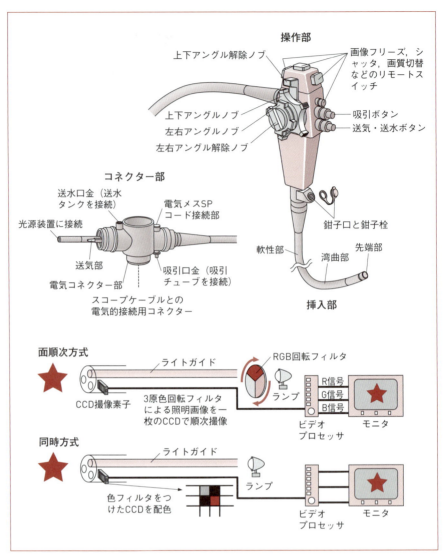

図6-1-1 電子内視鏡本体各部の名称と電子内視鏡の原理

2）周辺機器（図6-1-2）

　内視鏡の周辺機器には，内視鏡に照明光を供給する光源装置，電子内視鏡本体の撮像素子からの電気信号を処理するビデオプロセッサ，モニタ機器，送気・送水ポンプ，吸引装置，画像記録装置などからなり，これらは内視鏡用カートにまとめて収容されることが多い．

　また，その他の周辺機器としては，内視鏡の診断・治療に用いる種々の処置具や電気メス，アルゴンプラズマ凝固装置，ヒートプローブ，レーザ装置，超音波内視鏡観察装置などがある．従来は内視鏡用光源として，ファイバスコープでは色温度3,000 Kのハロゲンランプ，電子内視鏡では色温度6,000 Kのキセノンランプが用いられたが，近年の製品ではLED光源の使用も多くなった．

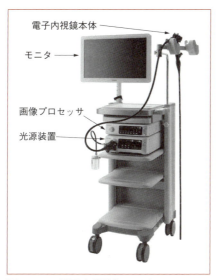

図 6-1-2 電子内視鏡システム
（フジフイルム）

3. カプセル内視鏡

カプセル内視鏡とは，嚥下可能な大きさのカプセル内にレンズ，イメージセンサ（撮像素子），LED（発光ダイオード），体外への画像送信装置，電池などを内蔵したものである．

現在市販されている小腸用カプセル内視鏡 PillCam™SB3 の仕様は，寸法 26.2×11.4 mm・重量 3.0 g で，標準作動時間は約 11 時間以上である．カプセル内視鏡は消化管の蠕動によって管腔内を移動しながら撮影する．画像情報は，患者の腹壁に装着するセンサアレイに送信され，患者が携帯するデータレコーダに記録される．画像の解析と読影は専用ワークステーションを用いて行う．

カプセル内視鏡では消化管の生検や治療は不可能なので，従来の内視鏡機能のすべてを代替するものではない．しかし，従来の内視鏡では挿入に高度な技術と時間を要した小腸の観察がきわめて低侵襲に可能であることから，国内外で活用されるようになった．米国では 2001 年に承認され，日本でも 2007 年から小腸疾患診断用として保険収載された（図 6-1-3）．消化管狭窄部でカプセル内視鏡が滞留することを防ぐため，狭窄が疑われる患者には事前に確認用の崩壊性カプセル（PillCam™ パテンシーカプセル）を用いて，消化管の開存性を確認する必要がある．

2014 年には大腸用カプセル内視鏡も，大腸内視鏡の挿入困難例など一定条件下の症例において保険適用となった．なお，大腸のカプセル内視鏡検査においても，従来の大腸内視鏡検査と同様に下剤内服などの大腸前処置が必要である．

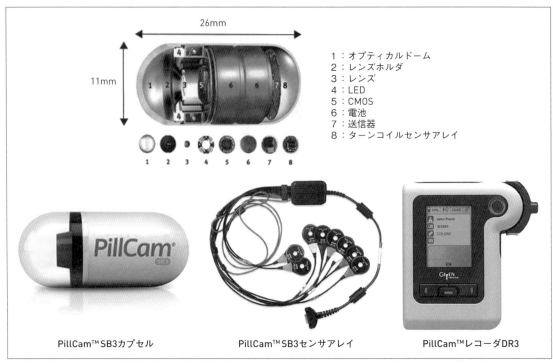

図 6-1-3　カプセル内視鏡
（寺野　彰監修：カプセル内視鏡診療ガイド．南江堂，2006 およびコヴィディエンジャパン社資料をもとに作成）

4. 内視鏡による診断と治療
1) 内視鏡診断

　内視鏡診断では，術者による観察と画像の記録とともに，病理組織検査や培養検査用の組織採取のために**生検**（biopsy）が行われる．生検は内視鏡の鉗子口から挿入した生検鉗子を用いて行う．また，粘膜の微細な変化を観察するために，消化管粘膜にルゴールやインジゴカルミンなどの色素を撒布することもある（色素内視鏡検査）．

　消化管内には空気が存在するので，消化管の微細な病変を体外から超音波診断することは困難なことが多い．**超音波内視鏡検査**（endoscopic ultrasonography：EUS）は，消化管の内腔に直接超音波プローブを挿入して検査するものである．内視鏡先端に超音波プローブを装着したタイプと，通常の内視鏡の鉗子口から細径超音波プローブを挿入するタイプがある．超音波内視鏡検査は，消化管壁の超音波診断だけでなく，消化管に隣接するリンパ節や胆・膵などに対する超音波診断や生検にも利用される．

　近年では，電子内視鏡の画像処理機能を利用した拡大内視鏡，粘膜表層の変化を強調表示する **NBI**（narrow band imaging）や **LCI**（linked color imaging），自家蛍光内視鏡検査（癌組織では正常組織よりも蛍光強度が減弱することを利用して観察する）などの特殊光観察が可能な電子内視鏡装置が開発され，広く臨床に活用されている．また人工知能

keyword
NBI と LCI

NBI とは深部に到達する長波長光をカットし，青色・緑色 2 種類の短波長帯のみを用いることで，粘膜表層の微細構造や血管走行の性状を観察するものである．早期消化管癌の発見や進展範囲の精密診断に有用性が認められている．
LCI とは白色光よりも短波長狭帯域（青紫）を強く照射することで高コントラストな血管情報と豊富な色情報を取得し，さらに色調拡張技術を用いて，赤色領域の彩度・色相差を強調することで，粘膜の炎症などを強調するものである．

（AI）を用いた画像診断支援システムも消化器内視鏡領域では実用化されつつある．これらは従来の肉眼観察をこえた病理組織診断に迫る診断能をもたらすもので，消化管診断学の新領域を切り開いた．

2）内視鏡治療

内視鏡を用いた治療には，病変の切除，出血の止血，狭窄の切開・拡張，経皮内視鏡的胃瘻造設術（percutaneous endoscopic gastrostomy：PEG）などがあり，その種類と適応を拡大している．

(1) 切除

消化管の内視鏡的ポリープ切除（ポリペクトミー）は，隆起性病変にスネアとよばれる処置具をかけ，高周波電流を流すことで切開と止血を行うことから始まった．近年では，粘膜下に液体を注入して人工的に病変を隆起させることにより平坦な病変を切除する内視鏡的粘膜切除（endoscopic mucosal resection：EMR）や，早期消化管癌を粘膜下層で広範に一括切除する内視鏡的粘膜下層切開剥離法（endoscopic submucosal dissection：ESD）などの手技へと拡大した．出血や消化管穿孔を起こさず，安全で正確なESDを実施するために，ITナイフをはじめとするさまざまな先端形状の専用器具とともに，ESDのために最適な出力モードを選択できる電気メスやアルゴンプラズマ凝固装置なども市販されるようになった（図6-1-4）．

硬性鏡領域においては，以前から膀胱や前立腺に対する経尿道的切除（trans-urethral resection：TUR）が電気メスを用いて行われてきたが，近年急速な進歩と普及を遂げた内視鏡外科手術においても，種々の硬性鏡が活用されている（第6章-②「内視鏡外科手術機器」参照）．

(2) 止血

内視鏡の鉗子口から種々の止血用処置具を用いて消化管などの出血を治療する内視鏡的止血術には，撒布チューブによる止血剤の局所撒布，局注針を用いたエタノールや静脈瘤硬化剤などの局所注射，クリップによる縫合止血，電気メス・アルゴンプラズマ凝固装置・ヒートプロー

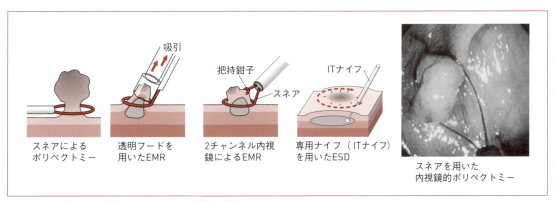

図6-1-4　内視鏡的ポリペクトミーと粘膜切除術

ブ・レーザなどの機器による止血法がある．

また，強力な専用輪ゴムにより食道静脈瘤や内痔核を結紮する内視鏡的静脈瘤結紮術（endoscopic variceal ligation：EVL）も内視鏡を用いて行われる．

(3) 切開，拡張，異物除去

総胆管結石に対しては，電気メスを用いた内視鏡的乳頭括約筋切開術（endoscopic sphincterotomy）や，バルーンカテーテル・把持鉗子などによる結石除去術が広く行われている．また，消化管狭窄に対するステント留置にも内視鏡が用いられる．

このような内視鏡治療に用いられる電気メス，レーザ装置，アルゴンプラズマ凝固装置などの原理と使用時の安全管理は，一般手術と同様である．手術室外で行われることも多い内視鏡治療に際しても，手術室や集中治療室と同等の機器管理が臨床工学技士を中心として行われなければならないことは自明である（図6-1-5）．

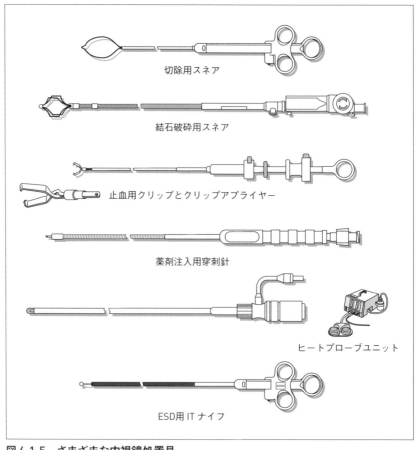

図6-1-5　さまざまな内視鏡処置具

5. 内視鏡の保守管理
1) 洗浄と消毒

　内視鏡本体は患者の粘膜や血液に直接接するので，検査後の内視鏡の洗浄と消毒は内視鏡を介する感染予防のためにも重要であり，日本消化器内視鏡学会などによるガイドラインが作成されている．

　患者から抜去した内視鏡の表面や吸引・送水・送気チャンネル内に付着した体液や汚物を，十分に洗浄・ブラッシング・酵素洗剤液への浸漬などにより除去した後に，規定の消毒剤と手順に基づいた消毒を行う．消毒後は十分なすすぎの後に乾燥させ保管する．患者の血液に直接接する生検鉗子なども十分な洗浄・ブラッシング・超音波洗浄などによる凝血塊などの完全な除去の後，それぞれ定められた方法による消毒・滅菌を行う．

　周辺機器を含めて，ガイドラインや取扱説明書に則った適切な消毒や滅菌を行うことが重要であるとともに，感染対策の"質"の保証のためには，無作為に抽出した内視鏡機器や処置具の培養検査を定期的に行うことが推奨されている．

　患者の体液・血液は，常に感染源の可能性があるものとして扱うというスタンダードプリコーションに基づいた感染対策を，機材のみならず内視鏡室の環境整備や医療従事者自身への安全対策として実施しなければならない．

2) 保守点検，電気安全

　内視鏡検査前の本体の点検は，挿入部表面の亀裂の有無などの目視点検や，アングル機能，鉗子口，鉗子チャンネル，送気・吸引ボタンの動作確認が必要である．さらに光源装置のキセノンランプ寿命計の確認と予備ランプなどの準備，電気メスなど周辺機器の保守点検などが重要である．とくに，先端のレンズや撮像素子（CCD/CMOS）に不用意な衝撃を与えないことや，洗浄前の防水キャップの確実な装着確認などは，内視鏡の故障予防のために重要である．

　さらに，ESDなどの内視鏡治療は静脈麻酔下に行われることも多いので，パルスオキシメータや心電計などの生体情報モニタの点検と準備も必要となる．

　内視鏡による粘膜切除術などには，電気メスをはじめとする種々の治療機器が用いられてきたにもかかわらず，内視鏡機器の保守管理は看護師や内視鏡技師が中心となっている施設が多い．しかし，低侵襲治療としての内視鏡的治療が増加するなかで，種々の周辺機器の保守点検のみならず，治療中の治療機器やモニタ機器の操作・管理にはじまり，ペースメーカ装着患者に対する内視鏡治療時のペースメーカのモード変更など，内視鏡部門における臨床工学技士の関与がこれまで以上に求められている．

2 内視鏡外科手術機器

1. 内視鏡外科手術の概要
1）歴史と原理

内視鏡外科手術とは，体壁に数カ所開けた5〜10 mm前後の小孔から内視鏡と細径の手術器具（電気メス，鉗子，鋏など）を挿入して手術を行うものである．腹腔内に二酸化炭素を注入することで腹腔内の作業空間を作成する気腹法が圧倒的に主流であるが，一部の施設では手術部位の体壁を挙上することで作業空間を作成する「吊上げ法」も行われている．術後疼痛軽減や手術創の最小化による早期社会復帰と整容性向上などの長所から，1990年代初頭から全世界的に急速に普及した．

しかし，従来の開腹・開胸手術では外科医の五感を駆使する直視下の手術操作が可能であったのに対し，内視鏡外科手術では，狭小な作業空間で触覚の制限下に，ディスプレイの二次元画像を見ながらの遠隔操作が必要となった．体腔内での機器操作の制限も相まって，出血や癒着への対応には，外科医に高度な技術が要求される．このため内視鏡外科手術開始当時から，従来の手術ではみられなかった合併症の発生が問題となった．

このような内視鏡外科手術の欠点を克服するために，さまざまな内視鏡外科用の手術機器が開発されるとともに，**手術支援ロボット**や画像支援システムなどにかかわるコンピュータ外科学という新領域も築かれた．内視鏡外科手術はこれまで以上に先進医療機器に依存した手術であり，それだけ臨床工学技士の役割も従来以上に拡大している（図6-2-1）．

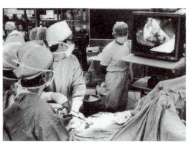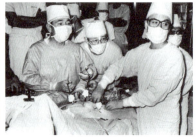

図6-2-1 内視鏡下胆嚢摘出術の術中風景
内視鏡下胆嚢摘出術初年度（1990年）の手術（東京大学第二外科）である．モニタをみながら，気腹下の腹腔内に挿入した腹腔鏡と細径手術器具を使用する手術のやり方は，今日も同様である．

2) 内視鏡外科手術の適応

　日本で内視鏡下胆嚢摘出術が開始された1990年には，90％以上の胆嚢摘出術が既存の開腹手術で施行されていたが，1995年には80％以上が腹腔鏡下に行われるようになった．消化器外科領域では胆嚢摘出術につづき虫垂切除術，胃，大腸，食道など消化管の切除再建術，脾臓摘出術，鼠径ヘルニア根治術などに対する内視鏡外科手術が開始された．また肝切除や膵切除も，一定の適応と術者の技術要件の下に内視鏡外科手術が実施されている．さらに高度の肥満症に対する消化管バイパス手術や，逆流性食道炎に対する逆流防止術（Nissen手術など）も内視鏡外科手術のよい適応とされている．

　胸部外科領域では，自然気胸への胸腔鏡下ブラ切除術や，肺腫瘍への胸腔鏡下肺部分切除術，多汗症への胸腔鏡下胸部交感神経切除術にはじまり，肺癌や縦隔腫瘍への内視鏡外科手術も普及した．今日では冠動脈バイパス手術にも，胸腔鏡や手術支援ロボットが用いられるようになった．さらに，乳腺・甲状腺外科領域の腫瘍摘出やリンパ節郭清に，内視鏡外科手術の手法を用いて整容性向上を目指す施設もある．

　産婦人科や泌尿器科では，現在のような内視鏡外科手術が出現する以前から腹腔鏡を用いた診断・処置や膀胱鏡下手術などが行われてきたが，一般外科領域の腹腔鏡下手術の進歩とともに，内視鏡外科手術の適応が拡大した．婦人科領域では子宮内膜症，卵巣良性腫瘍，子宮筋腫，子宮癌，不妊症などに対する内視鏡外科手術が行われている．また泌尿器科領域では，副腎腫瘍，腎腫瘍，膀胱腫瘍，前立腺癌などに対する内視鏡外科手術が行われている．

　内視鏡外科手術の適応は現在も増加しているが，どの領域の内視鏡外科手術においても，患者の安全と治療の質を保つために，術中の状況によっては期を逸することなく従来の開腹・開胸手術に迅速に移行することが重要である．このためにも，開腹・開胸手術への移行に備えた器材の準備と対応が，臨床工学技士をはじめとする手術チームに求められる．

2．内視鏡外科手術に使用する機器

1) 手術器具

　体壁に開けた小孔から手術操作を行う内視鏡外科手術においても，把持，切開，止血，縫合という外科手術の基本操作に変化はない．内視鏡外科用に細径化された専用器材を使用するとともに，ディスポーザブル製品が多いことが内視鏡外科手術の特徴である．

　気腹針とは，腹腔鏡下手術の最初の気腹操作時に用いる穿刺針である．穿刺時の腹腔内臓器の損傷を防ぐため，腹壁を貫いた際に穿刺針が覆われる仕組みとなっている．

　トロッカーとは，体壁に小孔を開け体外と体腔内とを結ぶ通路を確保

する筒であり，内視鏡や鉗子の出し入れはこのトロッカーを介して行う．トロッカーは穿刺のための刃のついた内針と，体壁に留置する外套からなる．鉗子などの交換に際して，気腹ガスの漏出を最小限にするために腹腔鏡用のトロッカーには逆流防止弁が付いている．

　手術操作用の器具には，種々の形態の把持鉗子，剝離鉗子，鋏鉗子，吸引鉗子，止血用クリップのためのクリップアプライヤーなどがある（図6-2-2）．また，電気メスと接続可能な鉗子も用意されており，把持や切開と同時に電気メスの凝固・切開機能を使用することも可能である．また，トロッカーを通過可能な電気メス，レーザメス，超音波吸引手術装置，超音波凝固切開装置，自動縫合器なども広く使用されている．内視鏡外科手術では「針糸」による縫合止血が従来の手術に比べて熟練と時間を要するので，**超音波凝固切開装置**や **Vessel Sealing System**（LigaSure™ など）の有用性が開発当初から高く評価されてきた．

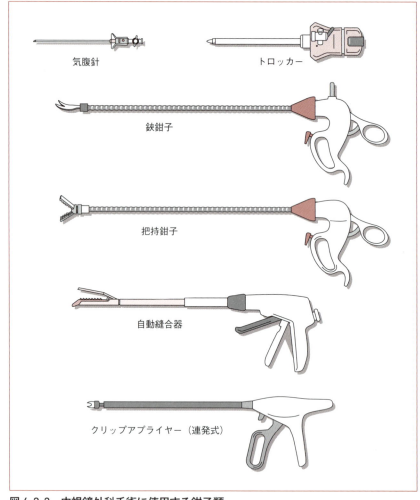

図 6-2-2　内視鏡外科手術に使用する鉗子類
（ジョンソン・エンド・ジョンソン社カタログを参考に作図）

2) 周辺機器

気腹器は，腹腔内に二酸化炭素を送気することで，腹腔内に作業空間を作成する機器である．気腹器は以前から内科での腹腔鏡検査にも用いられてきたが，内視鏡外科用の専用機器では腹腔内圧の自動維持機構が備えられ，腹腔内圧を常時測定しながら指定された内圧を維持するようになっている．通常は 8～12 mmHg の腹腔内圧で気腹するが，腹腔内圧上昇による静脈還流量減少や胸腔内圧上昇は，呼吸循環動態に影響を与えることも常に考慮しなければならない．

内視鏡外科手術には内視鏡システムが必須である．内視鏡外科手術には硬性鏡が使用されることが多いが，限られた作業空間での視野確保のために，**直視鏡**のほか**斜視鏡**や先端が湾曲可能な内視鏡も存在する．また立体内視鏡や特殊光観察機能付き内視鏡も活用されている．

硬性鏡の中心部は，先端から画像を伝えるロッドレンズが組み合わされており，周囲には照明用ファイバが設置されている．この硬性鏡の後部に撮像素子（CCD や CMOS）と画像・照明用ケーブルを組み込んだカメラヘッドを接続する（なお，近年では硬性鏡とカメラヘッドを一体化したものや，先端に CCD を搭載した硬性鏡も発売されている）．

手術台の脇には画像処理装置やテレビモニタが光源とともに設置される．モニタ，画像処理装置，光源などは移動式のシステムラックにまとめて搭載することが多い（図 6-2-3）．配線の不備などがあると手術の遂行が困難となるので，臨床工学技士だけでなく，医師や看護師も基本的な取り扱いに習熟する必要がある．

keyword
立体内視鏡

ディスプレイ上の二次元画像をみながら手術する内視鏡外科手術では，遠近感欠如による手術操作の困難さが指摘された．この課題を克服するために研究開発されたのが立体内視鏡である．

人間は，輻輳（両眼の視差角），両眼視差（両眼間の水平距離），調節（水晶体の厚さ調節）など複数の手がかり（cue）を用いて遠近感を認知している．これまで開発された立体内視鏡は，輻輳や両眼視差の原理を応用したものであるが，現在多く用いられているのは「輻輳」を利用したものである．これは，視差角を付けた二つの光学系から得た右目用・左目用画像を，液晶眼鏡などを利用して左右それぞれの眼に提供するものである．

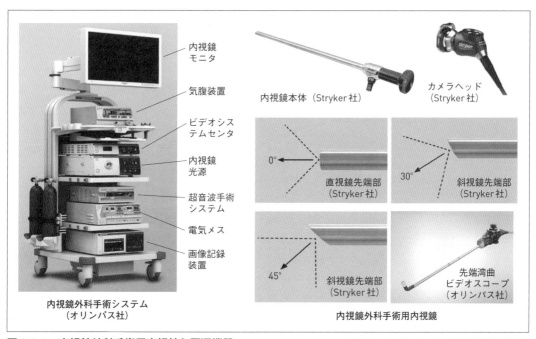

図 6-2-3　内視鏡外科手術用内視鏡と周辺機器　　　　　　　　　　　　　　（オリンパス社・Stryker 社資料をもとに作成）

3. 内視鏡外科手術の留意点

　低侵襲治療の代表とされる内視鏡外科手術ではあるが，従来の開腹・開胸手術と同様の手術操作を，小さな手術創から遠隔操作で行っているにすぎない．ほとんどの内視鏡外科手術は全身麻酔下に遂行され，突発的な出血などに際しては従来の手術への変更も必要となるので，術中の生体情報モニタ機器も通常の手術と同様に必要である．

　従来の開腹・開胸手術では，「鈎」や助手の「手」を用いた術野の確保が可能であったが，内視鏡外科手術では患者の体位や手術台の傾斜・回転によって臓器を移動させて術野を確保することも多い．このため患者の体位固定に際しては，術中の転落・神経麻痺・褥瘡予防や，電気メス対極板の装着位置などについて，これまで以上に細心の注意が必要である．

　さらに，気腹に伴う静脈還流量減少や横隔膜挙上による胸腔内圧上昇など，呼吸循環動態への影響，剝離面からの気腹ガス血管内流入などが発生しうるので，従来以上に全身状態のモニタが重要である．また下肢静脈血栓による肺血栓塞栓症予防のために，弾性ストッキングや下肢マッサージ器の使用も，一般の開腹・開胸手術と同様に重要である．

4. 内視鏡外科手術における保守管理

　内視鏡外科手術に使用されるME機器の保守点検の重要性も，通常手術と同様である．加えて，内視鏡外科手術実施に必要なディスポーザブル製品や気腹器用ガスボンベなど，予備品を含めた在庫管理は，スムーズな手術の遂行のために不可欠である．多くのME機器が使用される内視鏡外科手術においては，手術室の電源容量の確認や手術中の配線・配管の整理などの配慮も，従来以上に重要となってきた．

3　手術支援ロボット

1. 概要

　手術支援ロボットは1990年代に欧米や日本で研究開発が開始された．1999年には米国でda Vinci™（Intuitive Surgical社，米国）の販売が開始され，その後Zeus™（Computer Motion社，米国）や人工関節埋込時の骨切削ロボットRobodoc™などが販売された．また腹腔鏡操作に特化したAESOP™（Computer Motion社，米国）やNaviot™（日立製作所，日本）なども発売された．Zeus™は2001年に，ニューヨーク・フランス間での遠隔胆囊摘出手術に成功した．これは，世界初の大西洋単独横断飛行に成功したリンドバーグ操縦士に例えて，「リンド

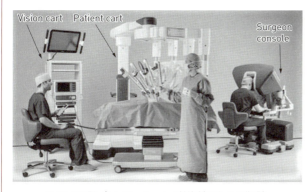 

da Vinci Xi™（Intuitive Surgical社資料をもとに作成）　　hinotori™（Medicaroid社）

図 6-3-1　手術支援ロボット

バーグ手術」としても有名になった．これまで世界で最も多く販売された手術支援ロボットは da Vinci™ シリーズであり，2021 年までに世界で 7,000 台弱が販売され，年間 150 万件のロボット支援手術が行われている．

　da Vinci™ は日本でも 2002 年に臨床治験が開始されるとともに，自費診療での使用も一部の医療機関で開始された．2009 年に第二世代の da Vinci S™ が医療機器として薬事承認を受け，先進医療として泌尿器・消化器・心臓・呼吸器外科領域での使用が開始された．2012 年には前立腺癌に対する da Vinci S™ の使用が保険収載され，その後腎細胞癌・胃癌・直腸癌・食道癌・肝臓癌・心臓外科領域・婦人科領域など種々の疾患での使用が保険収載されてきた．

　今日では da Vinci Xi™ が販売されるとともに，Senhance Digital Laparoscopy System™（Asensus Surgical 社，米国）や hinotori™（Medicaroid 社，日本）などの手術支援ロボットが薬事承認されている（図 6-3-1）．

2. 原理と構造

　da Vinci™ は外科医が操作を行う操作用コンソール（Surgeon console），患者の体腔内臓器を操作するマニピュレータ（Patient cart），画像処理コンソール（Vision cart）からなっている．術者は操作用コンソールから内視鏡画像をみながら，Master Slave Unit を介して体腔内に挿入した手術器具を遠隔操作する．da Vinci Xi™ では，1 本の内視鏡と 3 本の手術器具を体腔内で同時に使用できる．使用可能な器具は，鉗子・持針器・鋏・電気メス・自動縫合器など既存の内視鏡外科手術と同等である．また可視光観察に加え，近赤外線観察も可能となっている．

3. 手術支援ロボットの使用上の留意点と課題

da Vinci™ などの手術支援ロボットは，術者が Master Slave Unit を介して，体腔内に挿入した手術器具を遠隔操作するものなので，プログラムに従った自律的動作を行う産業用ロボットとは異なっている．今日の手術支援ロボットは"マニピュレータ"という表現が工学的には妥当ともいえる．

手術支援ロボットに求められる特殊性として，以下の4点があげられる．

①直接患者に接触すること
②作業内容が一律ではなく常に変化すること
③動作の試行錯誤ができないこと
④ロボットの専門家ではない医療従事者が使用すること

da Vinci™ などによるロボット支援手術には，先端に多関節機能を有する高自由度鉗子による愛護的で迅速な深部操作が可能であることとともに，「手ぶれ除去機能」「動作縮小機能」など Master Slave Unit ならではの長所がある．一方で高額な初期投資やランニングコストとともに，重量や占有スペースの大きさなどの課題があり，導入時の床面補強や電源容量拡張などが必要となることもある．さらに，種々の鉗子の交換や吸引などは，「手洗い」をした医師や看護師が行う必要があるとともに，術前・術中のセッティングにもマンパワーと時間を要するのが現状である．

手術支援ロボットの導入に際しては，外科医の技術認定と事前研修のみならず，運用にあたる看護師や臨床工学技士もチームで事前研修を行うことが求められている．手術支援ロボットの運用においても，内視鏡外科手術同様の器材の保守点検と，消耗品の在庫確認・補充が不可欠である．手術中の鉗子破損やコード断線などとともに，システムの突然の「フリーズ」などロボット支援手術固有の不具合事象も報告されている．さらに大量出血や臓器損傷時の緊急開胸・開腹移行には，可及的速やかに手術支援ロボットを撤去する必要があるので，緊急時に備えた多職種連携下の事前訓練も重要である．

手術支援ロボットで使用する一部の鉗子類には，一定回数までの再利用が可能なものもあるが，指定された前洗浄・洗浄・滅菌工程の遵守も重要である．ロボット支援外科手術は，da Vinci™ によって，先進諸国に広く普及し，今日では内外の多くのメーカから新規の手術支援ロボットが発売されつつある．手術支援ロボットの円滑な導入・運用と課題解決には，臨床工学技士の大いなる関与が不可欠である．

第7章 熱治療機器

「**熱（温度）**」と聞くと，「高温・高熱」など高い温度の方を思い浮かべやすい．たとえば，風邪などを引いた時も，平熱より高くなった体温を指して「熱が出た」という言い方をした経験があるのではないだろうか．

しかし，「**熱エネルギー**」の観点から考えると，物質を構成している多数の粒子は常に不規則な運動をしており，この運動は「熱運動」といわれ，色々な熱現象を起こすもととして捉えられている．我々は，熱エネルギーがどのくらい生じているか，つまり熱運動の激しさを「温度」を用いて表している．言い換えれば，物質を構成する粒子の熱運動の激しさが「温度」となって現れると考えてよい．生体（人間）の生活における温度環境を考えてみると，氷点下以下の低温環境から体温以上の高温環境に適応して生活しており，「熱（温度）」を利用するためには，"低温"から"高温"までを幅広く捉える必要があることがわかる．

そこでこの章では，"低温"でしかも日常生活環境ではあまり用いられていない"超低温"である熱エネルギーの応用例である**冷凍手術器**と，逆に体温より少し高めの"高温"の熱エネルギーを利用した癌の温熱療法である**ハイパーサーミア装置**について，どのような熱現象が治療に役立っているか学習していく．

keyword

熱運動
物質を構成する粒子が有限温度で行っている不規則な運動.

温度

物質の温度を下げていくと熱運動が鈍くなり，−273.15℃で熱運動が停止する（運動のすべてが停止するわけではない）ので，これよりも低い温度は存在しないということで絶対零度といい，単位にはケルビン [K] を用いる．日本で一般的に温度を表す単位で使われているセルシウス温度 t [℃] と，絶対温度 T [K] の関係は，

$T = t + 273.15$

となる．

1 冷凍手術器

1. 冷凍手術とは

0℃以下の低温を病気の治療に用いることは，古くはギリシャ時代から行われてきたが，凍結を利用するようになったのは20世紀になってからである．

生体組織を局所的に0℃以下の低温にし，組織の破壊を行う療法を**冷凍手術**（**凍結手術，クライオサージェリ**）とよぶ．冷凍手術療法は1961年にはじめて液体窒素を用いた装置が考案され，1965年に近代的な手術装置の開発により冷凍手術が行われ，現在に至っている．冷凍手術の歴史は古く，装置の面ではほぼ完成された手術法であるが，従来行われていた腫瘍を対象とした治療が，他の手術装置，たとえばレーザやマイクロ波といったエネルギーなどにとって代わられたため，現在治療対象の主流は形成外科，皮膚科領域へと変化してきている．

2. 冷凍手術の作用機序と治療の特徴

冷凍手術は凍結のもつ4つの作用で行われる（表7-1-1）．冷凍手術の対象疾患は，表在性の皮膚癌（基底細胞癌，扁平上皮癌）や，眼科系〔難治性緑内障（毛様体冷凍凝固術），網膜剝離〕，各種の腫瘍〔腎臓癌，肝臓癌，難治性悪性腫瘍，肺腫瘍，子宮筋腫，難治性癌性疼痛（骨転移，骨盤内再発など），乳癌〕である．たとえば，腎癌では4cm以下，悪性肺腫瘍では3cm以下が保険適用となっている．また，胸部悪性腫瘍で冷凍手術の対象となるのは，標準的な癌治療（外科的手術，化学療法，放射線療法）を受けられない肺腫瘍，縦隔腫瘍，胸膜腫瘍，胸壁腫瘍などである．

3. 冷凍手術器の原理・構造

冷却する装置を冷凍手術器，または冷凍手術ユニットとよび，使用す

凍結とは

水は凝固すると体積が約9％ほど増える．これはゆっくり凍らせた場合で，細胞内や細胞間にある水分の結晶（氷結晶）が大きく成長してしまうためである．急速に凍らせる（凍結させる）と，氷結晶は大きく成長しない．最近ではこの急速凍結による冷凍技術が食品流通システムに利用されている．たとえば新鮮な魚介類の鮮度を保ったまま遠隔地へ運んだり，近畿地方の病院が北海道のメーカへ糖尿病食を注文し，凍結された品物が患者宅へ配送されるという糖尿病食の宅配サービスなどにも使われている．

表 7-1-1 冷凍手術の作用機序とその特徴

作用機序	特徴
接着効果	白内障手術など,比較的高いマイナス温度を用いてプローブに水晶体を接着させ,ピンセットの代わりとして使用.
炎症反応	網膜剥離手術など,光凝固と同じ効果を目的として使用.
壊死効果	使用目的のもっとも多いもので,腫瘍,病巣の破壊に使用.
固化作用	出血しやすい腫瘍や転移を生じやすい腫瘍を凍結することによって固形化して摘出するために使用.

表 7-1-2 冷凍手術装置の種類

種類	冷却剤	最低温度	冷却原理	破壊力	自在性,調節性	臨床的適用
低温常圧型	液体窒素	−198℃	気化熱	大きい	断熱構造が必要 構造が複雑,高価	おもに大きい病変の破壊
常温高圧型	炭酸ガス	−70℃	ジュール・トムソン効果	小さい	断熱構造が不要 構造が簡単	小さな病変に適する
	笑気	−89℃				
	Ar ガス	−185℃				
	He ガス	−269℃				

る冷却剤の圧力と温度の状態から,常温高圧型と低温常圧型の2つの種類に分けられる(表 7-1-2).

1) 常温高圧型

高圧ガスを小さなノズルから噴出させ,断熱膨張する際に温度が下がる現象(**ジュール・トムソン効果**)を利用しプローブ先端を冷却する.冷却剤としては,炭酸ガス(CO_2:−70℃),笑気(N_2O:−89℃),アルゴンガス(Ar:−185℃),ヘリウムガス(He:−269℃)などを利用する.断熱構造の必要がなく小型で自在性がよいが,凍結力は弱い.

ジュール・トムソン効果とは,気体を高圧側から低圧側へ断熱的に移動させた際の温度変化を利用したものである.外部に対して仕事をさせながら気体を不可逆的に膨張させると温度は低下する.理想気体ではこの膨張により温度は変化しないが,実在する気体では温度変化が認められ,逆転温度とよばれる温度以下では,断熱膨張を始めれば温度は低下する.窒素の逆転温度は 623 K(350℃)であり,室温で 100 気圧の窒素ガスを 1 気圧まで膨張させると,約 20℃の温度降下がある.ジュール・トムソン効果は,冷蔵庫やクーラーの冷却にも用いられている.ただし,フロンはオゾン層の破壊による環境汚染の問題があり,現在では CO_2 と N_2O が冷却剤として用いられている.

現在用いられている**常温高圧型**の装置とその特徴を表 7-1-3 に示す.

2) 低温常圧型

−198℃の超低温液化ガスである液体窒素が蒸発する時に熱が奪われ

keyword

逆転温度
詳しくは成書に譲るが,酸素では 761 K(488℃),水素では 202 K(−71℃)となっている.

表 7-1-3　常温高圧型冷凍手術装置の特徴

製造・販売業者名称	アールイーメディカル社	アールイーメディカル社 キーラー・アンド・ワイナー社	ボストン・サイエンティフィックジャパン社	アムコ社	センチュリーメディカル社
一般名称	眼科用冷凍手術ユニット		汎用冷凍手術ユニット		医療用焼灼器
モデル・型番	クライオスター	キーラー クライオマチック MK II	Visual-ICE	エルベ　CRY02	AtriCure Cryo アブレーションシステム　CRYO3
おもな対象疾患	眼科用（網膜剝離，白内障・緑内障，硝子体）	眼科用（網膜剝離，白内障・緑内障，硝子体）	腎悪性腫瘍・肺腫瘍	呼吸器疾患（気管支，気管支末梢組織）	心房細動等アブレーション
冷却剤	N_2O ガス・CO_2 ガス	N_2O ガス・CO_2 ガス	液化 Ar ガス，液化 He ガス	CO_2 ガス	N_2O ガス
代表的なプローブ・ニードル			ニードルは 90°タイプ 2 種類 シャフト外径：1.5 mm 真空構造		
電源	100 V	100 V	100 V〜240 V	100 V〜240 V	100 V〜120 V
定格容量など	40 VA	100 VA	250 VA	0.4〜0.8 A	4 A
電撃に対する保護の形式による分類	クラス I 機器	クラス I 機器	クラス I 機器	クラス I 機器	クラス I 機器
電撃に対する保護の程度による装着部の分類	B 形装着部	B 形装着部	BF 形装着部	CF 形装着部	CF 形装着部
本体外観					

る現象（**気化熱：潜熱**）を利用している．低温状態を維持するための断熱構造が必要なため比較的大型であるが，強力な冷凍能力をもち，大きな腫瘍の破壊に適している．**低温常圧型**の冷凍手術器の一般的な構造を図 7-1-1 に示す．また，小型の装置およびプローブを図 7-1-2 に示す．

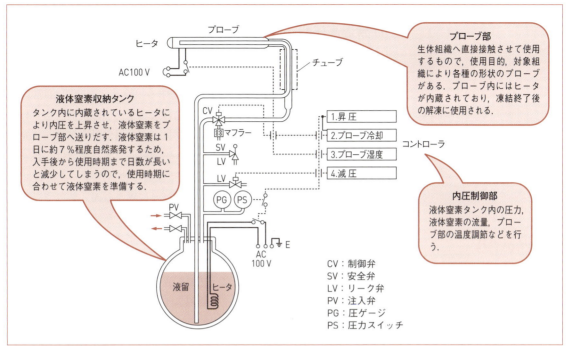

図 7-1-1 低温常圧型冷凍手術装置の構造

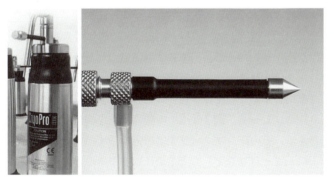

図 7-1-2 低温常圧型冷凍手術装置およびプローブの外観
（Cryo Pro コーテックステクノロジー）

 潜熱とは？

　ビーカの中に氷と水を入れ（ビーカ内の氷水は0℃），ビーカを下から熱しても，温度は0℃から上昇せず，氷が融けるだけである．これは，熱エネルギーに比例した温度が上昇する（$Q=C\Delta T$，Q：熱量，C：熱容量，ΔT：温度変化）という原則があてはまらない．ここで失われた熱エネルギーは，当然氷を融かすために使われたからである．この時の熱エネルギーを **融解熱**（固体1gを融解するのに必要な熱量）といい，同様の現象は，水（液体）が水蒸気（気体）になる時も当てはまる．この時の熱エネルギーを **気化熱**（1gの液体を同温度の気体に変えるのに必要な熱量）といい，**融解熱と気化熱をあわせて潜熱とよぶ**．したがって，潜熱とは，固定，液体，気体と変化する時に吸収・放出する熱エネルギーのことを指す．

4. 操作・運用
1) 常温高圧型
　使用開始前は，冷却ガス（CO_2 や N_2O）のボンベの準備，各ボンベへのバルブ接続などを行う．とくに複数ボンベを使用する場合は，かならずボンベが固定されていることを確認する．冷凍／解凍開始時には，冷凍／解凍用切り替えスイッチがある場合はスイッチの位置，切り替え状態をかならず確認する．また，冷凍プローブの温度計がプローブ先端の温度を示しているかを確認する．ガス圧調整が必要な場合は，各々指定された圧力にて，減圧バルブメータや装置のガス圧メータを確認する．冷凍と解凍の操作については，機種ごとに異なるが，装置で設定したタイマーやプログラムにより繰り返される冷凍／解凍サイクルを，プローブ温度表示・時間表示などで確認する．終了時は，冷却ガスボンベのバルブを閉め，各圧力計のゲージ圧が指定された圧力（0 psi など）まで下がったこと，およびプローブ温度表示を確認した後，冷却プローブの温度計電源スイッチやメイン電源スイッチを OFF にする．

2) 低温常圧型
　凍結する温度を設定する（設定が必要な場合．最大で -190℃ 前後）．液体窒素タンク内のヒータに電源を入れ，液体窒素を蒸発・増圧する．プローブに液体窒素が送られ，接触している組織の凍結が始まる．小型の装置の場合は，容器（デュワー瓶など）に液体窒素を注入後，4〜6 時間後に治療が開始できる．治療により凍結が十分行われたら，プローブ内のヒータにより冷却部位を解凍し遊離する．解凍が不十分な状態でプローブを抜去すると，生体を傷つけたり，プローブ先端を破損することがある．スプレー式（図 7-1-2）の場合は，患部から適当な距離をおいて噴霧する．その際，プローブ先端のみならず，構成部品（ボトルの口やデュワーキャップなど）なども 0℃ 以下にあるため，取り扱いには注意する．

5. 保守・点検
　冷凍手術装置に関して，一般的な保守・点検の要点を表 7-1-4 にまとめた．その他，機器個別の点検方法などは添付文書を参考にして実施すること．

表 7-1-4 冷凍手術装置の保守・点検項目

	常温高圧型	低温常圧型
冷却剤（ガス）	使用しているガス種類，ボンベ固定状況，ボンベ残留ガス圧，減圧弁との装着状態について確認する．	液体窒素の残量について確認する（保存用容器は自然蒸発方式なので，治療時に使用可能な量が残っているかを確認する）．
滅菌・消毒	プローブは指定された滅菌方法（高圧蒸気滅菌，EOG 滅菌，プラズマ滅菌など）にて事前に滅菌を行っておく．本体，排気プラグなどは酒精綿にて汚れを清掃しておく（噴霧方式の小型の低温常圧型装置の場合は，本体の消毒も行う）．	
プローブ	冷却プローブ，排気プローブ接続時には，接続部にゴミなどが付着していないか確認を行う．プローブおよびホース類の破損，折れ曲がりの有無を確認する．	
電源	商用交流電源および内部電源のスイッチ ON/OFF 切り替えや，スイッチに異常がないかどうか確認する．	
その他	各装置に必要な部品および工具を常備しておく（保守部品保有年数を把握しておく）．各装置で指定された保管条件（場所，温湿度）を守る．各メーカが推奨する定期点検方法（年1回など）の実施，または保守点検契約による定期点検を実施する．	

2 ハイパーサーミア（癌温熱療法）装置

1. 温熱と医療の関係

ハイパーサーミア（hyperthermia）は，ギリシア語で hyper（過度，超過，上方）と therme（熱）の合成語として使用され，臨床でも頻用される用語である．通常，ハイパーサーミアは腫瘍の局所を 42～43℃ 以上に加温する治療が一般的であり，加温法には電磁波と超音波が利用される．

さらに，アブレーション（切除，除去）という治療法がある．これはカテーテルや針の先端から高周波電流を流し，接した生体組織を小範囲で焼き切るもので，心臓カテーテルから行う不整脈治療（カテーテルアブレーション）や，肝臓癌を穿刺針で治療する RFA（ラジオ波焼灼療法）などがある．長い歴史をもち，テクノロジーの進歩とともに適応が拡大しつつある温熱を利用した治療法に関して，本項では理工学的基礎と生物学的基礎について解説する．

2. ハイパーサーミアの理工学的基礎
1）加温法による分類

温熱療法に用いられる加温法は，局所加温と全身加温に分類される．前者には，主として**電磁波加温**が用いられてきたが，最近では**超音波加**

keyword

高周波
数百 kHz から数 MHz 程度の周波数帯を指す．高周波により安全に，かつ大電流を身体に流すことが可能である．

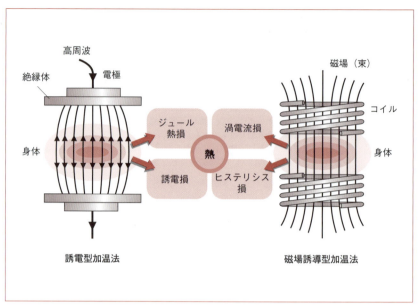

図 7-2-1　2 種類の温熱療法

表 7-2-1　電波の周波数帯の区分と呼称

波長の呼称		周波数範囲	波長範囲
長波		300〜3,000 Hz	1,000〜100 km
		3〜30 kHz	100〜10 km
		30〜300 kHz	10〜1 km
中短波	中波	300〜3,000 kHz	1,000〜100 m
	短波	3〜30 MHz	100〜10 m
超短波		30〜300 MHz	10〜1 m
極超短波		300〜3,000 MHz	100〜10 cm
マイクロ波 センチ波		3〜30 GHz	10〜1 cm
ミリ波		30〜300 GHz	10〜1 mm
サブミリ波		300〜3,000 GHz	1〜0.1 mm

ラジオ波とは人工的なガイドなしで伝搬する 9 kHz から 3,000 GHz の周波数の電磁波をいう．

温も用いられている．さらに，局所加温は外部（接触型と非接触型）加温と内部（腔内や組織内）加温に大別される．

(1) 電磁波加温

　電磁波外部加温法を大別すると，誘電型加温法（dielectric heating：DH）と誘導型加温法（induction heating：IH）に分類される（**図 7-2-1**）．ただし，誘導型加温法は研究が進んでいるものの，医療用に実用化されたものはない．

　周波数帯による電波区分を**表 7-2-1**に示す．治療で利用される周波数帯は，数 MHz 帯（サーモトロン RF8 など），100 MHz より低い RF (radiofrequency：ラジオ波），数 GHz 帯（microwave coagulation therapy：マイクロ波凝固療法）が代表的である．RF における電磁波の作用は波動というより電流としての性格が強くなるため，発熱は高周波電流のジュール熱により発生する．一方，100 MHz より高い周波数のマイクロ波では，電流というより波動としての性質が強くなり，発熱機序も誘電損失が関与する．

現在臨床応用されている加温法は，誘電型加温法である（図 7-2-1 左）．その発熱原理は組織内水分子の振動による発熱を利用しており，腫瘍やその周囲の体液が広く加温され，腫瘍を取り囲むように発熱することで治療に利用される．

電磁波加温法は，周波数に応じて次の 2 つが臨床応用されている．

① RF8（サーモトロン）

身体を挟むように配置された両電極間に通電される RF 波により，組織の双極子およびイオンが 1 秒間に 800 万回という急速な回転と波動を生じ，ジュール熱を発生させる誘電型加温法である．脳，眼球，血液疾患を除く多くの悪性腫瘍に対して保険適応が認められている．腫瘍局所を 42～43℃ 程度に 30～60 分加温し，放射線療法や化学療法と併用することでその効果を高める効果もある．体表から 13 cm の深部まで加温が可能であり，8 MHz で 1,500 W の高出力が得られる．加温コンピュータから連続的に送られる印加電力に基づき，各組織に吸収される電力，熱伝導，血流などが計算され，患者のフィルム画像上の密度，電気伝導率，熱伝導率，比熱，血流，体温，各組織に吸収される電磁波電力などの要素が計算され，有効かつ安全に加温できるよう設計されている．なお，体表面温度上昇による痛みや低温やけどを予防するため，体に接する電極またはオーバーレイボーラスに 5℃ の冷却水を循環して冷却し，体の中心部分温を高める工夫がなされる．熱耐性には熱ショック蛋白産生が関与しているが，加温後 72 時間以内に消失するため一般的には週に 1，2 回のペースで治療を行うのが通常とされている．

② RFA（ラジオ波焼灼療法）

RFA は 500 kHz 付近の高周波発振器（ジェネレータ）から出力された高周波電流を凝固穿刺針により組織に流し，組織抵抗で発生する熱を利用して組織の温度を上昇させる．電気メスと同じ周波数帯であるが，RFA では電流密度を小さくして（組織と通電電極の接触面積が大きい），緩徐な熱発生により広範囲の組織凝固を行うことが可能となっている．機種によっては 1 回の操作で径約 3 cm 程度の領域が凝固される．人体は通常 50 Hz の交流電流では 1 mA の電流でも感電ショックとなるが，高周波に対しては感度が鈍く，500 kHz 周辺の高周波（ラジオ波）では 500 mA 程度でも感電しないため，臨床での使用が可能となっている．なお，凝固作用を終えた高周波電流はジェネレータ本体に還流するため，対極板という大きな電極を体に貼付し電流を分散させて本体に戻す

keyword

ジュール熱

抵抗体 $R[\Omega]$ の中を電流 I [A] が t[秒] 流れると，I^2Rt [J]（ジュール）の熱が発生する．ジュールの法則として知られており，発生する熱をジュール熱とよぶ．生体組織も NaCl 溶液と考えれば抵抗体であるので，電流を流せば消費電力（$P=I^2R$）に比例し発熱する．

TOPICS

高周波電流は皮下脂肪や筋肉を通して流れるため，抵抗の大きな脂肪層の発熱が大きくなる．一方，皮下脂肪は体表に近いので，ボーラス内を環流する冷却水によって冷却することで，火傷などの合併症を予防する必要がある．

keyword

対極板

作用を終了した高周波電流を回収してジェネレータに返す電極である．拡散電極ともよばれ，電流を拡散して低い電流密度で安全に回収するために利用される．

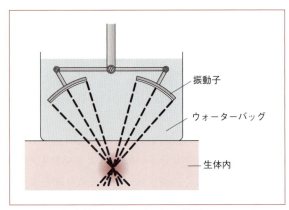

図 7-2-2　超音波ハイパーサーミア装置

ことが必須となる．RFA に使用される機種は複数あり，先端形状などが工夫されて有効な腫瘍凝固壊死が得られるよう設計されている．

(2) 超音波加温

アブレーション治療として HIFU（high intensity focused ultrasound，高密度焦点式超音波）とよばれる治療器が使用される頻度が高まっている．超音波を直接生体組織に照射して組織の構成分子を振動させ発熱する原理を利用している．図 7-2-2 に示すように，凹面状に円形配列されたトランスデューサから照射された超音波が結ぶ焦点近傍に，小さな（通常数 mm の）加熱領域が形成される．

超音波の減衰は周波数に依存し，生体組織では 1 MHz の超音波を用いた場合には 8 cm 程度の深さまで到達し加温することが可能である．しかし，超音波特性により空気や骨軟部組織界面で屈曲が起こるため，肺や消化管のようなガスの多い臓器や，骨のある領域への適応は困難である．また，超音波は収束性が高い反面，照射領域が狭いため，治療範囲が広い場合には治療時間が長くなる．表在性腫瘍，乳房，腹部臓器腫瘍が対象となる．他には前立腺肥大，子宮筋腫，骨転移の疼痛緩和，本

ラジオ波焼灼療法（RFA）

〈特徴〉
- RFA は誘電加熱を利用している
- RFA はジュール熱（＝消費電力×通電時間）による抵抗加熱
- 単位体積あたりの発熱量＝(電流密度)^2×組織抵抗率×通電時間
- 通電電極近傍のみ発熱させる
- 対極板が必要である
- マイクロ波凝固は水分子の回転摩擦による誘電加熱

〈対象疾患〉
- 肝腫瘍，肺腫瘍，乳癌など

〈問題点〉
- 対極板部での火傷
- 通電電極部での熱傷
- 合併症（肝内，穿刺線上，近接臓器，全身）の発生率が約 7％である．死亡は 0.3％と報告されている．

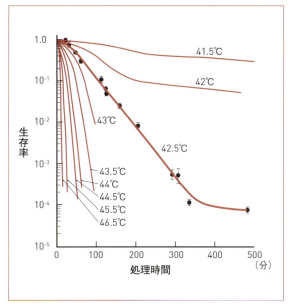

図 7-2-3 培養細胞に対する温度の影響

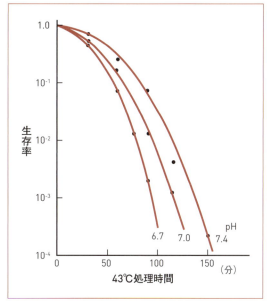

図 7-2-4 温度感受性と pH

態性振戦においては保険診療として行われているが，膵癌などへの自由診療も行われている．最近では，MRI 画像をガイドとして体内臓器に収束超音波の焦点をあてる工夫も行われている．

超音波照射にはキャビテーション発生が問題となるが，安全限界は $100\ W/cm^2$ と言われている．

3. ハイパーサーミアの生物学的基礎

1) 温度感受性に関する基礎

一定の細胞数に達して増殖を停止した正常細胞は，増殖を続ける癌細胞に比べて温熱に対する抵抗力をもつことが知られている．図 7-2-3 に培養細胞に対する温度の影響を示す[1]．培養液の温度が 42.0℃ 以下では細胞の生存率はあまり低下しないが，42.5℃ 以上では大幅に低下する．さらに 1℃ ごとの上昇で急激に生存率が低下する．すなわち，細胞レベルでは局所温 42.5℃ 以上が治療に適した温度帯であることがわかる．

一方，温度感受性には pH が関与することが知られている．図 7-2-4 は 43℃ に加温された状態で，培養液 pH を 7.4 から 6.7 に変化させて生存率を比較したものであるが，培養液が酸性に向かうと温度感受性が高くなることがわかる[2]．同様に，細胞周囲環境が低酸素状態になると温度感受性が高くなることも知られている．これは，低酸素状態に伴う嫌気解糖により細胞内 pH が低下することに関連している．臨床的には，癌の増大に伴い，癌組織内に供給される血流が減少することで腫瘍自体が低 pH，低酸素状態に曝されるため，温熱療法が有効になると理解される．

TOPICS
温熱に曝された細胞は，再度温熱に曝された際に耐性を獲得する．初回の温熱により熱ショックタンパク質（HSP：主として 70 kDa と 90 kDa）が産生され，次の温熱によりもたらされた変性タンパク質に HSP が結合し，タンパク質を保護することで不可逆的凝集を防ぎ，その活性を取り戻させて修復する，いわゆる「分子シャペロン効果」が関与していると考えられている．

2) 組織レベルでの温熱感受性

温熱は細胞より組織レベルで有効に作用する．生物学的には以下の理由が考えられる．

① 44〜45℃までの温度帯では，温熱を加えると，正常組織の血流は増加する．腫瘍組織の血流は，41〜42℃までは増加するがそれ以上の温度帯では逆に低下する．このため，正常組織では血流増加により熱拡散が起こるが，腫瘍部分では相対的に温度が上昇する．

② 腫瘍内の血流供給の乏しい細胞は，熱感受性が高い．

③ 腫瘍内は嫌気性代謝によって酸性に傾いているが，前述のように温熱はpHの低い時にさらに抗腫瘍効果が高い．

3) 細胞レベルでの温熱周期依存性

温熱効果には細胞周期依存性が認められる．細胞は一定の周期（G1期→S期→G2期→M期）を繰り返し増殖する．細胞分裂期（M期）およびDNA修復合成期（S期）にある細胞は，G1およびG2期の細胞より温度感受性が高い．この特性を利用して，放射線抵抗性であるS期細胞の割合の多い分裂細胞集団で形成される増殖の早い腫瘍に対して，温熱と放射線治療の併用が有効であるとする報告も多い．

TOPICS
温熱療法と放射線療法の併用が有効であることに加え，化学療法との併用の有効性も注目されている．ハイパーサーミアによって癌細胞膜が変性することで，抗癌剤が細胞内に入りやすくなる．

参考文献

1) 小磯謙吉：温熱・低温・レーザー．医工学治療機器マニュアル4．金原出版，1991．
2) Dewey, W.C., Hopwood, L.E., Sapareto, S.A., et al.: Cellular responses to combinations of hyperthermia and radiation. *Radiology*, **123**：463〜474, 1977.
3) Gerweck, L.E.: Modification of cell lethality at elevated temperatures. The pH effect. *Radiat. Res.*, **70**：224〜235, 1977.
4) Henle, K.J., Leeper, D.B.: Interaction of hyperthermia and radiation in CHO cells. Recovery kinetics. *Radiat. Res.*, **66**：505〜518, 1976.

付録 令和3年版 臨床工学技士国家試験出題基準（医用治療機器学）

Ⅱ．医用治療機器学

(1) 治療の基礎

大項目	中項目	小項目
1. 治療の基礎	(1) 治療の意義と目標	①作用（治療効果）
		②副作用（危険性）
	(2) 治療に用いる物理エネルギーの種類と特性	①電磁気
		②熱
		③音波
		④放射線
		⑤機械力

(2) 各種治療機器

大項目	中項目	小項目
1. 電気的治療機器	(1) 電気メス	①原理，構造
		②種類
		③取扱いと安全管理
	(2) 極超短波（マイクロ波）手術装置	①原理，構造
		②適応
		③取扱いと安全管理
	(3) 除細動器	①原理，構造
		②種類
		③適応
		④取扱いと安全管理
	(4) 心臓ペースメーカ	①原理，構造
		②種類
		③適応
		④取扱いと安全管理
	(5) カテーテルアブレーション装置	①原理，構造
		②種類
		③適応
		④取扱いと安全管理
	(6) その他の電気的治療機器	①原理，構造
		②種類
		③適応
		④取扱いと安全管理
2. 機械的治療機器	(1) 吸引器	①原理，構造
		②種類
		③取扱いと安全管理
	(2) 輸液ポンプ，シリンジポンプ	①原理，構造
		②種類
		③取扱いと安全管理
	(3) その他の薬剤等注入ポンプ	①原理，構造
		②種類
		③取扱いと安全管理
	(4) 体外式結石破砕装置	①原理，構造
		②種類
		③適応
		④取扱いと安全管理
	(5) 血管内治療装置・その他のインターベンション装置	①原理，構造
		②種類
		③取扱いと安全管理

大項目	中項目	小項目
3. 光治療機器	(1) レーザ手術装置	①原理, 構造
		②種類
		③適応
		④取扱いと安全管理
	(2) 光線治療器	①原理, 構造
		②適応
		③取扱いと安全管理
4. 超音波治療機器	(1) 超音波吸引手術器	①原理, 構造
		②適応
		③取扱いと安全管理
	(2) 超音波凝固切開装置	①原理, 構造
		②適応
		③取扱いと安全管理
	(3) 集束超音波治療装置	①原理, 構造
		②適応
		③取扱いと安全管理
5. 内視鏡機器	(1) 内視鏡	①原理, 構造
		②治療の概要と使用機器
		③取扱いと安全管理
	(2) 内視鏡外科手術機器	①原理, 構造
		②治療の概要と使用機器
		③取扱いと安全管理
6. 手術支援ロボット	(1) 手術支援ロボット	①原理, 構造
		②治療の概要と使用機器
		③取扱いと安全管理
7. 熱治療機器	(1) 冷凍手術器	①原理, 構造
		②種類
		③取扱いと安全管理
	(2) ハイパーサーミア装置	①原理, 構造
		②種類
		③適応
		④取扱いと安全管理

索引

和文索引

あ
アーク放電 …………………… 6
アクティブ電極 ……………… 8
アダムス・ストークス症候群 … 66
アブレーションカテーテル …… 90
アルゴンガス併用電気メス …… 28
圧電セラミックス …………… 171
圧電方式 ……………………… 102

い
インコヒーレント光 ………… 136

う
植込み型ペースメーカ ………… 66
植込み式除細動器 ………… 39, 51

え
エキシマレーザ励起Dyeレーザ … 158
液体窒素 …………………… 201

お
音響インピーダンス …… 98, 100
温度感受性 ………………… 209

か
カテーテルアブレーション … 117
カテーテルアブレーション装置 … 89
カプセル内視鏡 …………… 187
ガスレーザ ………………… 148
ガンマ量 …………………… 120
可干渉光 …………………… 136
完全房室ブロック …………… 69
癌温熱療法 ………………… 205

き
気化熱 ……………………… 202
気腹器 ……………………… 195
気泡混入 …………………… 129
気泡発生 …………………… 126
機械注入方式 ……………… 119
逆流現象 …………………… 125
吸引圧 ………………………… 95
吸引器 ………………………… 93
吸収係数 …………………… 136
胸腔ドレナージ ……………… 94
凝固 ………………………… 7, 12
局所加温 …………………… 205
銀酸化バナジウムリチウム電池 … 74

く
グロー放電 …………………… 6

け
経カテーテル大動脈弁置換術 … 115
経静脈心内膜ペーシング …… 73
経食道ペーシング …………… 74
経尿道的切除 ……………… 189
経尿道的尿管結石破砕術 …… 105
経皮的冠動脈インターベンション
 ……………………………… 111
経皮的冠動脈形成術 ……… 110
経皮的血管塞栓術 ………… 116
経皮的腎尿管結石破砕術 … 105
経皮的僧帽弁交連切開術 … 115
経皮的体表ペーシング ……… 73
携帯型吸引器 ………………… 96
結石破砕装置 ………………… 97

こ
コヒーレント光 …………… 136
コロナ放電 …………………… 5
固体レーザ ………………… 151
光化学的作用 ……………… 141
光熱的作用 ………………… 139
高周波接地形 ………………… 15
高周波電流 …………………… 12
高周波電流発生装置 ………… 7
高周波非接地形 ……………… 15
高周波分流 ……………… 15, 19
高周波漏れ電流 ……………… 26
高密度焦点式超音波 ……… 208
硬性鏡 ………………… 183, 195

さ
サイフォニング現象 ……… 125
細胞周期依存性 …………… 210

し
シリンジ型 ………………… 120
ジェネレータ ………………… 74
ジュール ……………………… 43
ジュール・トムソン効果 …… 201
自然滴下方式 ……………… 121
自動体外式除細動器 …… 39, 44
刺激閾値 ……………………… 83
刺激伝導系 …………………… 67
手術支援ロボット ………… 196
手動式除細動器 ……………… 39
主作用 ………………………… 1
受攻期 ………………………… 39
受攻性 ………………………… 39
充電回路 ……………………… 55
出力電力 ……………………… 27

出力波形 … 58	体内直接通電法 … 42	電磁干渉 … 23, 75, 88
除細動器 … 34, 39	対極板 … 8	電磁障害 … 22
除細動器チェッカ … 63	対極板コード断線モニタ … 24	電磁振動（誘導）方式 … 102
照射フルエンス … 136	対極板接触不良モニタ … 24	電磁波加温 … 206
照射強度 … 136	第3度房室ブロック … 69	電磁両立性 … 23
照準方法 … 102	単極電極 … 76	
衝撃波 … 98, 99, 140	単色光 … 134	**と**
常温高圧型 … 201, 204	単相性減衰正弦波形 … 43, 58	トラッキング機能 … 79
心外膜電極 … 75	単相性切断指数波形 … 58	トロッカー … 193
心筋電極 … 75	断熱膨張 … 201	同時方式 … 184
心静止 … 36		洞不全症候群 … 69
心臓ペースメーカ … 66	**ち**	導電性対極板 … 10
心臓再同期療法 … 70	治療閾値 … 1	
心内電位 … 72	治療効果 … 1	**な**
心内膜電極 … 75	治療効果度 … 2	内視鏡 … 183
心肺蘇生ガイドライン … 45	治療余裕度 … 2	内視鏡外科手術 … 192
心肺蘇生の手順 … 46	治療用レーザ装置 … 163	内視鏡的粘膜下層切開剥離法 … 189
心拍応答機能 … 79	致死限界 … 2	内視鏡的結石破砕装置 … 105
	超音波加温 … 208	内部放電回路 … 59
す	超音波吸引手術装置 … 169	
ステント … 112	超音波凝固切開装置 … 178	**に**
スプレー凝固 … 13	超音波振動子 … 173	二相性切断指数波形 … 58
	超音波内視鏡検査 … 188	二相性波形 … 43, 60
せ		
センシング不全 … 86	**て**	**ね**
生理的ペーシング … 78	デマンド機能 … 78	熱ショックタンパク質 … 209
切開 … 6, 12	デュアルチャンバペースメーカ … 79	熱傷 … 16
潜熱 … 202	低圧持続吸引器 … 94	
全身加温 … 205	低温常圧型 … 204	**は**
	低周波漏れ電流 … 16, 25	ハイパーサーミア … 205
そ	滴下センサ … 123	バイフェージック波形 … 43, 60
ソフト凝固 … 13	伝送路 … 148	バイポーラシザーズ … 28
組織解離装置 … 32	電気メス … 5	バイポーラ出力 … 14
双極電極 … 76	電気手術器 … 5	バイポーラ電極 … 8
	電気水圧結石破砕術 … 109	半導体レーザ … 156
た	電気的除細動 … 34	
体外式ペースメーカ … 73	電極放電方式 … 102	**ひ**
体外衝撃波結石破砕術 … 97	電撃 … 16	ピエゾ効果 … 171
体外通電法 … 42	電子内視鏡 … 184	ピストンシリンダ方式 … 120

非干渉光 136
非生理的ペーシング 78
光音響的作用 140
光解離作用 142
光深達長 136
光伝送路 159
頻脈性不整脈 34

ふ
ファイバスコープ 184
フィンガ型 120
プラーク切除術 112
プログラマ 84
負荷特性 13
副作用 1

へ
ペーシングシステムアナライザ 83
ペーシングモード 80
ペーシング閾値 71
ペーシング不全 86
ペースメーカ症候群 78
ペリスタルティック方式 119
閉塞 126

ほ
ボルメトリック型 120
放電回路 56
房室ブロック 69

ま
マイクロ波 29
マイクロ波手術装置 29
マクロショック 7

み
ミクロショック 7

む
無脈性電気活動 36

め
面順次方式 184

も
モノフェージック波形 43
モノポーラ出力 14
モノポーラ電極 8

ゆ
輸液ポンプ 118
誘電型加温法 206
誘電熱 29
誘導型加温法 206
融解熱 203

よ
ヨウ素リチウム電池 67, 74
予圧注入方式 121
容量性対極板 11

ら
ラジオ波焼灼療法 29, 207, 208

り
リードレスペースメーカ 68
リード抵抗 83
両室ペーシング機能付き植込み式
　除細動器 53

れ
レーザ 133
レーザ結石破砕術 106
レーザ手術装置 133
レーザメス 148
冷凍手術器 200

ろ
ロタブレータ 112
ローラ型 119

欧文索引

A
AAI 81
AED 39, 44
AOO 81
ArF エキシマレーザ 149
automated external defibrillator 44
A-V block 69

C
cardiac resynchronization therapy 70
CCD 184
CO_2 レーザ手術装置 148
CRT 70
CRT-D 53

D
DDD 81
DDI 82
Dye レーザ 158

E
electromagnetic compatibility 23
electromagnetic interference 23, 75
electro-surgical unit 5
EMC 23
EMI 23, 75
endoscopic submucosal dissection 189
Er:YAG レーザ装置 154
ESD 189
ESU 5

ESWL ·· 97
ESWL 装置 ··································· 101
extracorporeal shock wave
　　lithotripsy ································ 97

H
HIFU ·· 208
Ho:YAG レーザ ····················· 106, 153

I
ICD ··· 39, 51
ICHD ··· 80
implantable cardioverter
　　defibrillator ······························ 51
Industrial Scientific Medical 周波数
　　··· 29
Inter-Society Commission for Heart
　　Disease Resource ···················· 80
interventional radiology ············· 110
ISM 周波数 ······································ 29
IVR ·· 110

K
KOR（keep open rate）機能 ······ 128

M
Mobitz Ⅱ型 ···································· 69

N
narrow band imaging ················· 188
NASPE/BPEG Generic code ········ 80
NBG ·· 80
NBI ·· 188
Nd:YAG レーザ ···························· 151

P
percutaneous coronary intervention
　　··· 111
percutaneous transluminal coronary
　　angioplasty ····························· 110
PNL ··· 98, 105
PTCA ·· 110
PTMC ·· 115

Q
Q スイッチ ···································· 152
Q スイッチアレキサンドライトレーザ
　　··· 107

R
RFA ·· 207, 208
R 波同期回路 ·································· 59

S
shock wave ····································· 98

spike on T ·· 86
SSS ·· 69

T
TAVI ··· 115
transcatheter aortic valve
　　implantation ··························· 115
trans-urethral resection ············· 189
TUL ··· 98, 105
TUR ·· 189

V
VDD ·· 82
Vessel Sealing System ········· 27, 194
VOO ·· 81
VVI ·· 81

W
WPW 症候群 ··································· 38

【編者略歴】

篠原 一彦
（しのはら かずひこ）

1985 年　東京大学医学部医学科卒業
1985 年　東京大学第二外科医員
1995 年　東京警察病院外科医幹
2000 年　埼玉医科大学講師（総合医療センター外科）
2002 年　東京工科大学教授（バイオニクス学部　先進外科・
　　　　　人間工学研究室）
2010 年　東京工科大学教授（医療保健学部臨床工学科）
2018 年　東京工科大学医療保健学部学部長（〜2023 年）
　　　　　現在にいたる　博士（医学），外科専門医

最新臨床工学講座
医用治療機器学　　　　　　　　　　　ISBN978-4-263-73461-2

2024 年 1 月 20 日　第 1 版第 1 刷発行
2025 年 1 月 10 日　第 1 版第 2 刷発行

監　修　一般社団法人
　　　　日本臨床工学技士
　　　　教育施設協議会
編　集　篠原　一彦
発行者　白石　泰夫

発行所　医歯薬出版株式会社

〒113-8612　東京都文京区本駒込1-7-10
TEL.（03）5395-7620（編集）・7616（販売）
FAX.（03）5395-7603（編集）・8563（販売）
https://www.ishiyaku.co.jp/
郵便振替番号 00190-5-13816

乱丁，落丁の際はお取り替えいたします　　印刷・あづま堂印刷／製本・榎本製本
© Ishiyaku Publishers, Inc., 2024. Printed in Japan

本書の複製権・翻訳権・翻案権・上映権・譲渡権・貸与権・公衆送信権（送信可能化権を含む）・口述権は，医歯薬出版（株）が保有します．
本書を無断で複製する行為（コピー，スキャン，デジタルデータ化など）は，「私的使用のための複製」などの著作権法上の限られた例外を除き禁じられています．また私的使用に該当する場合であっても，請負業者等の第三者に依頼し上記の行為を行うことは違法となります．

JCOPY ＜出版者著作権管理機構　委託出版物＞
本書をコピーやスキャン等により複製される場合は，そのつど事前に出版者著作権管理機構（電話 03-5244-5088，FAX 03-5244-5089，e-mail：info@jcopy.or.jp）の許諾を得てください．